"Записки безумной оптимистки"

«Прочитав огромное количество печатных изданий, я, Дарья Донцова, узнала о себе много интересного. Например, что я была замужем десять раз, что у меня искусственная нога... Но более всего меня возмутило сообщение, будто меня и в природе-то нет, просто несколько предприимчивых людей пишут иронические детективы под именем «Дарья Донцова».

Так вот, дорогие мои читатели, чаша моего терпения лопнула, и я решила написать о себе сама».

Дарья Донцова открывает свои секреты!

Дарья Донцова

Камин для Снегурочки

Москва

ЭКСМО

2004

ИРОНИЧЕСКИЙ ДЕТЕКТИВ

Глава 1

Никогда не знаешь, с какой стороны к тебе подползет неприятность. И вообще, никому не известно, что с ним случится через пять минут.

Как-то в начале июня я сидела в кафе вместе со своей подругой Ленкой Горбуновой. Время было довольно позднее, около полуночи, но, как ни странно, я никуда не спешила. Дело в том, что все мои домашние уехали кто куда, и мне предстояло провести несколько дней в одиночестве. Первые сутки я наслаждалась тишиной и покоем, на вторые загрустила, а на третьи, решив отвлечься, отправилась на встречу с Ленкой.

Мы славно провели время, выпили кофе, поели пирожных, а потом я с завистью сказала:

— Какие у тебя красивые волосы!

— Ага, — кивнула Ленка, — правда шикарные?

— Словно из рекламного ролика, — кивнула я, — густые и блестящие. А у меня! Просто кошмар! Мою их каждый день, и все равно тусклые, не лежат, секутся на концах. Да еще ногти в последнее время слоиться начали. Наверное, старость подбирается.

— Глупости, — захихикала Ленка, — какие наши годы! Просто нехватка витаминов.

— Я их принимаю каждое утро!

— Значит, не те! — не сдавалась Ленка. — У меня, между прочим, на голове тоже сено торчало, пока одно средство не посоветовали. Во, гляди.

С этими словами Ленка вытащила из сумки пластиковый флакон, набитый большими розовыми капсулами.

— Помогает классно, — заверила меня она, — через три дня я совсем другой вид приобрела.

— Дай название спишу, — загорелась я, — тоже хочу попробовать!

Ленка открутила пробку, потом, высыпав на салфетку примерно двадцать желатиновых капсул, сказала:

— На, попробуй. Сначала сразу надо слопать пять штук, а потом после каждой еды по две. Волшебное средство, только дорогое.

— Ты мне просто название скажи, — улыбнулась я, — сама куплю.

— Оно у нас не продается, — вздохнула Ленка. — Его мне Колька привез из Китая. Это их народная примочка, супер-пупер-полезная. Если через три дня поймешь, что тебе лучше становится — энергия прибывает, волосы заблестели, сон наладился, — позвони мне, а я Кольку попрошу, он и тебе витаминчики из Пекина притащит.

— Ну спасибо, — обрадовалась я.

— Ты сразу-то пять штук прими, — велела Ленка.

— Большие очень, — скривилась я, глотая капсулы.

— Ради красоты можно потерпеть, — хмыкнула подруга.

Мы расплатились по счету, я проводила Ленку до ее машины.

— Звони! — крикнула Горбунова и умчалась на бешеной скорости.

Я осталась одна, надо было ехать домой, но отчего-то на меня напал столбняк. Начало июня в этом году выдалось просто замечательное. Вот уже несколько дней термометр стабильно показывает плюс двадцать три, на небе ни облачка, редкая погода для столицы. У нас ведь, как правило, на Новый год расцветают розы, а в июне валит снег.

Улица, вернее, маленький переулочек, где располагалось кафе, выглядела пустынной. Впрочем, завтра рабочий день, и, несмотря на великолепную погоду, большинство москвичей уже улеглось спать. Если честно, я сама не слишком люблю посещать злачные места, расположенные на окраине Москвы, но Ленка недавно переехала в район новостроек, и, когда я, позвонив, сказала: «Давай встретимся», она ответила: «Если тебе все равно где, то лучше в ресторанчике «Винни-Пух», там кормят отлично, кофе варят классный».

— Где же такой трактир? — изумилась я.

— А недалеко от моей новой квартиры, — пустилась в объяснения подруга, — извини, к себе не зову, у меня стены штробят под проводку. Грязища повсюду! Вот закончу ремонт, тогда и приглашу на новоселье. Ну какая тебе разница, где нам встречаться? А мне нельзя далеко от квартиры уезжать, мало ли что. Этот «Винни-Пух» вполне приличное место, тихое, народу никого, кормят хорошо!

И вот сейчас я стою совершенно одна, поздним вечером, даже ночью, в незнакомом, почти не заселенном районе, а вокруг ни души. Мне неприятно и некомфортно.

Внезапно стало душно. Наверное, собиралась гроза. Не успела в голове возникнуть эта мысль, как перед глазами блеснула молния, но грома не было слышно. «Надо поспешить домой», — вяло подумала я, пытаясь оторвать ноги от асфальта, и тут прямо передо мной снова ударила молния.

Яркий свет вспыхнул в глазах, на голову словно надвинули тесную, тяжелую шапку, потом внезапно потемнело. Я хотела было шагнуть вперед и оказалась в кромешной темноте...

— Отметь там, — донеслось из плотного тумана, — два часа ровно, бирку нацепи.

— Ага, — ответил другой голос, тоже мужской, но более высокий. — А че писать?

— Учи вас всему! Число, время и паспортные данные.

— Так у ней документов нет.

— Тогда пиши — неизвестная, пусть ее к неопознанным положат.

Я попыталась открыть глаза, но ничего не вышло. Чьи-то грубые, крепкие пальцы схватили меня за левую щиколотку.

— Слышь, Колька, — сказал мужчина, — а у ей ногти лаком помазаны, розовым таким.

— И че?

— Не похожа она на бомжиху.

— Ты нам сложностей не создавай, — обозлился Колька, — документов нет? Нет! Вот и отправляй куда велено, не наше это дело, понял, Толян?

— И не грязная она, — бубнил Толян, что-то делая с моей ногой.

— На одежду глянь, — сказал Колька, — дерьмо вонючее.

— А сама-то чистая, — не успокаивался Толян. — Руки тоже аккуратные!

— Заткнись!

— Так маникюр есть! И видишь полоску на пальце, такую белую.

— И че?

— Она кольцо носила! Не, это не бомжиха.

— Толян, — сурово заявил Колька, — тебя сюда на практику прислали? Вот и учись у меня. Вези в морг. Я хочу спокойно матч посмотреть, ей уже до лампочки, где лежать, а наши с такой командой больше никогда играть не будут. Завтра Семен Петрович явится, и разберемся. Маникюр, педикюр... С улицы привезли, в одежде рваной, без обуви, документов нет...

— А ноги чистые, — зудел Толян, — как же она босиком ходила и не испачкалась? Нелогично.

— Пошел ты со своей логикой, — заорал Николай, — вот несчастье на мою голову! Практикант хренов! Ее «Скорая» в приемный покой приволокла! Одну! С улицы! Тетка померла, к несчастью, не у них в машине, а у нас в коридоре, отправляй ее в морг! Да не в первый, к приличным, а во второй, к бомжарам. Небось проститутка! Отсюда и ногти крашеные. Попользовались ею и вышвырнули...

— Не получается по-твоему!

— Ну все, — рявкнул Николай, — матч уже пять минут идет! Умерла так умерла, блин.

Хлопнула дверь. Пока мужчины спорили, я пыталась открыть глаза или рот или пошевелиться, но отчего-то ни одна часть моего тела не повиновалась мне. Руки, ноги не желали двигаться, шея не поворачивалась, и диалог парней я слышала словно сквозь вату, никаких эмоций он у меня не вызвал. Кто-то умер... Я, скорей всего, сплю и вижу дурацкий сон.

Чьи-то руки подняли меня, уронили на железный матрас, потом кровать затряслась...

— Ты чё ее головой вперед толкаешь, — загундосил Толян, — ногами положено!

— Молчи, студент, — ответил звонкий девичий голос, — нашелся тут!

Я пыталась вырваться из вязкой темноты, облепившей меня, хотела спросить: «Что случилось?» — но пошевелить губами не сумела и заснула...

— И кто из них? — раздался мужской голос.

— Ну... вон та, наверное, — ответил второй мужчина, — слева, бери ее.

— На бирку глянь, — велел первый.

— Ща, не, Макс, лучше сам позырь, не разобрать.

— Ты, Витька, очки себе купи!

— Пошел на...

— Сам иди! Это она! Видишь, написано «неопознанный», клади сюда.

— Во блин, тяжелая!

— Так мертвое тело завсегда тяжельче живого, подымай.

Чьи-то руки схватили меня, понесли, потом по лицу пробежал ветерок.

— Внутрь пихай.

— Нормалек, улеглась.

— Теперь куда?

— Поглупей чего спроси, к Ивану.

Из моей головы медленно начал уходить туман, и появились какие-то ощущения. Через некоторое время я поняла, что лежу на спине, на чем-то жестком, подпрыгивающем, мне очень холодно, неудобно и плохо. Но это определенно не явь, а ужасный, кошмарный сон. Иначе почему я никак не могу открыть глаза?

Внезапно тряска прекратилась, послышался противный лязг.

— Привезли? — прозвучало издалека.

— Да.

— Где?

— В кузове.

— Ясное дело, не на сиденье, показывай.

— Вот.

Повисла тишина. Потом мужик с негодованием воскликнул:

— Это что? Ты кого припер, Витя?

— Как велели, из морга, неопознанная, нам Николай Михайлович выдал. Мы ему заплатили, все путем, — затарахтел тот, кто отзывался на имя Виктор, — не сомневайтесь.

— Идиот! Кто это?

— Так, Иван Николаевич, — труп!

— Чей?!

— Ну... как велено... бабы!

— Какой?

— ...э ...неопознанной!

— И где ты... его взял?

— Так Николай Михайлович выдал. Она к ним в ночь поступила, вчера, то есть сегодня. Документы он похерил, вот и получается, что о ней никто не знает. Все как надо.

— Витя, ты...

— Да че я сделал-то!

— Дерьмо, — заорал Иван Николаевич, — никому ничего поручить нельзя! Все самому делать надо! Урод! Кретин!

— Так че я не так сделал? — обиженно занудил Витя.

— Все, — бушевал Иван Николаевич. — Мне нужна старуха! Ста-ру-ха! Баба семидесяти лет! Или около того, а здесь кто, а? Ей пятидесяти не дать!

— Намного моложе будет, — встрял еще один до сих пор молчавший мужчина, — вон грудь какая!

— Молчи, придурок, — взвизгнул Иван Николаевич, — только о сиськах и думаешь, гондон!

— Мне такую Николай дал, — отбивался Виктор.

— Ну, ща ему мало не покажется, — пообещал Иван Николаевич.

Послышалось тихое пиканье, потом мужик гаркнул:

— Колька, сучий потрох, кого мне прислал! Мне бабка нужна старая...

Вяло слушая его речь, щедро пересыпанную матом, я изо всех сил пыталась проснуться.

— Езжай опять к Кольке, — велел Иван Николаевич.

— А эту куда? — спросил Витя.

— Куда, куда, на холодец сварите.

— Скажете тоже, — хихикнул Виктор, — назад, что ли, тащить?

— Нет! Колька уже заплатил, чтоб не болтали. Заройте ее с Лешкой в лесу.

— Сделаем, — прозвучали дуэтом голоса.

— Быстро засыпьте — и к Кольке, — велел Иван Николаевич, — твари, идиоты!

Вновь послышался лязг, пол подо мной затрясся. Я попробовала крикнуть, но не сумела. Очень быстро шум мотора стих. Грубые руки схватили меня за щиколотку, протащили и бросили, на этот раз не на железо, а на что-то мягкое.

— Неси лопату, Лешка.

— А ее нет!

— Ты че, не взял?

— Не.

— Идиот!

— Сам такой!

— ...

— От... слышу!

— Ладно, — слегка успокоился Витя, — жди тут, съезжу за заступом.

— Я с тобой.

— С какой стати?

— Не останусь с ней один!

— Во придурок! Боишься, что ли?

— Ага, — честно признался Леша, — мне от трупов нехорошо.

— Ну ты и чмо! Мертвецы безобиднее живых.

— Не, я с тобой поеду.

— А эту кто караулить будет?

— А че с ней сделается? Пусть лежит. Или сам оставайся, а я за лопатой сгоняю, — предложил Леша.

— Нет, — быстро буркнул Витя, — вместе прокатимся.

Повисла тишина, я, плохо понимая, что происходит, пошевелила рукой... И тут со всего размаху мне на живот шлепнулось что-то скользкое, мягкое, отвратительное...

Из груди вырвался жуткий крик, я села и раскрыла глаза... Вокруг стеной стоял лес, серый рассвет едва проникал сквозь кроны деревьев. В легком недоумении я огляделась и мгновенно просекла ситуацию. Господи, я умерла, попала в морг, оттуда меня, спутав с кем-то, увезли. А вот теперь, чтобы исправить ошибку, парни снова поедут в трупохранилище, а меня сейчас зароют тут, вот на этой симпатичной поляне. Мои могильщики забыли лопату, скоро они вернутся. Надо бежать отсюда с реактивной скоростью. Ни в коем случае нельзя дожидаться этих Витю и Лешу. Парни явно принадлежат к криминальному сообществу. Ну кому еще придет в голову брать из больницы неопознанное тело?

Я вскочила на подгибающиеся от слабости ноги, дикий, животный страх прибавил мне сил.

В ту же секунду стало понятно, что я совершенно голая. На секунду меня охватило отчаяние, но вдруг взгляд упал на лежащее передо мной грязное, серое байковое одеяло. Я схватила его, набросила на плечи и понеслась сквозь кустарник, не чуя земли под босыми ногами.

Глава 2

Сколько времени я летела сквозь лес, сказать трудно. Ужас гнал меня словно сыромятной плетью. Вдруг деревья расступились, и я увидела пустынное шоссе. Радость охватила меня. Дорога обязательно выведет к какому-нибудь населенному пункту, и по ней может проехать машина.

И тут показалось ярко-красное пятно. Оно быстро приближалось ко мне, превращаясь в красивую иномарку. Я бросилась автомобилю наперерез.

— Помогите!

«Мерседес» замер. Из окошка высунулась светловолосая девушка.

— Ну ваще, — воскликнула она, — ты пьяная? Или обкуренная?

— Помогите!

— Вау! Тебя ограбили?

— Да, — быстро сказала я.

— Ну садись, — сморщилась девушка, — довезу до Москвы.

Я влезла в «Мерседес» и затряслась от холода.

— Эк тебя ломает, — пожалела меня девица, — небось мескалин жрешь? Или на дорожке сидишь?

— Вы о чем?

— Какие колеса хаваешь?

— Я не наркоманка.

— Нормалек! Ладно, будем знакомы, я — Глафира. Узнала небось?

— Кого? — стуча зубами, спросила я.

— Меня, — горделиво ответила девушка, — я — Глафира.

— Нет, простите, а вас надо узнавать?

Девушка тряхнула копной светло-русых мелкозавитых волос.

— Все отчего-то мигом ко мне целоваться лезут. Ты что, телик не смотришь?

— Очень редко. Вы ведете какую-то программу? Ток-шоу?

Глафира засмеялась.

— Не. Пою в группе «Сладкий кусочек». Неужели ничего про нас не слышала? Вот эту песенку, например.

Бойко вертя рулем, Глафира слабеньким, дрожащим голоском завела: «Милый уехал, в жизни все обман...»

— Ой, конечно, знаю, это вы исполняете?

— Да.

— Очень приятно, меня зовут...

Внезапно я замолчала. А как меня зовут?

— Ну, — поторопила Глафира, — так как тебя звать?

— Не помню, — оторопело ответила я, — имя из памяти вылетело.

— А фамилия, — хихикнула Глафира.

— ...э ...тоже.

— Чего же ты врала, что не глотаешь колеса, — откровенно развеселилась добрая самаритянка, — наркоша!

— Ей-богу, я не пользуюсь стимуляторами.

— И как тебя звать, не скажешь?

— Нет, — пробормотала я, чувствуя, как в душе снова нарастает ужас, — ничего не помню. Вообще.

— Где живешь?

— Понятия не имею.

— Телефон назови.

— Ну... Нет, не могу.

— Во блин, — хлопнула рукой по баранке Глафира, — класс! И чего делать теперь? Куда тебя везти? Почему ты голая, в одеяле?

Я поежилась.

— Плохо помню. Вроде меня хотели убить, а я удрала, но это все.

Глафира хмыкнула:

— Ловко. Может, в милицию поедем?

— Не надо, — испугалась я.

Певица рассмеялась:

— Понятно. Катим ко мне, там Свин сидит, он разберется.

— Это кто Свин? — спросила я, тщетно пытаясь унять дрожь.

Глафира нажала на кнопочку, по моим босым ногам повеяло теплым ветерком.

— Свин? Продюсер. Сиди спокойно, торчила.

Я хотела было снова напомнить, что не употребляю никакие препараты, но приятное тепло уже добралось до головы, и я уснула...

— Дура, — ворвался в уши возмущенный голос, — зафигом приволокла ее?!

— Она на дороге стояла.

— ... бы с ней.

— Жалко все-таки.

— Идиотка.

— Свин!!!

— Что?

— Ну не бросать же ее было?

— Не стоило подбирать!

Я села, обнаружила, что нахожусь на диване в

просторной комнате с ярко-голубыми занавесками. На мне была слишком просторная шелковая пижама. В креслах у окна сидели Глафира и мужчина лет сорока, черноволосый, плохо выбритый, с крупным ртом и большим носом.

— Здравствуйте, — пролепетала я, — который час?

— Ты, киса, сутки проспала, — рявкнул мужик. — Давай-ка познакомимся, Семен.

— Очень приятно, — кивнула я.

— Ну, чего молчишь, лапа? — заржал Семен. — Имечко скажи, назовись по-человечески, голуба. Сколько тебе лет, где живешь? Язык проглотила?

Я попыталась судорожно вспомнить хоть что-то. Но тщетно, в голове было пусто, словно в тумбочке у кровати в гостинице после отъезда очередных постояльцев.

— Ну, лапуся, — поторопил меня Сеня, — как дела? Ау! Кофе хочешь?

— Да, — с благодарностью воскликнула я, — очень!

— А покушать?

Невидимая рука сжала желудок.

— Конечно, с огромным удовольствием, — обрадовалась я.

Свин заржал и показал на столик, где стояла банка растворимого кофе, коробка с печеньем и электрочайник.

— Угощайся, котя.

Я встала с дивана, пересела в кресло, насыпала коричневого порошка в чашку, налила туда воды, глотнула и сморщилась.

— Что, невкусно? — заботливо спросил Свин.

— Не слишком, натуральный лучше.

— Скажите пожалуйста, — скривился Семен, — какие мы нежные! Где же ты наслаждалась кофейком по-турецки? В сизо?

Быстрым движением он выхватил у меня из рук чашку и залпом опрокинул в себя ее содержимое.

— Мы, люди шоу-бизнеса, не гордые, — сообщил он, — не то что вы, зэчки.

— Почему зэчки? — оторопело поинтересовалась я.

— Врать не надо, — рявкнул Свин, — хорош выделываться, мы тут тоже можем такого Ваню изобразить!

Я растерянно моргала глазами, потом собралась с духом и прошептала:

— Простите, я не хотела вас обидеть, сказав про кофе. Сама не понимаю, как это вырвалось. Отчего-то мне кажется: раньше я пила только арабику.

— Ну, киса, — хмыкнул Свин, — роль не продуманная. Значит, ничего о себе не помнишь, а кофе в чашечку насыпала, кипяточком залила. Следовательно, не такая уж ты психованная. Сумасшедшая бы на стол порошок натрясла и языком слизала. Одним словом, кончай базар.

— Извините, но я...

— Хватит!

— Ей-богу...

— Значит, правда ничего о себе не знаешь?

— Нет! — с отчаянием воскликнула я.

— Ладно, котя. А я кой-чего разведал. Ты — Таня Рыкова.

— Таня Рыкова? — повторила я, пытаясь понять, вызывает ли это словосочетание у меня хоть какие-то эмоции.

Но нет, никаких воспоминаний в голове не возникло.

— Таня Рыкова, Рыкова Таня... — бубнила я.

— Ага, — кивнул Свин. — Ты жила себе спокойно хрен знает где, у Муньки за шиворотом, потом приехала в Первопрестольную, устроилась трамваи водить.

— Трамваи? — эхом отозвалась я и посмотрела на свои узкие ладони. — Я не умею управлять этим транспортным средством.

— Ага, — хмыкнул Свин, — но само слово «трамвай» тебе понятно?

Я кивнула.

— Вот и славненько, — скривился он, — уже продвигаемся вперед. На городском транспорте тебе работать не понравилось, что, в общем-то, понятно: грязно, утомительно, платят мало, и ты, котя, подалась в поломойки, стала квартирки убирать. И тут тебе, киса, повезло. Пристроилась в коттеджный поселок, к некоему Сергею Лавсанову. Дальше мне говорить или сама продолжишь?

— Простите, лучше вы.

— Вот, е-мое, кривляка, — хохотнул Свин, — ну лады. Некоторое время тому назад ты, душенька, прирезала своего доброго хозяина, можно сказать, благодетеля, пырнула ножиком, остреньким таким, тоненьким, для сырокопченой колбаски. Очень аккуратно попала мужику прямо в сердце. Ловко вышло.

— Не может быть, — прошептала я, чувствуя, как голову стремительно стискивает обруч, — я никогда никого не убивала!

— Да? Откуда ты знаешь? — захрюкал Свин.

— Ну... мне так кажется. И потом, как вы выяснили, кто я такая?

Продюсер шмыгнул носом, вытащил пачку сигарет, закурил и, выпустив прямо мне в лицо струю дыма, спросил:

— Ты выскочила к Глафире из леса?

— Вроде, — осторожно подтвердила я.

— На Волоколамском шоссе?

— Извините, не знаю.

— Зато я очень хорошо знаю, — оборвал меня Свин. — У Глафиры там, на Волоколамке, приятель живет, она от него рулила, а тут ты, киска, в одеялке, голенькая. Глафира, конечно, дура...

Девушка шумно вздохнула, но осталась сидеть молча. За время нашего разговора она не произнесла ни слова.

— ...полная идиотка, — продолжил Семен, — жалостливая слишком, вот и притормозила. Я бы ни за что не остановился. Ясно?

— В общем, да, но откуда вы узнали, что я Таня Рыкова?

— Не перебивай, а слушай. Когда ты прирезала хозяина, бедного Сережу, то, совершенно потеряв голову, вылетела из дома и понеслась к дороге, вся в крови, с ножиком в руке. Естественно, тебя взяли на выходе из поселка, охранник выскочил из будки и скрутил Танюшу. Ну, ясный перец, менты приехали, то да се, сечешь? Вела ты себя неадекватно, на вопросы не отвечала, чушь понесла. Ну и попала в сизо, потом суд и приговор!

— Это со мной давно было? — еле шевеля губами, спросила я.

— Да уж не вчера, — улыбнулся Свин, — наша самая справедливая и неподкупная Фемида посчитала тебя невменяемой и отправила на лечение в спецбольницу. Это по-ихнему, по-юридически, клиника, а по-нашенски, по-простому, психушка. Таперича понятненько, Танюшка?

— Нет.

— Ох, и упорная ты. Хорошо. Психушка эта стоит в километре от Волоколамки, надо сквозь лесок пробежать, и выскочишь на шоссе. И знаешь, что интересно?

— Нет.

— Заладила: нет, нет, — фыркнул Свин, — из психушки поднадзорная личность удрапала ночью. Татьяна Рыкова пошла в туалет и утекла. Пронырливая такая, ловко дельце обустроила. Все в палате оставила, в ночной рубашке босиком в сортир почапала, а потом в душ зарулила, сказала медсестре, что обосралась. Вот та, дуреха, и поверила Танечке. А наша Рыкова, ну хитра, ночную рубашонку на крючок повесила и в душ двинула. Сестра спокойно ждала, сорочка висит, вода шумит. Только через час до тупой девки дошло: неладно дело. Открыла дверь, а тебя нет.

— Куда же я делась?

— Э-э-э, хитрованка! Там в полу, под решеткой, которая пол прикрывает, люк имелся в подвал. Дом-то старый, про лючок то ли забыли, то ли посчитали, что его не открыть. А может, тебе кто помог, а? Только утекла ты, киса, и к шоссе бросилась.

— Нелогично выходит, — обозлилась я, — если я имела сообщников, то почему они машину не подготовили?

— Значит, ты одна орудовала, — быстро согласился Свин.

— И откуда у меня одеяло?

— Так сперла в больнице.

Я ошарашенно замолчала, потом поинтересовалась:

— С какой стати мне было хозяина убивать? Опять не то получается. Он же горничной небось зарплату платил!

Семен издал серию коротких хрюкающих звуков, и мне стало ясно, почему он получил столь милое прозвище.

— Ты, кисонька, решила у благодетеля деньжат стырить и сумела сейф вскрыть. Он у парня ну в очень нестандартном месте находился — в кладовке с припасами. Небось он решил, если бандиты наедут, то деньги в кабинете или в спальне искать будут. К банкам с крупой не полезут. Только не подумал Сережа о вороватых горничных да, на свою беду, домой в неурочный час приехал. Прикинь, как он удивился...

— Откуда вы все это узнали? — только сумела спросить я.

Свин хмыкнул:

— Киса, у меня такие связи! И что теперь делать станем, Татьяна? Назад в клинику поедем? Да уж, тебе там очень обрадуются! Скрутят, к кроватке привяжут. Есть у них такие милые постельки, без матраса, а в деревяшке под спиной дырка!

— Зачем?

— А под нее ведерко ставят, — заржал Свин, — чтобы всякие вроде тебя в туалеты не просились.

— Я никого не убивала, ей-богу, поверьте.

— Ты же ничего не помнишь, — издевался Свин, — ни своего имени, ни адреса, ни возраста...

— Да, это так, но я знаю, что не могла убить.

— Невысокая, коротко стриженная, светло-русая, глаза голубые, худая, имеет шрам от аппендицита, — спокойно перечислил Семен.

Я схватилась за пижамные штанишки.

— Да есть у тебя отметина, — отмахнулся Свин, — не старайся, не верю, как говорил Станиславский.

Из моих глаз полились слезы.

— Я ничего, совсем ничего не помню, вообще.

— Тогда поехали в клинику.

— Не хочу!

— Да? Выбора-то нет, киса.

У меня внезапно затряслась голова, по спине пробежал озноб, перед глазами сначала появилась серая сетка наподобие москитной, потом запрыгали разноцветные шары и стала медленно надвигаться темнота. Последнее, что я помню, был гневный вскрик Глафиры.

— Ну ты мерзавец, Свин!

В следующий раз я очнулась ночью, в окнах был беспросветный мрак. В углу большой комнаты горела лампа, на диване в круге желтого света сидела Глафира с журналом в руках. Я попыталась подняться и застонала — голова болела нещадно.

— Проснулась? — спросила Глафира, откладывая яркий томик. — Хочешь есть?

— Да, если можно.

— Пошли на кухню.

Пошатываясь, я добрела до огромного помещения, села на стул и стала смотреть, как Глафира роется в холодильнике.

— Сыр будешь? — спросила она.

Я кивнула.

— Ты не злись на Сеньку, — вздохнула певица, — хоть он и дикая свинья! Он тебе проверку устроил.

— В каком смысле?

— Ты, похоже, в самом деле Рыкова Татьяна, — пояснила Глафира, — убила Сергея Лавсанова, только не из-за денег. Он к тебе полез, изнасиловать хотел, на кухне дело было, вот ножик под руку и попался. И потом, ты москвичка.

— Зачем же тогда Свин наврал? — удивилась я, впиваясь зубами в бутерброд.

— Он думал, что ты врешь, притворяешься беспамятной, — пояснила она, — решил, что в какой-то момент не выдержишь и заорешь: «Все не так было». Но ты молчала, а потом в обморок упала. Теперь Свин в сомнениях.

— Я не вру!

— Похоже, нет, — кивнула Глафира, — совсем ничего не помнишь?

— Ну... я умерла в два часа ночи.

— Ой, расскажи, — подскочила Глафира.

Мы проговорили некоторое время, потом она зевнула, меня тоже потянуло ко сну.

Утро началось с короткого крика:

— Вставай!

Я быстро вскочила, пошатнулась и, чтобы не упасть, ухватилась за стену.

— Молодец, — похвалил меня Свин, — вот она, зэковская выучка. Раз — и готово.

Я села на кровать.

— Я никого не убивала.

— Хватит, — вполне миролюбиво сказал Семен, — вот что, киса, хочешь в психушку?

— Нет, не отдавайте меня туда, — взмолилась я, — что угодно, только не это!

— Лады, лапа, давай договоримся. Ты будешь работать у Глафиры.

— Кем?

— Всем: костюмершей, гладильщицей, мамой, поваром, уборщицей. Одним словом, станешь за нашей звездой ухаживать. Давно человека найти не можем.

— Почему?

— Так концертов на дню по три штуки и чешем много.

— Чешете? Кого?

Свин захохотал.

— Чешем! То есть по провинции ездим, с концертами. Конечно, Глашка и в Москве поет, по клубам, только основные денежки с Тмутаракани капают. В месяц тридцать концертов в двадцати городах отпоет, и жить можно. От нас прислуга бегом бежит. У всех семьи, мужики, дети. А у тебя никого.

— Я одинокая?

— Совсем.

— И замужем не была?

— Не-а, поселишься у Глашки, — продолжал Свин, — денег тебе платить не собираюсь, зачем они тебе? Жратвы сколько угодно, шмотки дадим. Будешь хорошо работать — награжу, стыришь чего или лениться начнешь — в клинику сдам. Просекла?

— Да, — тихо ответила я, чувствуя себя маленьким камешком посреди огромной пустыни.

— Болтай поменьше, — велел Свин, — про потерю памяти никому не рассказывай. Если кто спрашивать начнет, дескать, откуда взялась, отвечай: «Я Глафире дальняя родственница, приехала из... Тюмени». Даже лучше из деревни под Тюменью. «Теперь работаю мастерицей на все руки».

— Но у меня нет документов!

Свин встал.

— Это не твоя забота, Таня. Будет ксива, хорошая, с пропиской, не дрейфи. Об одном помни: работать надо старательно и меня слушать, как отца родного, иначе капец тебе, котя. Ты ведь не хочешь в клинику?

— Нет! — в ужасе воскликнула я.

— Тады по рукам, — крякнул Свин, — иди, морду умой, душик прими — и за работу. У нас сегодня концерты, сборные, первый в клубе «Мячик». Шевелись давай.

Глава 3

Когда я вышла из ванной, Глафира крикнула:

— Рули сюда.

— Куда?

— В гардеробную, по коридору налево.

Я пошла по идеально отлакированному паркету и добралась до комнаты, битком забитой шмотками.

— Размерчик у нас, похоже, один, — протянула Глаша, — вон там погляди, джинсики, футболочки.

Я быстро нашла светло-голубые брюки, кофточку из трикотажа и спросила:

— Тебе не жаль мне эти вещи отдавать, они такие красивые?

— А, — отмахнулась певица, — такого дерьма у меня навалом, забирай хоть все. Вот эти, на первом кронштейне, не бери, я в них сама хожу. А те, во втором ряду, уже старые, можешь ими пользоваться.

— Разве футболка может выйти из моды? — удивилась я.

Глаша скривилась.

— Они мне малы. Видишь, грудь какая, четвертый номер. А у тебя ноль, вот и таскай.

— Зачем же ты их покупала, если малы?

— У меня тогда сисек не было.

— Они выросли?! — изумилась я.

— Нет, конечно, — усмехнулась Глаша, — я силикон вшила.

— Ой! Это же вредно.

— Зато на сцене красиво.

— И шрамы остаются!

Глафира задрала топик.

— Где? Найдешь, сто баксов дам.

Я внимательно осмотрела безупречную по форме пышную грудь и констатировала:

— Нет отметин.

— Ага, — обрадовалась Глаша, — никто обнаружить не может, потому что не туда смотрят. Вот где разрез был, под мышкой.

Я вгляделась и покачала головой:

— И правда, практически не видно, на зажившую ссадину похоже!

— Если кто спрашивает, что у меня под рукой, — окончательно развеселилась Глафира, — я всегда отвечаю: родинку удаляла. Ладно, хватит трепаться! Меряй туфли, вдруг у нас и размер обуви один.

Туфли Глафиры тоже оказались мне впору.

— Вот и здорово, — одобрила певица, — теперь курс молодого бойца. Во-первых, никого в гримерку не пускай.

— Куда?

— Когда на концерт приедем, — терпеливо объяснила она, — мне комнату отведут для переодевания, вот в нее никого не пускай, ясно?

Я кивнула.

— Ладно, — хмыкнула Глафира, — остальное потом.

Клуб «Мячик» находился на шумной улице. Глафира уверенным шагом направилась к стеклянной двери. Я с чемоданом и портпледом в руках тащилась сзади. Певица пнула носком высокого сапожка из джинсовой ткани стеклянную дверь.

— Эй, открывай!

Маячивший с той стороны шкафообразный парень лениво распахнул дверь.

— Тебя сюда спать наняли? — фыркнула Глафира. — А ну зови Катьку!

Секьюрити забубнил что-то в рацию.

— Безобразие! — громко заявила Глафира. — Больше ни за что не соглашусь в этой помойке петь. Никогда!

— Глашенька, душенька! — донеслось сверху.

Я посмотрела на широкую лестницу. По ступенькам быстро спускалась стройная женщина в элегантном костюме.

— Как мы рады! — щебетала она.

— Можно подумать, — скривилась Глафира, — прихожу, никто меня не встречает. Этот идиот даже дверь не открыл.

— Извини, Глашенька, — тараторила Катерина, — знаешь, я всегда вас поджидаю, просто на секунду отошла, тут до тебя Алена Лапина подъехала, так я ее повела...

Глафира покраснела.

— Кто?

— Лапина, — растерянно повторила Катя, — наша звезда, Алена. Она перед тобой поет.

Глафира покачалась с пятки на носок, потом вдруг взвизгнула:

— Танька, уматываем, шагай к машине.

Ничего не понимая, я подхватила поставленный было на пол портплед.

— Глашечка, — засуетилась Катя, — что случилось?

— Значит, Лапина звезда, а я — так, дерьмо на лопате?

— Что ты! Господи, как такое могло тебе в голову прийти?

— Ее встречают, а я стой у закрытой двери!!!

— Глашечка, ну прости, я бежала тебя встречать сломя голову!

— Не похоже, что ты слишком торопилась.

— Глашенька! Леня, Игорь, быстро ведите звезду в гримерку! — заорала Катя. — Чего встали, идиоты! Фрукты, надеюсь, поставили? А воду? Только без газа!

Потом она повернулась к Глафире.

— Я помню, что ты, моя радость, не любишь газированную!

— Еще тебе следует помнить, что меня надо встречать у «Мерседеса», — отрезала Глафира и пошла к лестнице. — Алену она повела! Кошку визгливую! Тумбу квадратную! Юбочку из плюша! Нашли звезду! Уржаться!

Катя бежала впереди нас, постоянно оглядывалась и с самой сладкой улыбкой на лице верещала:

— Глашечка, душечка, осторожнее, тут приступочка. Ленька! Принеси живо пепельницу, рысью, дурак! Глашечка, не споткнись.

Наконец мы добрались до двух совершенно одинаковых дверей.

— Надеюсь, меня разместят в зеленой гримерке? — голосом, не предвещающим ничего хорошего, протянула Глафира.

Катино лицо покрылось красными пятнами. Администратор вжала голову в плечи, и тут одна из дверей распахнулась и на пороге появилась стройная девушка с безупречной фигурой. Красивые длинные ноги были упакованы в белые лаковые сапоги-ботфорты, коротенькая юбочка подчеркивала осиную талию, блестящий топик открывал упругую, высокую грудь. Откинув прядь густых рыжих волос, девушка нежным голосом сказала:

— Добрый вечер.

— Алена! — взвизгнула Глафира. — Ты суперски смотришься! Рада тебя видеть.

— Мне приятно, что мы вместе работаем, — улыбнулась Алена.

Я страшно удивилась. Это Лапина? Надо же, какая молодая и очень худенькая. На экране телевизора певица кажется более полной и не такой красивой, но сейчас, стоя около нее нос к носу, я поняла, что Алена очень хороша собой. У нее большие, необычного разреза глаза, и потом, эта улыбка, то ли грустная, то ли слегка усталая, однако от нее певица сделалась еще краше. Интересно, я помню Лапину, а как меня зовут — нет!

— Ах, девочки, — засуетилась Катя, — жаль, я фотоаппарата не взяла! Наши звезды рядом!

— Твой новый диск — супер, — взвизгнула Глафира. — Особенно вот эта... трал... та-та-трам!

— Спасибо, — улыбнулась Алена, — ты тоже постоянно хиты выпускаешь. Свин умеет подыскать композитора. Извини, мне пора. Катя, пошли.

— Катя, — быстро попросила Глаша, — ну-ка проверь, все ли у меня в гримерке в порядке. А то в прошлый раз на столике таракан сидел!

Несчастная Катя растерялась. Казалось, видно, как в ее мозгу крутятся вопросы. Как поступить? Бежать, показывать дорогу Лапиной? Тогда Глафира распсихуется, сорвет выступление. Броситься в гримерку к Глафире? Тогда, не дай бог, Лапина обидится.

Мне стало жаль несчастную, ну и работа! Ейбогу, никаких денег не захочется.

Внезапно Алена улыбнулась.

— Вы, Катя, лучше помогите Глаше. Я-то опытная полковая лошадь, не первый день на сцене, меня тараканами не запугать, впрочем, мышами тоже, насмотрелась на гастролях. Клуб ваш я великолепно знаю, сама дорогу на сцену найду. Счастливо, Глаша, успеха.

Высокая, стройная фигура в белых ботфортах стала удаляться по коридору. Я посмотрела ей вслед. Один—ноль в пользу Лапиной. Мало того, что она хороша собой, так еще умна и отлично воспитана. Мигом, с улыбочкой поставила Глафиру на место. Настоящей звезде вовсе не требуется устраивать скандалы, чтобы подтвердить свой статус, всем и так понятно, «ху из ху»!

Красная от злости Глафира ворвалась в гримерку.

— Тоже мне, — гневно воскликнула она, — суперстар, блин! Растолстела, обабилась, жуткий вид! Песни — словно вой мартовской кошки, а туда же! Дома пора сидеть, картошку жарить! Звездища! Ну что встала, Танька, вынимай костюмы! А ты уматывай, мне переодеваться надо, краситься.

Последняя фраза относилась к Кате.

— Конечно, конечно, — заворковала та, — впрочем, Глашенька, ты такая красавица, что и грима не надо!

— Ступай, встречай других, подлиза, — капризным тоном сказала Глафира.

Катю вымело за дверь. Глафира села в кресло и другим, совершенно нормальным голосом произнесла:

— Гляди, чтобы сюда кто из журналюг не пролез с фотоаппаратом.

— Зачем ты так ее отругала, — не вытерпела я, — она же на работе! Некрасиво получилось.

Глаша хихикнула:

— Мне положено звездить. У меня имидж такой — девочка-крик. А еще я много пью, видишь?

Наманикюренный пальчик ткнул в бутылку «Хеннесси».

— Сейчас я ее наполовину оприходую, — развеселилась Глафира и, схватив коньяк, стала отвинчивать пробку.

— Ой, не надо, — испугалась я, — тебе же еще работать!

— Имей в виду, — заявила Глафира, — я дебоширка, пьяница, развратница, меняю мужиков каждый день, устраиваю погромы в клубах, хамлю газетчикам...

С этими словами она отхлебнула из горлышка, пополоскала рот, выплюнула коньяк в висевшую на стене раковину, потом вылила туда же примерно полбутылки и вздохнула:

— Пожалуй, хватит. Ну, похожа я на пьяницу?

— Зачем тебе ею прикидываться? — удивилась я, вынимая сценическую одежду.

— Имидж такой.

— Не очень-то приятный.

— Дурочка ты, — вздохнула Глафира, — я — бренд, а всякий бренд делается более ценным от частого упоминания. Надо, чтобы о тебе постоянно писали газеты, вот я и даю им повод.

— Но можно же привлечь к себе внимание творчеством! Постоянно петь новые песни!

Глаша замерла с разинутым ртом, собралась что-то сказать, но тут в комнату влетела тонкая вертлявая девица.

— Сюда нельзя! — замахала я руками.

— Это моя бэк-вокалистка, — остановила меня Глаша, — Нина, привет.

В гримерную стали без конца вваливаться люди, я кидалась к каждому, но потом перестала, потому что все они оказались свои. Мальчики-танцовщики, музыканты, девчонки из подпевки... Никто никого не стеснялся. Балетные бегали голыми и, матерясь, рылись в сумках, разыскивая белье. Подпевки, не смущаясь, разгуливали топлес. Натягивая на себя расшитые блестками шортики, они со смаком обсуждали какую-то Лариску, спешно и весьма удачно вышедшую замуж. Никаких разговоров о высоком искусстве и предстоящем выступлении никто не вел.

Потом народ понесся на сцену, а я, устав от бесконечного застегивания крючков и завязывания тесемок, пошла в туалет, заперлась в кабинке, села на унитаз и пригорюнилась. Таня Рыкова. Отчего это имя и фамилия не вызывают у меня никаких эмоций? Кто я такая? Где жила? Кто мои родители? В памяти сплошной прочерк. И что странно — всякие бытовые привычки остались при мне. Я умею чистить ботинки, гладить юбки. Во всяком случае, только что я справилась с работой. Может, не слишком ловко, но при виде утюга я особо не удивилась. Правда, один из мальчишек обругал меня за то, что я не расправила складки на рубашке. Наверное, там, в другой жизни, я все же была не слишком умелой работницей, но ведь имела какие-то навыки и не забыла про них. Еще я совершенно адекватно веду себя в быту — чищу зубы, натягиваю колготки на ноги, а не на руки. Более того, я узнала Алену Лапину, помню, многократно видела ее раньше, только не вживую, конечно, а на экране телевизора. Но почему тогда я не могу вспомнить свое имя?

Слезы подступили к глазам. Быстро отмотав кусок туалетной бумаги, я поднесла его к лицу и услышала голос Кати:

— Алло, Леночка, слышишь меня, это мамочка. Как ты там? Ну не плачь, не надо! Детонька, не разрывай мне сердце. Тебе страшно? Хорошо, включи кассету, ну ту, про веселого поросенка. Нет, я не могу сейчас приехать, ты же знаешь, мамочка на работе. Ну кто же нам с тобой денежек даст? Мы же одни, куколка. Думаешь, мне тут хорошо? Ужасно, зайчик. Я тебе принесу что-то вкусное. Салат «Цезарь» и пирожные, куплю и положу в коробочки. Как всегда, в восемь утра... Я успею отвезти тебя в школу. У нас сегодня Алена Лапина. Да, она очень милая, подписала тебе свой диск. Алена любит детей, ее доченька тоже дома сидит и не плачет, знает, что мама с работы придет. Не хнычь, моя ласточка. Многие девочки ждут мам со службы. А еще Глафира. Нет, она противная, ужасно! Согласна с тобой: глупая, безголосая коза! Конечно, полный отстой, но народ-то на концерты ломится. Ну все, я побежала, не плачь, не рви мне сердце.

Голос смолк. Решив, что Катя ушла, я вышла из кабинки и тут же увидела администраторшу, нервно курившую у окошка. Взгляд Кати наткнулся на меня.

— Э... Танечка, — в изнеможении воскликнула она, — вы тут сидели, в кабинке?

— Ну да, — пробормотала я, ощущая себя глупее некуда.

— Вы слышали мой разговор с Леночкой?

— ...а ... да ... то есть нет!

Катя схватила меня за руку.

— Я вовсе не считаю Глафиру безголосой козой. Я очень люблю ее, она супер, классная, дико талантливая, настоящая стар! Это дочка моя так говорит. Девочке двенадцать лет, подростковый возраст, сидит все время одна, вот я и согласилась с ней, хотела сделать ребенку приятное... Танечка, милая, не рассказывайте Глаше. Она скандал поднимет, меня выгонят. Я совсем не люблю Лапину, я обожаю Глафиру. Понимаете, я поднимаю девочку одна, без мужа, отвечаю в клубе за эстрадную программу, а певцы такие... ну... в общем...

Губы у Кати задрожали, в глазах заблестели слезы.

— Я работаю у Глаши первый день, — быстро сказала я, — и вовсе не являюсь ее подругой. О чем вы говорили, я не слышала. Поняла вроде, что Алена Лапина вашей девочке диск подписала, разве это запрещено?

Катя швырнула окурок в форточку.

— Спасибо, — тихо сказала она, — имей в виду, понадобится моя помощь, приходи. У меня записные книжки толщиной с пятиэтажный дом. Почти все телефоны звезд имею. Ты никого отыскать не хочешь?

Я вздохнула. Очень хочу, себя. Но как сказать подобное Кате?

— Да нет, спасибо.

Катя кивнула и убежала, а я пошла в гримерку.

Из «Мячика» Глафира переехала в «Сто кило», а оттуда в «Синюю свинку». Везде повторялось одно и то же: крик на администраторов, нежные поцелуи с другими певицами, суета закулисья, вылитый из бутылок коньяк, мат балетных, глупое чириканье подпевок.

Около шести утра Глафира, еле-еле передвигая ноги, ввалилась в свою квартиру, рухнула в кресло, вытянула ноги, втиснутые в сапоги на километровой шпильке, и простонала:

— Чаю! С лимоном!

Я приволокла требуемое и спросила:

— Зачем же так убивать себя! Три концерта подряд! С ума сойти.

— Да уж, — вздрогнула Глаша, — на Западе певицы дисками зарабатывают, имеют отчисления от продаж, а у нас горлом, концертами да чесом по провинции.

— Но вроде и в России дисками торгуют.

— Ага, — кивнула певица, — пиратскими. Никаких денег с них не слупить. Вот я и стебаюсь по сценам.

— Можно же один концерт дать!

— А деньги?

— Всех не заработаешь.

Глаша фыркнула:

— Верно. Век певицы короткий, в полтинник ты уже никому не нужна. Следовательно, надо себя сейчас обеспечить до смерти. Квартиру я купила, дом достраиваю. Потом собирать бабло начну, чтобы на пенсии не геркулес жрать и не на метро ездить, и...

Не договорив фразы, Глафира внезапно уснула, прямо в одежде, сапожках и с макияжем на лице.

Я осторожно раздела звезду, прикрыла пледом, потом притащила из ванной косметические сливки и стала стирать вызывающий макияж с ее лица. Огромные губы Глаши стали меньше, под румянцем обнаружилась бледная кожа, под глазами проступили синие круги.

— Отвяжись, — прошептала Глафира.

— Давай в постель тебя отведу.

Глаша встала, словно зомби, дошагала до спальни и, рухнув лицом в подушку, сообщила:

— Подъем в два часа дня.

Я вернулась в гостиную, собрала одежду, аккуратно развесила ее в гардеробной и глянула в большое зеркало. Кто вы, Таня Рыкова? Убийца Сергея Лавсанова, мерзкая воровка или несчастная женщина, спасавшаяся от насильника? Где мои родители? Была ли у меня любовь? О чем я мечтала? Над чем плакала?

Внезапно зазвенел звонок, я бросилась к двери.

— Хай, — рявкнул Свин, вваливаясь в квартиру, — где звездулина?

— Спит, а вы почему в такую рань на ногах?

— Ездил тут по делам, — загадочно ответил Свин, — значит, так, я пойду душ приму. А ты, котя, мне кофею сваргань да бутербродиков настрогай. Усекла?

Я кивнула, продюсер исчез в ванной, оттуда послышался шум воды и бодрое уханье. Я хотела открыть холодильник, но тут взгляд упал на пиджак из льна, который Свин швырнул прямо на стол. Не понимая, что делаю, я схватила его и вытащила из внутреннего кармана роскошную книжечку с золотыми застежками. Перелистала странички, нашла нужную. «Рыкова Татьяна» — было написано в самом низу, дальше шел адрес и телефон.

Я быстро захлопнула книжку, сунула ее на место и кинулась к шкафчику, в котором стояла банка с кофе. Не верю Свину, хочу сама узнать, кто же я такая.

Глава 4

Свин уехал около девяти утра. Заперев за ним дверь, я бросилась к телефону и набрала номер.

— Але, — прокашляли из трубки.

— Мне Рыкову.

— Кого?

— Рыковы тут живут?

— Кто?

— Рыковы!

— Лыковы?

— Рыковы.

— Быковы?

— Рыковы! — заорала я. — Рыковы!

— Сначала сообрази, кто нужон, а потом людям мешай, — последовал ответ.

Я повторила попытку.

— Алле.

— Позовите кого-нибудь из Рыковых.

— Зачем?

— Они здесь живут, да? — обрадовалась я.

— И на фиг трезвонишь, — забубнил голос.

Внезапно мне стало понятно: говорящий вусмерть пьян.

— Позовите кого-нибудь из Рыковых.

— У Зинки спрашивай.

— А это кто?

— Так соседка, — заплетающимся голосом сообщил мужик. — Ейная комната слева от двери, а моя справа.

— Позовите ее, — я решила пообщаться с нормальным, трезвым человеком.

— Кого?

— Зину!

— На работе она.

— Не подскажете, где Зина служит?

— А здеся, внизу.

— Внизу?

— Ага, у нас на первом этаже супермаркет, полы она там моет.

— Как фамилия Зины?

— Зинкина?

— Да.

— Фамилие?

— Да.

— Ну, Кондратьева она.

Я положила трубку. Надо действовать. Спать мне, проведшей всю ночь на ногах, совершенно не хочется, Глафиру нужно будить в два. Улица, на которой жила Рыкова, расположена в центре. Интересно, а где сейчас нахожусь я сама? Взяв с крючка ключи, я, поколебавшись секунду, залезла в сумочку Глафиры и вытащила из бумажника сто рублей. Нехорошо, конечно, но я вернусь и расскажу певице о совершенной мною мелкой краже. Так, что еще надо не забыть?

Внезапно в голове всплыло слово «мобильный». Я машинально протянула руку к серебристому телефончику, валявшемуся на тумбочке, и тут же ее отдернула. Это сотовый Глафиры, у меня нет своего аппарата, но, похоже, в той пока не припомненной, жизни он был, иначе с какой стати, собираясь на улицу, я вспомнила про него?

Угол дома Глафиры украшала табличка. Я внимательно, целых три раза прочитала название улицы и моментально сообразила: нахожусь в самом центре Москвы, чуть поодаль — метро «Тверская», а место, где расположена квартира Рыковой, — буквально в двух шагах. Вот тут, если взять левее, есть проходной двор, я когда-то бродила здесь, но, убей бог, не помню, с какой целью.

Ноги понесли меня вперед, показалась огромная арка, за ней дворик с чахлой московской травкой и поломанными качелями. Между мусорными баками виднелся проход.

Миновав нестерпимо воняющие контейнеры, я оказалась в переулке. Сердце сжалось, память меня не подвела, вот она, нужная улица. Значит, мой мозг работает нормально, почему же я не могу вспомнить ни своего имени, ни фамилии, ни адреса, ни места работы — ничего?!

При входе в супермаркет маячил охранник.

— Не подскажете, где найти Зину? — тихо спросила я.

— Это кто? — зевнул парень.

— Уборщица. Ее фамилия Кондратьева.

— В зале ищи, — велел секьюрити.

Я стала ходить по магазину, заставленному холодильниками и стеллажами. Наконец на глаза мне попалась тетка в оранжевом фартуке и со шваброй в руках.

— Вы Зина? — обрадовалась я.

— Нет, я — Маша, — ответила баба, — Зинка в подсобке.

— Это где?

— Туда ступай, за железную дверь.

Поплутав немного по «закулисью» супермаркета, я отыскала крохотную каморку. За столом пила чай толстая женщина лет шестидесяти.

— Здравствуйте, — сказала я.

— Добрый день, — вежливо ответила поломойка.

— Мне нужна Зина Кондратьева.

— Я — она и есть, а чего случилось?

— Можно мне сесть?

— Плюхайся, — кивнула Зина, — стул не куплен.

— Вы живете в одной квартире с Рыковыми?

Зина скривилась.

— Вот несчастье! Горе горькое.

— Таню знаете? — Я осторожно начала прощупывать почву.

— Таньку-то? А ты кто ей будешь?

— Ну ... в общем, понимаете, мы родственники, дальние. Вот я приехала в Москву, у меня адрес был и телефон, — принялась я придумывать на ходу.

Зина усмехнулась:

— А! Значит, не знаешь ничего?

— Нет.

— Ленька-то жив.

— Это кто?

— Так мучитель Танькин. А Анька преставилась!

— А она кто?

— Слушай, — нахмурилась Зина, — какая же ты им родственница, коли никого из своих не знаешь, а? Ну покажь паспорт. Чего вынюхиваешь?

Внезапно я сообразила, как мне действовать.

— Ладно, я неудачно соврала, просто мне не хотелось шум поднимать. Меня зовут Глафира.

— И дальше? — насупилась Зина.

— Таня Рыкова после суда была определена в нашу больницу, я врач из психиатрической лечебницы.

Зина заморгала.

— Да ну?

— Таня хорошо себя вела, — бодро врала я, — вот я и ослабила за ней контроль, а Рыкова возьми и убеги.

— Во блин! — всплеснула руками Зина.

— Совершенно с вами согласна, — кивнула я, — положение ужасное. Очень боюсь за свою карьеру, поэтому о побеге пока никому не сказала ни слова. Главврач в отпуске, но мне надо до его возвращения найти Таню. Честно говоря, я подумала: вдруг она домой пришла? Кстати, нет ли у вас ее фотографии и когда вы видели Таню в последний раз?

— Давно, — ответила Зина, — я на суд ходила. Уж как мне ее жалко было! Обревелась вся. Сначала, правда, обрадовалась, когда услышала, что ее не на зону, а в дурку сунули, только потом знающие люди объяснили, что лучше в тюрьме сидеть, чем в психушке. Эх, бедная Танька! А гад даже не явился!

— Кто?

— Родитель ее, Ленька. Вы вообще чего про нее знаете?

— Ну, она убила мужчину, Сергея Лавсанова, вроде из-за денег.

— Ой нет, — затрясла головой Зина, — не так дело-то было, вот послушай.

Зина всю свою жизнь провела в коммуналке. Квартира небольшая, всего две комнаты, одна принадлежала Рыковым, а другая Кондратьевым. Семьи между собой не конфликтовали. Зина, рано оставшаяся без родителей, работала дворником, Леонид и Анна служили лифтерами. У Рыковых была дочь, Таня, совершенно забитая отцом и брошенная матерью. Зина даже пару раз делала замечание Анне, услышав детские крики, доносившиеся из комнаты Рыковых:

— Скажи Леониду, что нельзя так ребенка истязать.

Аня, сама вечно ходившая в синяках, низко опускала голову.

— Он отец, добра ей хочет, вот и учит.

«Ученье» Леонид применял лишь одно: ремень. Впрочем, иногда пускал в ход и просто кулак. Таню он лупил за все: за двойки, невымытую посуду, забытый свет в ванной. Дня не проходило, чтобы девочка не получала тумаки, затрещины, оплеухи, тычки. Впрочем, жизнь Ани была не лучше, наверное, поэтому она рано умерла. Леонид остался с дочкой и удвоил «воспитательные» меры. Несколько раз, видя, как Таня смывает в ванной кровь с лица, Зина в негодовании говорила: «Надо немедленно вызвать милицию!» Услыхав гневный возглас соседки, Танюша моментально цеплялась за Зину и умоляла: «Ой, не звоните в отделение. Отца заберут на два часа, отметелят и отпустят, он потом меня совсем убьет».

Школу Таня не закончила, да и о каком учении могла идти речь, если дома вас ожидает каждый день плеть?

С шестнадцати лет Таня работала в людях — мыла полы, готовила. Она отличалась абсолютной честностью, была пуглива, немногословна, страшно боялась грубого окрика и к тридцати годам напоминала семилетнюю девочку, не внешне, конечно, а реакцией на окружающих. Еще Танечка часто спрашивала у людей: «Вы на меня не сердитесь?» — и, услыхав: «Нет, конечно», бросалась целовать того, к кому был обращен вопрос.

Леонид, старея, делался все злее и теперь бил дочь просто так, без всякого повода.

— Уходи от него, — советовала Зина Тане, — пусть один кукует.

— Куда? — грустно спрашивала та. — Я зарабатываю копейки. Своей квартиры мне не купить.

— Авось он помрет скоро, — не выдержала один раз Зина, — вон красный какой делается, когда визжит. Лопнет жила в шее, и ты свободна.

— Что ты, Зина, — испугалась Таня, — нельзя родному отцу смерти желать, это грешно.

— А дочь колотить не грех? — обозлилась Зина. — Дай ему разок в ответ сковородкой по башке, живо притихнет.

— Грешно отца ударить.

— Значит, ему можно, а тебе нельзя?

— То его грех, — ответила Таня, — не мой.

— Ты юродивая, — сплюнула Зина, — на всю голову больная.

Таня только вздохнула.

А потом ей безумно, фантастически повезло. Одна из дам, квартиру которых убирала Танечка, порекомендовала честную и трудолюбивую горничную своей знакомой, которая жила с бизнесменом Сергеем Лавсановым.

Таня уехала жить в коттедж. Через месяц она явилась домой, и Зина не узнала ее. Таня похорошела, постриглась, приоделась. Она даже начала пользоваться косметикой, а в ее ушах висели красивые сережки.

Леонида в этот момент не было дома. Танечка села вместе с Зиной на кухне и рассказала о своем счастье.

Живет она в отдельной комнате, с телевизором. Работы немного: уборка, готовка и уход за собаками. Сам хозяин не пьет, к прислуге относится уважительно, платит раз в неделю хорошие деньги. Танечке разрешено есть все без ограничения, а еще она может пользоваться бассейном и баней. Кроме того, Сергей делает ей подарки, недавно принес сережки.

— Небось в кровать уложить собирается, — хмыкнула циничная Зина, — смотри, не продешеви. Ишь, за серьги хочет тобой попользоваться. Пусть платит, тебе квартира нужна.

— Нет, — улыбнулась Танюша, — моя хозяйка Настенька красивая очень. Они с Сергеем пожениться хотят. Просто он такой добрый. Как мне повезло!

Тут явился Леонид.

— Ах ты фря, — с порога заорал мужик, — разоделась, разчихвостилась! Деньги принесла?

Танечка дрожащими руками полезла в сумочку. Отец схватил дочь за шею и поволок в комнату, Зина убежала к себе.

Примерно через час Зина, услыхав шум в прихожей, высунулась наружу. Танюша, растрепанная, с кровавой ссадиной на лице, открывала дверь.

— Не приходи больше, — посоветовала ей соседка.

— Жалко его, отец все-таки, — прошептала Таня и ушла.

Зина топнула ногой от злости. Нет, Танька просто блаженная! Ее лупят, а она подставляет щеки.

Чтобы успокоиться, Зина включила телевизор и стала смотреть сначала сериал, потом новости, следом американский боевик и опять информационную программу...

Ба-бах — донеслось из прихожей. Решив, что Леонид уронил вешалку, Зина выскочила из комнаты и чуть не умерла от страха. Входная дверь открыта, в коридорчике стоят несколько широкоплечих, коротко стриженных парней в кожаных черных куртках.

— Ты кто? — коротко спросил самый старший по виду.

— Кондратьева Зина, — прошептала женщина.

— Где Леонид?

— Там, — указала Зина на дверь соседа.

Один из пришедших легко, словно бумажный листок, снес плечом створку.

— Это что? — заорал Леонид, вскакивая с дивана.

И тут началось! На глазах у изумленной, боявшейся пошевелиться Зинаиды нежданные гости стали крушить комнату Леонида. Двое ломали мебель, били посуду, окна, люстру. Трое колошматили мужика — молча, со знанием дела. Главарь стоял около Зины. Десять минут понадобилось банде на то, чтобы превратить помещение в руины, а хозяина в кровавое месиво.

— Хорошо, — скомандовал главарь, — бросай его.

Наподдав Леониду в последний раз, троица швырнула мужика прямо в груду битых черепков.

— Ты, придурок, — велел главный бандит, — а ну садись, урод!

Леонид мигом выполнил приказ. Старший схватил его за волосы, дернул голову назад и сказал:

— Имей в виду, отморозок: это всего лишь предупреждение. Если еще раз тронешь Таньку, убьем. Хозяин не любит, когда его служащих обижают, сообразил?

— Да, — еле выдавил из себя Леонид.

Бандит плюнул в лицо Рыкову, отпустил его волосы, вытер руку о брюки Леонида, потом вытащил из кармана кошелек, выудил оттуда несколько зеленых бумажек, протянул их Зине и сказал:

— Извини, мамаша, натоптали тебе в прихожей, вымой за нами. А уроду не помогай, не надо. Пошли, пацаны.

Не произнеся ни слова, парни испарились. Главарь вышел последним, аккуратно закрыл входную дверь и запер ее снаружи то ли ключом, то ли отмычкой.

С того дня Леонид стал ниже травы, тише воды, а Таня дома не появлялась. Зина даже перестала вспоминать соседку, но потом случилось непредвиденное.

Кондратьевой позвонили из милиции и огорошили. Таню арестовали, она убила хозяина, Сергея Лавсанова, и очутилась в сизо. Ей можно передать продукты.

Зина развила бешеную активность. Ей даже удалось получить разрешение на свидание с Танюшей. Соседка чуть не заплакала, увидав Рыкову за стеклом. Таня осунулась, почернела, выглядела просто ужасно.

— Ну зачем ты его ножиком била! — воскликнула Зина.

— Он меня изнасиловать хотел.

— Так и согласилась бы.

— Нет.

— Господи, — заорала Зина, — лучше пойти с мужиком в койку, чем в тюрьму!

— Это случайно вышло, просто я психанула, — монотонно, словно автомат, бубнила Таня.

— Милая моя, — зарыдала Зина, — что теперь будет?!

Таня промолчала.

Затем был суд, приговор и клиника. Зина больше не встречалась с Таней, жизнь Кондратьевой течет по-прежнему, Леонид пьет.

Зинаида замолчала, я вздохнула.

— Простите, не подумайте, что я сумасшедшая... Вы меня случайно не знаете?

— Кого? — распахнула глаза Зина.

— Меня.

— Тебя?

— Да. Может, встречали? Я никогда не жила с вами в одной квартире?

— Нет.

— И не имела отношения к Рыковым?

Зина отодвинулась к стене.

— Говоришь, в психушке служишь? Заразилась, что ли?

— Ну, пожалуйста, я понимаю, что задаю идиотские вопросы. Я не Рыкова?

— Господь с тобой! Нет.

— И меня не зовут Таней?

Зина перекрестилась.

— Нет.

— Вы уверены в этом?

— Абсолютно.

— Но вы сказали, что я похожа на Таню.

— Только слегка, да и то не очень.

— Я не Рыкова?

— Нет!!!

Зина вскочила.

— Мне пора пол мыть, пошли отсюда.

Очутившись на улице, я побрела домой. Значит, не Таня Рыкова. А кто? Господи, кто я? Как меня зовут?

Глава 5

Глафиру я разбудила вовремя.

— Который час? — прогундосила певица.

— Два.

— Чего?

— Что ты имеешь в виду?

— Два чего? Ночи?

— День на улице.

Глафира зевнула и, не поднимая головы, продолжила:

— Что сегодня?

— День, — повторила я.

— Какое расписание! — начала злиться хозяйка.

— Не знаю.

— Ежедневник возьми.

— Где он?

— На столе. Открой и читай.

— Какое сегодня число?

— Понятия не имею. Смотри на июнь.

— Клуб «Мячик».

— Это вчера было.

— Тогда зал «Одеон», день рождения Муры.

— Блин! — заорала Глафира, взмываясь над кроватью. — Нам пора! Кофе! Тосты!

Я рванула на кухню.

— Мармелад! Сыр! — летело мне вслед.

Я приволокла поднос.

— Включи телик.

Я кинулась за пультом.

— Готовь ванну.

Меня понесло по коридору.

— Стой, еще кофе!

Пришлось лететь назад.

— Халат! Живей!!!

Я притащила розовый пеньюар.

— Ванну налей.

Наконец Глафира плюхнулась в воду и стала болтать с кем-то по телефону, я отправилась заправлять ее огромную, похожую на Среднерусскую возвышенность постель. Валики, подушки, думочки, плюшевые игрушки, гора глянцевых женских журналов...

— Супа хочу! — завизжала Глафира.

Я заглянула в ванную.

— Что?

— Сделай мне суп из щавеля, — велела певица, ныряя с головой в джакузи.

— Из щавеля? — растерянно повторила я, потом отправилась на кухню, распахнула холодильник и обозрела полки. Несколько пластиковых лоточков с покупными салатами, баночка черной икры, миска с клубникой и пара просроченных йогуртов. Ночью тут еще лежал сыр, но его слопал Свин. Ничего похожего на щавель в рефрижераторе не нашлось.

— Не могу сварить суп, — сообщила я, вернувшись в ванную.

Глафира умыла лицо, покрытое какой-то темно-фиолетовой жижой, и с изумлением воскликнула:

— Почему? У тебя что, паралич рук?

— Слава богу, нет, но из чего суп делать? Никаких овощей нет, и щавеля тоже!

В тот же миг мне о лицо шмякнулась мокрая губка.

— Дура, — ласково сказала Глафира, — ступай в супермаркет, он тут недалеко, через два дома, купи нужное и приготовь. Деньги в кошельке. Ясно?

Я кивнула и отправилась в магазин. В овощном отделе нашлись необходимые корнеплоды, и, что отрадно, они продавались уже очищенными, уложенными в вакуумную упаковку. На длинной полке лежали и пакеты со щавелем. Однако на них не было даты изготовления.

Я вытащила один мешочек, постаралась разглядеть, не запихнули ли внутрь гнилье, но не сумела.Тут я увидела чуть поодаль бабу в оранжевом халате, подошла к ней и недовольно спросила:

— Это когда запаяли? Щавель там не стух?

— У нас все только самое свежее, — ответила женщина, обернулась, и я узнала Зину.

— Опять ты! — воскликнула уборщица и отложила тряпку. — Теперь чего от меня надо?

— Ничего, я за овощами пришла!

— Можно подумать! Небось вынюхиваешь что-то! Решила проследить за мной.

— Зачем бы мне это делать, — слабо отбивалась я, — просто живу неподалеку, вот и прибежала за припасами.

— Да я тут сто лет со шваброй гоняю, — обозлилась Зина, — еще с тех пор, когда здесь гастроном советский был! Что-то тебя ни разу не встречала!

— Я недавно приехала.

— И когда же?

— Вчера.

Зина стащила с рук голубые резиновые перчатки и тихо сказала:

— Ладно. Я давно уже поняла, в чем дело. Значит, Таня сбежала из дурки?

— Да.

— А тебе, понятное дело, мигом доложили, и теперь ты дрожишь, боишься, как бы она в ментовку не заявилась и правду не растрепала?

— Вы о чем?

Зина посмотрела по сторонам, убедилась, что рядом никого нет, и осторожно сказала:

— Говоришь, врачом в психушке работаешь?

— Ну... да.

— Брехня. Я знаю, кто ты! Очень хорошо тебя тогда разглядела.

— Мы встречались раньше, — обрадовалась я, — где? Вам известно мое имя?

— Я тебя помню, — фыркнула Зина, — а уж ты-то меня навряд ли, Настюха.

— Настюха? Это кто?

— Хватит придуриваться, — резко сказала Зинаида, — Анастасия. Разглядела я тебя тогда, хоть ты морду прятала.

Я ощутила легкое головокружение.

— Анастасия? Морду прятала? Когда? Где?

Зина прищурилась.

— Ты за овощами пришла?

— Да.

— Плати и уходи. В сквере встретимся, через дорогу.

Плохо понимая, что происходит, я пошла к кассе.

На улице стало совсем душно, Зина сидела на скамеечке под большим раскидистым деревом.

— И не жаль тебе Таньку? — резко спросила она. — Имей в виду, я все знаю, она мне на свидании тогда рассказала правду.

— Какую?

Зина высморкалась, бросила под лавку бумажный платок и крякнула.

— Ну ладно, сама напросилась. Никакой ты не доктор. А то я дура и не понимаю, что в психушке так просто побег заключенной не скрыть. Небось уж все там на ушах стоят. Та же тюрьма, только охрана пожиже. Ну ты и набрехала! Зовут тебя Анастасия, ты с Сергеем Лавсановым жила, нерасписанной. Он тебя женой считал, но штамп в паспорте не ставил. И это ты любовника ножичком пырнула, а не Танька!

По моей спине пополз холодок.

— Я?

— Ты, — сурово сказала Зина, — мне Таня призналась. Она свидетельницей была. Ты в кухню влетела и Сергея пырнула.

— Я?

— Ты! А потом Таню уговорила на себя вину взять. Адвоката ей пообещала, квартиру купить. Только Танька бы тебе все без денег сделала. Она дура благодарная, идиотка. Ты ее пригрела в доме, вещи ей дарила, вот она за сестру тебя и считала. Правда, ты ее не обманула, законника дорогого взяла, и он сумел Таньку в дурку определить. Теперь ты испугалась, сбежала Танюха-то, вдруг в ментовку явится и расколется. Небось поняла моя соседка, что дурака сваляла, в психушке-то несладко.

У меня закружилась голова.

— Где же мы с вами встречались?

Зина удовлетворенно улыбнулась:

— А в легавке. Я на стуле перед кабинетом сидела, вызова к следователю ждала, а ты оттуда выскочила. Лицо, правда, платком занавесила, но тело-то не скроешь! Я живо узнала тебя: тощая, прям доска, в брюках, волосы светлые, дыбом торчат. Я-то за тобой в комнату вошла и чуть не задохнулась, так духами воняло, ну и попросила следователя: «Извините, нельзя ли окошко приоткрыть, аллергия у меня, а у вас такой одеколон едучий, да и облились вы им с головы до ног».

А он мне спокойно ответил: «Окна открыть не могу, а парфюмерией не брызгаюсь, это гражданка Анастасия Звягинцева, сожительница Лавсанова, надушилась. Надо же, какие противные духи, прямо в носу засвербело».

Я, не прощаясь, развернулась и пошла прочь. Ноги еле довели меня до дома.

— Тебя только за смертью посылать! — Глафира встретила меня сердитым криком. — Где мой суп?

— Сейчас сварю, — засуетилась я.

— Времени даю пятнадцать минут, — рявкнула она, — у нас потом стилист, концерт, хренова туча дел... Живо верти задом.

Я встала над кастрюлей, повторяя про себя на все лады: Настя, Анастасия, Настюша, Ася, Настюня... Нет, никаких эмоций это имя у меня не вызывало.

— Ну, готов супец? — уже мирно осведомилась Глаша.

— Да, — кивнула я.

— Вон там термос стоит с широким горлом, — распорядилась хозяйка, — перелей в него и бери с собой, в гримерке схаваю.

Прозвенел звонок.

— Давай живей, — завизжала Глафира, — я опаздываю, Митька приехал, шофер!

— Ты же вроде сама машину водишь? — удивилась я.

— Не всегда, — насупилась Глафира, — на концерты меня водитель доставляет, вчера я его на выходной отпустила. Должен же человек хоть иногда отдыхать...

Я умилилась, все-таки Глафира, несмотря на крикливость и капризность, добрая девушка, позаботилась о шофере, отпустила парня, сама за руль села.

— ...он у меня с Нового года выходной выпрашивал, — добавила певица, — вот и получил денек.

Я разинула рот. С Нового года? А сейчас июнь! Нет, похоже, Глаша не слишком мягкосердечный человек.

В салон красоты мы прибыли с помпой. «Мерседес» въехал прямо на тротуар, распугав прохожих, и замер у подъезда, над которым золотом горела вывеска: «Студия красоты». Митя выскочил, распахнул дверцу, Глафира аккуратно выставила наружу одну ногу, вторую, потом вылезла из машины и осмотрелась по сторонам. Возле «мерса» потихонечку скапливалась толпа.

— Вау, — крикнула какая-то девчонка, — ой, смотрите кто! Ой, ой! Она к Перову приехала! Ребята, глянь! Вон стоит! Дайте автограф, ну, пожалуйста! Плииз!

Глафира милостиво кивнула и прощебетала:

— Иди-ка сюда!

Вмиг к машине подскочила девчонка лет пятнадцати. На ее макушке дыбились разноцветные прядки, в ушах позвякивало несметное количество сережек, толстую попку обтягивала коротенькая джинсовая юбочка, грудь подчеркивала ядовито-розовая кофточка стрейч.

— Я вас обожаю1 — кричала девчонка.

На лице Глафиры появилось выражение глубокого удовлетворения.

— Ах, как меня достали фанаты, — прочирикала она, томно закатывая глаза. — Митя, нашарь там диск.

Шофер услужливо протянул ей пластмассовую коробочку. Глафира быстро расписалась на вкладыше и сунула диск фанатке.

— Ой, — зашлась та в восторге, — ой!..

Но тут радостное выражение вдруг стало сползать с лица девчонки.

— Глафира, — прочитала она медленно, — Глафира и группа «Сладкий кусочек». Это вы?

— Ну да, — пожала плечами певица, — а ты кого ждала?

— Я думала, вы Марина Хлебникова, — расстроенно сообщила девчонка, — я от нее фанатею, прямо дрожу, как голос услышу.

— Говорили же тебе, что это не она, — послышался из толпы хриплый писк, — Хлебникова-то темненькая, маленькая, всегда на каблуках, глаза у нее огромные. А эта словно мышь белая!

Глафира посинела, потом выхватила у растерянной фанатки диск, швырнула его на асфальт, раздавила ножкой, обутой в замшевую туфельку, и, не говоря ни слова, ринулась в салон. Я кинулась за ней.

Мы очутились в просторном холле, обставленном как гостиная в гареме. Повсюду ковры, мягкие, заваленные подушками диваны, низкие кресла, столики, пуфики...

Глафира обвалилась на оттоманку и с чувством произнесла:

— Козлы! Ослы! Суки!

— Глашенька, солнышко, — донеслось из глубины помещения, и на середину комнаты выскочило существо в розовых брюках со стразами и кислотно-лимонной блузке с обильной вышивкой, — моя кисонька, дай поцелую, чмок, чмок, чмок.

Я с интересом смотрела на видение. Это мужчина или женщина? По голосу не поймешь — он довольно высокий, но хриплый. Длинные волосы явно стали кудрявыми от химической завивки, да и ярко-рыжий цвет они, скорей всего, имеют не от природы. Глаза подведены синей тушью, руки украшены звенящими браслетами. Ага, это дама. Но тут мой взгляд переместился ниже. Но, простите, где же вторичные половые признаки? Никаких намеков на бюст под тошнотно лимонной блузкой не наблюдалось. Следовательно, это парень. Но тут я заметила, что щиколотка мужика украшена цепочкой, а из сандалий высовываются пальцы с ногтями, накрашенными лаком интенсивно-синего цвета. Все же это женщина. Впрочем... обувь без каблука и, похоже, размера сорок третьего, никак не меньше.

— Лися, — заорала Глафира, — это ужасно!

— Кто обидел мою кисоньку? — всплеснуло руками существо.

— Меня спутали с Хлебниковой, — принялась рыдать Глаша. — Козлы! Уроды!

Существо стало утешать певичку, я, никем не замеченная, робко жалась в углу. Лися! Опять непонятно: он или она?

Через несколько минут в «гареме» появилось несколько девушек, одетых в розовые халатики. Приседая и кланяясь, они повели Глафиру в глубь помещения.

— Люди — сволочи, — кричало ей вслед создание непонятного пола, — как они могли тебя спутать?! Тебя! Суперстар! Мегазвезду! Впрочем, признаю, я виноват! Ошибся!

Я вздохнула, оно — мужчина, ну кто бы мог подумать!

— Фатально лажанулся, — визжал Лися, — следует капитально менять имидж. Может, рискнем, дуся? Ну, решайся.

Глафира притормозила:

— А Свин?

— Мы же можем назад раскрутиться, — сообщил стилист, — давай пойдем на компромисс. Я тебя делаю так, как вижу, а потом мы зовем Свина и смотрим на его морду лица. Ну же, лапа, не дрожи! Вспомни лучше, что с Асей произошло? Народ стены крушит, а мы всего-то цвет волос подправили! Давай, давай, иди голову мыть! Мегасуперстар! Ты лучшая! Вау! Самая классная! О-о-о!

Глафира ушла, стая розовых девочек побежала за ней. По-прежнему не замечая меня, Лися вынул мобильный и другим, совершенно нормальным голосом сказал:

— Анечка, извини, Глафира приехала. Да, маловероятно. Она тут надолго зависнет. Прикинь, ее сейчас при входе в салон спутали с Хлебниковой. И теперь эта звездища, Глашка, полагает, что, покрасившись в другой цвет, она станет еще звездее. Просто цирк! Отчего им в голову не приходит, что надо просто хорошо петь, а не выть три ноты? Не в прическе-то дело! Знаю, знаю, извини, дорогая, депрессуха у меня, народа нет, шоу-биз попер к Маркову, он теперь вроде первый, а я с горы съезжаю. Ладно, пойду Глафиру обхаживать, кошку драную. Целую, милая. Ой, погоди, промурлыкай мне какой-нибудь Глафирин хит, чтобы я изобразил фаната. Как? «Ты меня не хватай ногами»? О боже, что только не поют!

Хлопнув крышечкой, он засунул телефон в карман, откашлялся и пропел:

— Ты-ы-ы меня-а не-е хватай нога-а-а-ами!

Потом покачал головой.

— Жуть черная! Ты-ы меня-а не-е хватай нога-а-а-ами! Бегу, звезда моя, тороплюсь. Слушай, эта песня просто вау! Ты-ы ме-еня-а не хва-а-атай нога-ами! Обожаю ее!

Распевая во все горло, Лися скользнул в боковую дверь. Я вышла из-за колонны и села на диван. Чем больше нахожусь рядом с Глафирой, тем меньше нравится мне ее окружение. Интересно, кем я была в другой жизни?

Глава 6

— Хотите кофе или чаю, — тихо спросила вошедшая в приемную женщина, — вы сопровождаете Глафиру?

Я кивнула:

— Не помешаю, если присяду тут?

— Что вы, — улыбнулась женщина, — меня Лиза зовут, а вас как величать?

Я растерялась. Таня? Настя? На какое имя принесет мне паспорт Свин? Ну кто бы мог подумать, что на простой вопрос: «Как вас зовут?» я не сумею сразу дать ответ.

— Можно взять журнал? — я быстро перевела разговор на другую тему.

— Конечно, — кивнула Лиза, — но они очень старые. Хотите принесу поновей? Мы их в парикмахерской кладем.

— Нет, нет, эти тоже подойдут.

— Да они за позапрошлый год, — улыбнулась Лиза, — давно выбросить пора, только все недосуг.

— Ерунда, мне без разницы!

— Кофе желаете?

— Вам нетрудно?

— Это моя работа, — улыбнулась Лиза, — со сливками?

— Лучше чай с лимоном, кстати, меня Таней зовут!

— Сию секунду, — кивнула Лиза и ушла.

Я стала вяло перелистывать яркие страницы. В голове вертелось неотвязно: Настя Звягинцева... Настя... Неужели это я! Настя Звягинцева!

— Я поняла: вам не хотелось мне представляться настоящим именем, и я очень рада, что вы все-таки решились, — сказала Лиза, ставя на столик красивую фарфоровую чашечку.

Я вздрогнула. Надо же, я задумалась и не заметила, как администратор вернулась в приемную.

— Вы о чем?

Лиза мягко улыбнулась.

— Сами же сейчас довольно громко сказали: «Настя Звягинцева».

Я плотно стиснула зубы, однако мне следует быть осторожнее и не увлекаться обдумыванием ситуации до потери бдительности.

— Вы меня не помните? — тихо спросила Лиза.

— Нет.

— Ну да, понятно, — вздохнула администратор, — я раньше в клинике Потапова работала, вы туда лечиться приходили, когда голос пропал.

— Извините, ошибка вышла. Я не Настя Звягинцева, просто мне вспомнилась эта девушка. Меня зовут Таня, и голоса я никогда не теряла, очень хорошо говорю, слышите?

Лиза моргнула:

— Понимаю, вы не бойтесь, я никому не расскажу.

— О чем?

— Да о вас.

— Обо мне? Что же такого плохого я сделала?

— Ничего, — пожала плечами Лиза и попыталась уйти, но я схватила ее за руку.

— Раз начали, договаривайте. Что вы про меня знаете?

— Сущую ерунду.

— А именно?

Лиза нахмурилась:

— Вам не надо бояться, узнать вас трудно, вы сильно изменились, постарели, перестали следить за собой. Но, видно, кулисы все-таки притягивают, раз к Глафире в услужение пошли. Она небось не в курсе, кто вы?

Я толкнула Лизу в кресло и нависла над ней.

— Живо говорите, кто я!

Администратор вытащила сигареты.

— О боже, язык мой — враг мой. Ну кто меня за него дергал, не мое это дело, в конце концов, назвались Таней — и хорошо. Успокойтесь, я же не Ира Кротова, деньги на сплетнях не делаю, от меня никаких неприятностей не будет.

— Сейчас же все рассказывайте!

— Хорошо, хорошо. Вы — Настя Звягинцева. Были певичкой, выбивались в люди, пели всякую ерунду вроде Глафиры. Пели, пели, а потом пропали. Кстати, у вас с голосом проблемы были, вы обратились в клинику, я там на ресепшен сидела. Вы часто ходили на процедуры, ну и выяснилось...

— Что?! — в изнеможении воскликнула я. — Что обо мне выяснилось? Еще какая информация? Я убила группу младших школьников? Взорвала интернат со стариками? Сожгла приют бездомных животных?

Лиза улыбнулась.

— Ну, все не так страшно. Вы просто говорили, что вам двадцать пять лет, а выяснилось, что намного больше. Доктор наш, Карл Львович, все восхищался, до чего вы здорово выглядите, просто блеск. Только голоса он вам не вернул, певческого я имею в виду. А потом певица Звягинцева исчезла, больше ничего про вас я не слышала. Хотя постойте... впрочем... нет, больше ничего не знаю!

Я вцепилась Лизе в плечи и, сильно встряхнув ее, велела:

— Говорите до конца.

— Право же! Это просто сплетни.

— Быстрей.

— Ну... не я придумала, люди болтали! Я же сразу потом к Лисе перешла, а здесь шоу-биз, языки мелют...

— Короче...

— Ладно, кхм, кхм, — закашляла Лиза, — значит, одни болтали, что вы любовника убили и в тюрьму сели. Другие говорили: вы в психушку попали, третьи — будто вас саму убили. Правды-то никто не знает. Да вы не бойтесь, вас узнать практически невозможно, волосы другие, макияжа нет, постарели, хоть и смотритесь ничего, только возраст на морде написан, никак на двадцать пять не тянете. Весь блеск сошел!

— Как же вы меня опознали? — прошипела я.

Лиза хмыкнула:

— Ну... дело житейское.

— Господи, опять секреты!

— Вы выпить любили, коньяк хлестали, — понеслась Лиза, — несколько раз в клинику подшофе являлись, Карл Львович вас домой отправлял. Ну не может же фониатр[1] работать с выпившим

---

[1] Ф о н и а т р — врач, который лечит певцов, восстанавливает голос.

человеком. Потом он вам приговор вынес: петь никогда не сможете.

Я молча слушала Лизу.

Когда Настя узнала, что путь на сцену для нее закрыт, то прямо в кабинете у доктора впала в истерику, и перепуганный Карл Львович велел Лизе проводить неудачливую певицу домой.

Настя, сев в машину, вытащила из сумочки фляжку, по дороге насосалась коньяка, опьянела, и Лизе пришлось буквально на плечах тащить ее в дом. В шикарном трехэтажном здании не было ни души. Лиза доволокла Настю до спальни, уложила в кровать и хотела уходить. И тут Звягинцева вскочила, схватила нож, лежавший невесть зачем на тумбочке, и с воплем: «Не хочу жить!» — полоснула себя по запястью. Полилась кровь. Настя, истерично хохоча, еще раз полоснула по руке, потом второй, третий. Перепуганная насмерть Лиза отняла у буянки нож и вызвала «Скорую». Врачи забрали Настю, Лиза уехала домой, больше они со Звягинцевой не встречались.

— Я как вашу руку увидела, сразу все поняла, — тихо добавила Лиза.

Я машинально посмотрела на свою левую кисть. Тонкий шрам, словно браслет, охватывал запястье. В душе поднялось смятение. Значит, я — Настя Звягинцева! Хотя, может, и нет. Это просто совпадение!

— Вы не переживайте, — пожала плечами Лиза, — можно чем-то другим заняться, вовсе не стыдно и полы мыть. Но я никому ничего не расскажу. Понимаю, вам неохота, чтобы люди знали!

— Где Глашка? — заорал Свин, вламываясь в зал. — Она про концерт не забыла? Танька, иди ищи ее.

— Сенечка, — засюсюкали из другого конца комнаты, — дай поцелую тебя, котик.

Лися подскочил и заключил Свина в объятия.

— Веди сюда звездищу, — велел продюсер. — Лизка, кофе!

Стилист и администраторша прыснули в разные стороны. Свин вынул платок и вытер щеки.

— Понимаешь, киса, — заявил он, — я лицо нетрадиционной для нашей эстрады ориентации — не пидор, баб люблю. Таких, как я, очень мало, остальные все, блин... слов нет! Где Глашка?

— Незачем орать, — отчеканила черноволосая женщина, появившаяся в приемной.

Я икнула. Это Глафира? Матерь божья!

— Усраться! — взвизгнул Свин. — Что случилось?

— Не нравится? — слегка испуганно поинтересовался Лися. — Коренная смена имиджа. Вместо нежной блондинки — роковая брюнетка-вамп, погибель мужчин!

Свин молча обозревал Глафиру.

— Сеня, — осторожно сказал Лися, — мы же придерживаемся концепции «девочка-крик», сплошной скандал. Блондинка в таком случае не канает. Брюнетка — самое оно!

— Верни Глафиру, — спокойно велел Свин, — я столько бабок на ее раскрутку убил, мне знакомая морда нужна.

— Нет, — закапризничала певичка, — меня только что с Хлебниковой перепутали! Хочу новый имидж! Так на концерт поеду.

— Это парик? — осведомился Свин.

Лися кивнул:

— Да, я не рискнул сразу на краску.

Свин молча сдернул с Глафиры накладные волосы.

— Ой, — взвыла та, — больно!

— Физиономию мыть, красить, как всегда, — распорядился Свин.

— Идиот! — затопала ногами Глафира. — Скунс, дебил! Хочу быть брюнеткой! Хочу! Я звезда! Суперстар.

И тут Свин побагровел. Глаза его медленно сузились, губы сжались в ниточку. Лися змейкой юркнул за диван, Глаша примолкла, но поздно. Семен схватил певичку за руку и вывернул ее.

— Больно! — закричала Глафира.

В ее глазах появились слезы.

— Хорошо, — протянул Свин.

Потом он вытер лицо певицы париком, с удовлетворением посмотрел на испорченный макияж и отчеканил:

— Ты — никто! Слабо воющая кукла без мозгов. Я тебя сотворил, я тебя и убью. Фанерщица! Звезда, блин! Кошка мяукающая! Дать бы пинка, да денег потраченных жаль. Молчать, сука! Лися!

— Я здесь! — пискнул стилист.

— Еще раз без меня имидж менять надумаешь...

— Понял, понял.

— Ступай, нанеси ей макияж заново, — велел Свин.

Глафира, разрыдавшись, упала на диван.

— Не пойду.

Семен с силой ущипнул ее за голую руку.

— Двигай, уродина, концерт скоро, хорош истерики гонять, журналистов тут нет.

— Мне плохо!

Свин со всего размаха отвесил певице оплеуху.

— Теперь лучше?

Глафира захлебнулась слезами.

— Не бей ее, — закричала я, кидаясь к Свину, — она уже идет грим накладывать!

Но Глафира уперлась.

— Нет, — прошептала она, — не хочу, я устала, заболела! Нет.

Свин снова поднял руку, я повисла на продюсере.

— Стой, ты ей синяков наставишь перед концертом.

Мужик опустил карающую длань и пнул Глафину ботинком в бок.

— Шевелись, суперстарина! Поющая коза!

Я кинулась к Глафире:

— Вставай, милая, он тебя убьет. Сейчас не надо капризничать. Ты звезда, спору нет, но у него деньги. Идем, солнышко, ну, поругались, с кем не бывает, пошли!

Лепеча всякие глупости, я подняла Глафиру и повела ее за стилистом.

— Я его убью, — прошептала она, — пырну ножиком в сердце, скот! Сволочь!

— Обязательно, — тихо ответила я, — но не сейчас, не здесь же, при всех.

— Ты мне поможешь, — в полной отключке бормотала Глафира, — да? Скажи? Давай его вместе зарежем? Соглашайся, а то я не пойду краситься!

— Конечно, милая, — успокоила я ее, — обязательно, похоже, в этом вопросе я большой профессионал.

Глава 7

Самое интересное, что в концертный зал мы приехали вовремя. Глафира казалась совершенно спокойной, от истерики и следа не осталось. Глаза певицы ярко сверкали, на щеках играл румянец. Весело улыбаясь, она шла по коридору, то и дело кивая знакомым:

— Привет, котик! Здравствуй, лапа! О, Муся, ты шикарно выглядишь.

Я тащила портпледы и сумку, чувствуя, как в спине возникает боль, к тому же мне отчаянно захотелось спать, зевота просто раздирала рот.

Войдя в гримерную, Глафира села на стул и уставилась в зеркало, мне предстояло вытащить концертное платье и отгладить замявшиеся складки. Никакого энтузиазма предстоящая работа у меня не вызывала.

— Глашенька, — влез в комнату худенький парнишка с бумагой в руке, — ты у нас вторая, поторопись.

Глафира, только что преспокойно корчившая рожи зеркалу, подскочила на стуле.

— Что ты сказал, Мотя? А ну повтори!

— Идешь второй, — испуганным голосом проговорил юноша.

— Я? Интере-есно, — протянула Глафира, — очень здорово! Вторая! Я?! Вторая??! С ума сошел!!! Но я закрываю концерт!

— Это невозможно, — просвистел Мотя, — на закрытии выступают «Баблз».

— «Баблз» последние? — взвыла Глафира. — Да кто их знает?! Нет, Мотя, это тебе так с рук не сойдет. Я не сирота, у меня Свин есть.

— Но... — начал было Мотя.

— Молчать! — рявкнула Глафира и схватила мобильный.

В ту же секунду Мотя, выкрикнув: «Ну, я тебя предупредил!» — выбежал из гримерной.

— Немедленно приволоки его назад! — завопила Глафира. — Танька, шевелись!

Я понеслась было за Мотей и тут же растерялась. Длинный коридор изгибался во всех направлениях, буквально через пару шагов от гримуборной Глафиры он разваливался на два рукава. Я не узнала, куда направиться.

— Мотю не видели? — спросила я у полуголой девицы с размалеванным лицом.

— Он вроде за сигаретами двинул, — хрипло ответила она.

— А где тут буфет?

— Ну... на этаж ниже, только не стоит туда ходить, — зачирикала девица, — там одна дрянь, бутерброды с копченкой и спрайт. Лучше уж воды простой попить, у лифта кулер стоит.

— Я есть не хочу, мне Мотя нужен.

— Сказала же тебе, что он за сигаретами пошел.

— Разве их не в буфете продают?

Девчонка секунду молча смотрела на меня, потом засмеялась:

— «Сигареты» — это название группы. Они вроде в седьмой переодеваются.

Я продолжила поиски. «Сигареты» отправили меня к Розе, та отослала к «Привидениям»... Обежав почти все закулисье, я вспотела, но возвращаться к Глафире с сообщением о том, что не нашла Мотю, было просто невозможно.

— Водички хочешь? — неожиданно предложила стройная женщина, втиснутая в очень узкие и короткие брючки. — Чего тут мечешься, словно ошпаренная кошка? Выпей минералочки и успокойся!

Огромное чувство благодарности просто переполнило душу. Я схватила протянутую бутылку, отхлебнула из горлышка и простонала:

— Ну спасибо!

— Нема за що, — улыбнулась незнакомка, — ты кто такая? Первый раз вижу.

— У Глафиры служу.

В глазах собеседницы вспыхнул огонек.

— Да? Кем же? На подпевку и пританцовку ты мало похожа. Неужели Глафира Лисю на тебя поменяла? Я угадала? Ты стилистка?

— Нет, — усмехнулась я, — мой социальный статус намного ниже, я всего лишь горничная. Глажу вещи, варю суп, сопровождаю Глафиру.

Брови женщины поползли вверх.

— Домработница? В джинсах от «Прада»?

— Мне их Глафира подарила, похоже, она добрая.

— Добрая? — рассмеялась новая знакомая. — Ну ты и сказала! Вообще, откуда ты явилась? Зовут как?

— Считай, что ниоткуда, — начала было я, но потом, вспомнив инструктаж, быстро добавила: — Из деревни под Тюменью, а зовут меня Таня.

— Я Ира, — сказала женщина, — ты поосторожней с Глафирой.

— Почему?

— У нее ни одна прислуга больше месяца не держится!

— Да?

— Ага, — подхватила Ира, — денег она людям не платит, работать заставляет без выходных, вечно орет, вот и бегут от нее сломя голову. Ты зарплату понедельно требуй — и увидишь реакцию. Глаша людей выгоняет вон и бабок не отдает.

— Глафира хороший человек, — возмутилась я, — просто она устает очень и срывается.

— Ой, не могу, — скорчилась Ира, — хорошая! Когда лежит маникюром к стене.

— Добрая, — решила не сдаваться я, — знаешь, она подобрала на дороге совершенно незнакомую женщину, приютила ее, накормила, одела.

— Это Свин ей новый пиар-ход придумал, —

взвизгнула Ирина, — а ты озвучиваешь! Ну, Сенька! Во дурак! Такому про Глашку никто не поверит. Конечно, публика дура, но есть же предел! Глафира — добрая самаритянка! Уржаться можно.

— Это чистая правда, — с жаром воскликнула я, — на моих глазах дело было!

— Значит, коньяка насосалась, — подвела черту Ира, — в невменяемом состоянии была.

— Она не пьет!!!

Ира хлопнула себя по бедрам, обтянутым голубыми брюками.

— Понимаю твое горячее желание представить хозяйку в лучшем свете, но сама ведь сейчас сказала, что работаешь у нее всего ничего. А я Глашку не первый день знаю. Она алкоголичка. Впрочем, тут многие ширяются, нюхают и с бутылкой обнимаются. Оно и понятно, ты попробуй поживи в таком ритме, поулыбайся всем, поработай, как лошадь. Ясное дело, стимуляторы понадобятся! Это нормальное явление! Только Глафира...

Внезапно я разозлилась. Ну до чего же противные люди за кулисами.

— Глаша не пьет, она коньяк в раковину выливает!

Глаза Иры замерцали, как у голодного тигра.

— Врешь!

— Нет, просто ей Свин такой имидж придумал! — объяснила я.

Несколько минут я лепетала без остановки, но потом спохватилась:

— Ты Мотю не видела?

— К Глафире пошел, — медленно ответила Ирина.

— Слушай, объясни, кто за кем выступает, это принципиально?

— Конечно, — улыбнулась Ира, — если тебя в

начало ставят — второй, третьей — значит, не уважают. А закрывает концерт самая большая звезда. Ясно?

— Да, — кивнула я, — теперь да! Спасибо, побегу.

— Иди, — ласково улыбнулась Ирина, — но помни: уноси от Глафиры побыстрей ноги, зря только ломаться на нее станешь. Вон «Роми» ищут костюмершу, ребята очень честные, хочешь, замолвлю за тебя словечко?

— Не надо, мне и с Глафирой хорошо.

— Хозяин — барин, — дернула плечиком Ира, — возьми визитку, когда от Глашки сбежишь, позвони. Пристрою к нормальным людям.

Чтобы не обижать приветливую даму, я сунула визитку в карман, пошла в гримерку, обнаружила комнату пустой, побежала к сцене и увидела в кулисе Глафиру с надутым лицом. Рядом с ней стоял красный Свин.

— Мотя мне за все заплатит, — шипел продюсер, — ишь, сволочь.

— Где Аська, — перекрыл его недовольный голос густой баритон, — где она, а? Отвечайте! Наш выход.

Я попятилась и врезалась в группу девушек очень высокого роста, с ужасающе огромными бюстами. Лица чаровниц покрывал сантиметровый слой тонального крема и румян.

— Поосторожней, киса, — баском сказала одна, — колготки порвешь.

Я вздрогнула. Девицы оказались переодетыми парнями, к выходу готовилось шоу трансвеститов.

— Где Аська? — раздраженно повторял баритон.

Я подняла голову и ахнула. Прямо надо мной

нависал Андрей Максимов, тот самый, суперизвестный и популярный.

— Где эта шалава? — вопрошал он.

Повеяло удушающим запахом духов. Сильно стуча каблучками, мимо пробежали четыре белокурых создания, словно вылупившиеся из одного яйца. Только что они отпрыгали на сцене и теперь спешили переодеться.

— Привет, Андрюша, — нестройным хором сказали певички.

Но Максимов никак не отреагировал на них.

— Аську найдите, — волновался он.

— А сейчас, — полетело со сцены, — перед вами выступят те, кого мы с нетерпением ждем! Встречайте! Суперзвезды Андрей Максимов и Ася Волкова со своим хитом «Любовь с тобой».

— Ля-ля-ля! — загремело со страшной силой. Из противоположной кулисы вылетели штук десять танцоров и стали приплясывать, хлопая в ладоши.

— Ля-ля-ля, — подхватил зал, — у-у-у!

— Где эта сучка?! — взвизгнул Андрей.

И тут у кого-то зазвякал мобильник.

— Аську сюда, — рвал и метал Максимов, — ваще офигела!

— Андрюш, — робко пискнул кто-то сбоку, — катастрофа.

Максимов резко повернулся.

— Нет, только не говорите, что она обкурилась. Впрочем, тащите ее сюда в любом состоянии, лишь бы на ногах держалась, дрянь.

— Аська только что звонила, — обморочным голосом закончил человек, — она не придет.

— Что? — неожиданно спокойно переспросил Максимов. — Не придет? С какой стати? Я же видел красотку полчаса назад.

— Ее плохо встретили, — умирающим тоном

завершил тот же тип, — гримерку дали на двоих, ну Аська и уехала!

Большие глаза Максимова стали просто бездонными. Он обвел присутствующих гневным взором. Все, даже Сеня, примолкли. Трансвеститы, словно испуганные дети, сбились в кучу.

— Та-ак, — протянул Максимов, — уехала! Интересное дело, ах она...

Следующие пару секунд из накрашенного рта певца сыпались одни непечатные выражения. Тем временем музыка на сцене гремела снова и снова, балет танцевал, зрители подпевали.

— И что мне делать? — взвизгнул Максимов.

Его глаза пробежались по замершим актерам, остановились на группе перепуганных трансвеститов...

— Ну-ка, — рявкнул Андрей, выдергивая самого низкорослого парня, — тебя как зовут?

— Миша, — робко ответил тот и качнул большими серьгами, — вообще-то я Анжелика Французская, а так Миша.

— Миша, Маша, каша, параша! — заорал Максимов. — Плевать сто раз, двигай на сцену, петь будем дуэтом!

Миша—Анжелика побледнел так, что его лицо, покрытое сантиметровым слоем грима, стало похоже на белую маску с красными пятнами.

— Э... Андрей Сергеевич, — в ужасе забормотал он, — но я того... слов не знаю... и ваще... петь-то не могу, вот пляшу хорошо, а с песнями беда...

— Эка печаль, — не сдался Максимов, выталкивая несчастного трансвестита на подмостки, где балет лихо отплясывал джигу, — Аська, можно подумать, поет! Рот разевай и двигайся, остальное пучком будет. Ты мне поможешь, я тебе!

В полной панике Миша попытался притормозить каблуками огромных сверкающих босоножек, но сильный Максимов легко сломил сопротивление. В мгновение ока он вылетел на сцену, таща за собой существо в парчовой юбчонке.

— У-у-у, — завопил зал.

Я разинув рот наблюдала за происходящим из-за кулис.

— Моя любовь всегда с тобой, — понеслось из огромных динамиков...

Очевидно, Миша обладал определенными актерскими задатками, потому что он взял микрофон и стал усиленно двигать губами.

«Она меня повсюду греет», — полетел над залом чистый женский голос.

Я усмехнулась. Хороший текст, однако. Интересно, в каких местах особенно сильно согревает амур?

Максимов вытянул вперед левую руку, Миша кинулся к нему и замер. Секунду, пока над залом гремела только музыка, парочка с выражением невероятной нежности глядела друг на друга. Затем, обнявшись, певцы принялись кружиться, их голоса, сладко-мармеладные, липкие, словно бумажка для ловли мух, опутывали присутствующих.

— И никогда ни ты, ни я жить не сумеем без себя, ты — это я, а я — это ты, и в жизни нашей есть место мечты, одной мечты, где я и ты...

У меня защипало в носу. Господи, как красиво-то! Вот это любовь! Ей-богу, позавидовать можно! Такие молодые, счастливые...

Продолжая нежно сжимать друг друга в объятиях, «Ромео« и »Джульетта» докрутились до кулис. Я едва сдерживала рыдания, глядя на возвышенно-счастливое выражение лиц парочки. Зал принялся орать от восторга.

Андрей и Миша влетели за сцену.

— Фу, — скривился Максимов, — что за пакостью ты облился! Меня чуть не стошнило! Несет, словно из мусорного бачка, сладкой гнилью!

Я опять разинула рот. Господи, куда же подевалась любовь? На лице певца сейчас было выражение брезгливости, смешанной с недоумением.

— Так дезодорантом, — робко ответил трансвестит.

— Имей в виду, Паша... — грозно начал Максимов.

— Я Миша, — осторожно поправил звезду юноша.

— Однофигственно, — отмахнулся Максимов, — так вот, немедленно смени брызгалку, иначе меня в следующий раз стошнит!

— Следующий раз, — эхом повторил Миша, — вы мне предлагаете у вас работать?

— А ты не понял? — скривился Максимов. — Эй, кто-нибудь, поправьте мне грим, живо! Именно со мной, или не хочешь?

— Я... о... да, да, да! — заорал Миша.

Певец усмехнулся:

— Пошли, козлы орут!

— Ма-кси-мов! Ма-кси-мов! — скандировала публика.

Андрей схватил Мишу за руку, парочка побежала на сцену. Я только диву давалась метаморфозе, произошедшей с обоими. Максимов лучился любовью, у Миши с лица пропало выражение описавшегося котенка, в его глазах светилось безграничное счастье.

— Вот так люди карьеру за пять минут делают, — послышался чей-то издевательский голос. — Жил себе Мишка никому не известный, тряс резиновым бюстом, потом оказался в нужный час под рукой у барина — и все, он суперстар!

Я скосила глаза влево и увидела цинично ухмыляющуюся Ирину. Она подмигнула мне.

— Исторический момент. Из Андрюшки, конечно, певец как из табуретки зеркало, но он мальчик благодарный, теперь Мишутка в шоколаде. Да, вот оно счастье-то! Впрочем, Андрюша давно подумывал о смене имиджа, просек, наш котик, что песенка про то, как мальчик девочку любил, несовременно звучит. Вот два мальчишечки — это интересней...

— Вечно ты гадости говоришь, — зло оборвала Ирину Глафира, — и пишешь один понос!

— Только правду, мой котик! — пропела Ира. — Нравится вам это или нет, пишу лишь одну страшную истину и никогда не лгу.

— Как бы не так, — покраснела Глафира, — брехло!

— Я? — вскинула брови Ирина.

— Ты!

— Я ни одного слова лжи не опубликовала!

— Ха! Написала, что я силикон вставила!

— Так ведь это правда.

— Нет!

— А вот и да!

— Нет!!!

— Смешно, право! Хочешь, фамилию врача назову? — усмехнулась Ирина.

— Стерва! — заорала Глафира, бросаясь на собеседницу.

— Дура! — завопила Ира, отпрыгивая в сторону. — Свин, держи свою лжеалкоголичку!

— Ты о чем? — напрягся продюсер.

— Да знаю я все, — отмахнулась Ирина, — читайте «Шоу».

С этими словами она быстро ушла.

Свин и Глафира переглянулись.

— Откуда она узнала? — мрачно спросил продюсер.

— Понятия не имею! — взвизгнула певичка.

— Найду, кто продал, и урою, — пообещал Свин.

Я стала покрываться потом, шагнула в сторону, вновь наступила на ногу одному из трансвеститов и спросила:

— Эта Ирина кто?

— Кротова? — уточнил размалеванный парень. — Ужас, летящий на крыльях ночи, репортер газеты «Шоу», про нас пишет. Такое нарывает! Ее тут половина народа пристрелить хочет. Ирочка может в один миг с грязью смешать, она вечно за кулисами толчется, по зернышку дерьмо клюет.

Недолго думая, я побежала за журналисткой.

— Ира, погодите!

Кротова оглянулась:

— Чего тебе?

Я подбежала к ней:

— Пожалуйста, не пишите ничего про Глафиру.

— С какой стати?

— Очень прошу, ну, про коньяк.

— Да? А что с коньяком?

— Я случайно сболтнула про то, что она его выливает.

— Слово — не воробей!

— Умоляю вас, меня уволят.

— И хорошо, найдешь другое место.

— Никогда.

— Не рыдай, — хмыкнула журналистка, — рано или поздно все равно бы это узнали.

— Я окажусь на улице!

— Сейчас тепло, не замерзнешь!

— Мне некуда идти.

— Я слышала уже сказочку про деревню в Тюменской области, — скривилась Ира, — дурее ничего не придумала? У тебя московский говор.

Меня охватило отчаяние.

— Послушай, пожалуйста!

— Ну, говори, — смилостивилась Ирина.

Когда мой сбивчивый рассказ иссяк, журналистка покачала головой:

— Хорошо, твоя история впечатляет. И знаешь почему? Я узнала тебя сразу! А ты меня нет. Сначала я подумала, что ты прикидываешься, изображаешь неизвестно кого. Но потом растерялась, больно здорово ты актерствовала. Стала присматриваться и сомневаться: она — не она. Вроде одно лицо, с другой стороны, меня не признала, а ведь я твоя родня.

— Родня, — подскочила я, — в каком смысле?

— В прямом, — одними губами улыбнулась Ирина.

— Ты знаешь, кто я?

— Естественно.

— Господи, скажи!!!

— Это долгий разговор, не здесь же его вести!

— А где?

— Приезжай послезавтра ко мне.

— Адрес, скажи скорей адрес!

Ирина покачала головой:

— Если ты играешь, то делаешь это гениально, прими мои поздравления, зря я тебя курицей считала. Если на самом деле потеряла память, то положение ужасное, хотя это понять можно, после всех несчастий...

— Эй, Танька, — заорал один из подтанцовки Глафиры, показываясь в коридоре, — несись на реактивной тяге, Глашка бесится, нам на другой концерт ехать пора!

— Значит, так, — быстро закончила Ирина, — я сегодня в Питер уезжаю, вот тебе телефон, звони послезавтра, встретимся, и я все расскажу!

Я быстро сунула визитную карточку в карман и пошла в гримерку. Отворила дверь и поняла, что попала в самый неподходящий момент. Глафира сидела на полу, в углу, около большого трехстворчатого зеркала. Над ней с розовым полотенцем в руках стоял Свин. Не замечая моего появления, продюсер хлестал полотенцем певицу по щекам, приговаривая:

— Ну ты и сука!

Меня удивило поведение Глаши. Вместо того чтобы, как всегда, орать и материться, певица пыталась закрыть хорошенькое личико руками и шептала:

— Ой, не надо! Свин, пожалуйста!

Продюсер отшвырнул полотенце.

— Одевайся, дрянь, — выплюнул он и, тяжело дыша, ушел.

Я бросилась к Глафире:

— Тебе больно? С какой стати ты терпишь такое!

Внезапно она тихо заплакала:

— Он мой хозяин, у него деньги, связи, а у меня что?

— Имя! Звездный статус!

Глаша встала на ноги, взяла ватный диск и стала стирать с лица слезы, перемешанные с косметикой.

— Звезда — это фикция, — внезапно серьезно сказала она, — есть, конечно, маленький круг тех, кто имеет весомое имя и может работать сам по себе, Максимов, допустим. Да и то Андрюша зависит от многих людей: композитора, например. Нет новых песен — нет и Максимова, нельзя же годами старые хиты перепевать. Ну а такие, как я... Вытурит меня Свин, и что? Пропала Глаша, публика-то из козлов состоит, мигом забудет. Вон сегодня группа «Рынок» выступала, видела?

— Да, хорошенькие такие блондиночки.

— Хорошенькие блондиночки, — передразнила меня Глафира, — точно! Только это уже то ли пятый, то ли шестой состав — и все как одна хорошенькие блондиночки. Куда же прежние деваются, знаешь?

— Нет, — покачала я головой.

— И я тоже, — сказала Глафира, — исчезают одни хорошенькие блондиночки, появляются другие, а залу все равно. Группа «Рынок» поет! Вау! Классно! Супер! Ля-ля-ля! Где же прежние блондиночки? Это шоу-биз, детка, тут как в лесу с леопардами: выжил — отбил себе место для охоты, слабинку дал — и тебя съели! Ам, нету хорошеньких блондиночек! Ам, прощай, Глафира, другую Свин вытащит и тоже Глашей назовет, чтобы бренд не пропал! Я-то уже вторая Глафира, будет третья, и что?

— Ну это ты глупости говоришь, — воскликнула я, — тебя столько народа в лицо знает!

Глафира задумчиво посмотрела в зеркало.

— Морда... да! Это легко! Вон Катю из «Веселых» никто не признает, она себе нос исправила, овал лица подтянула, парик, очки...

— А голос? — не успокаивалась я.

— Голос, — протянула Глафира, — голос... наивная моя, голос — это аппаратура. Знаешь, как у нас говорят: можно поругаться с кем угодно: с мамой, папой, мужем, любовником-спонсором, журналюгами... Но только всегда дружи со своим звукооператором, иначе худо будет. Голос! Ох, зря я сегодня Свину нахамила, чует мой нос: плохо мне будет!

Глава 8

Утром я проспала подъем, очнулась оттого, что кто-то рявкнул:

— Эй, Танька, хватит дрыхнуть!

Глаза распахнулись и увидели Свина.

— Совесть иметь надо, день на дворе! — заорал он.

— Ой, простите, — залепетала я, прикрываясь одеялом.

— Не корчись, — неожиданно хмыкнул Свин, — нечего тебе прятать, никакими особыми прелестями не обладаешь. Ладно, можешь отдыхать!

Я страшно изумилась:

— Что?

— Спи спокойно, — продолжал Семен, — небось устала.

— Да, есть немного, — ответила я, немало пораженная приветливостью Свина.

— Ясное дело, — кивнул продюсер, — мы-то люди привычные. Нам в три ночи лечь, а в шесть утра встать плевое дело, но остальной народ мигом ломается. Даю тебе до двух часов дня время на реанимацию. Мы поедем к стилисту, имидж менять, потом домой притопаем и на съемки рванем.

— Куда? — переспросила я.

— Клип делать! — снова рявкнул Сеня. — Отсюда стартуем в четырнадцать ноль-ноль, ясно, клуша?

Я упала в подушку. Боже, какое счастье! Можно еще поспать. Скорей всего, в прошлой жизни я никогда не вылезала из-под одеяла раньше десяти утра. Глаза закрылись, я свернулась калачиком, теплая темнота стала заволакивать мозг, я пошевелилась и неожиданно удивилась тому, как ловко это у меня получилось. Внезапно дрема улетела прочь, я села на узком диване. В голове возникло смутное воспоминание.

Вот я лежу в комнате, вокруг темно, мое тело свернуто калачиком, я пытаюсь вытянуть ноги и не могу, что-то мешает... Вернее, кто-то, каменно-тяжелый, неподвижный. Мои ступни пытаются отодвинуть неподатливое тело. Вдруг оно чихает, спрыгивает на пол и, цокая когтями, уходит, сердито фыркая. Собака! В той жизни у меня был пес, он спал вместе с хозяйкой... Впрочем, почему собака? Вдруг это кошка? И вообще, может, это даже никакое не животное вовсе, а муж. Может, я имела супруга? Хотя нет, навряд ли мужчина, которого жена столкнула с супружеского ложа, уйдет, недовольно фыркая и стуча когтями по паркету. Значит, кошка или собака...

— Что сидишь с таким видом, словно выпала из самолета? — спросила Глафира, входя в комнату. — Суп, который ты вчера сварганила, гаже некуда. Я попробовала и выплюнула, похоже на бульон из старой тряпки. Хватит нежиться в постели, поднимай задницу и рысью в магазин, список и деньги на столе. Ну что ты на меня уставилась, а?

— У тебя на руке пятно, — быстро сказала я, стараясь скрыть растерянность. — Вот тут, чуть повыше локтя, чем-то измазалась.

— Да нет, — отмахнулась Глафира, — это меня вчера Костик, гитарист, сигаретой обжег. Стоял рядом в кулисе и попал случайно по руке.

— Наверное, больно?

— Ерунда, бывали в моей жизни и покруче неприятности. Слушай внимательно, — принялась раздавать указания Глафира, — сделаешь по-новому щавелевый суп, затем в моей комнате, на подоконнике, найдешь кучу писем и начнешь отвечать, текст стандартный, он есть в компьютере: «Дорогой, дорогая! Счастлива была получить письмо. Спасибо, люблю, целую, твоя Глафира». Вместо подписи печаткой хлопнешь, она там же валяется.

— Ты отвечаешь всем фанатам?

— Жалко их, — неожиданно сказала Глафира, — сама такая была, пока на эстраду не выползла.

— Извини, я не смогу выполнить поручение...

— С какой стати?

— Не умею пользоваться компом.

— Деревня, — скривилась Глафира, — ладно, потом научу.

Оставив после себя удушливый запах элитных духов, хозяйка унеслась. Я встала и побрела на кухню, оглядела сверкающую, похоже, почти никогда не используемую посуду и тяжело вздохнула. Уж не знаю, кем я была в прошлой жизни, имела ли собаку с кошкой или мужа, ходящего на четвереньках, но мне ясно одно: домашнее хозяйство никак не являлось моим хобби, иначе отчего сейчас при одном взгляде на сковородки меня охватила тоска?

Зевая, я взяла чайник. Прежде чем впрячься в работу, выпью кофейку. И тут зазвенел телефон.

— Глафира, — прочирикал голосок, — понимаю, что ты на меня злишься, но, ей-богу, я не виновата, так фишка легла...

— Я не...

— Дай договорю, не швыряй трубку!

— Но...

— Деньги могу отдать, прямо сейчас привезу, хочешь?

— Какие? — растерянно спросила я.

— Те, что ты дала в долг, — зачастила девушка, — конечно, много времени прошло, но мне просто не везло, а теперь я заработала. Спасибо, что ты не шумела, подождала.

— Я не Глафира!

— А кто? — осеклась невидимая собеседница.

— Ее домработница, Таня.

— А Глаша когда будет?

— Ну... в два, только она сразу потом уедет.

— Ага, скажи ей, что Алла звонила, хочет долг вернуть, — торопливо сообщила девица и отсоединилась.

Я осторожно положила трубку на стол. Однако Глафира странная девушка. Изображает из себя алкоголичку, а коньяк выливает в раковину... Ладно, это хоть как-то объяснимо, но она на людях корчит из себя звезду, растопыривает пальцы, а на самом деле является рабой Свина. Крикливая, наглая, капризная... Однако отвечает на письма фанатов, дает деньги в долг, а потом не поднимает шума, когда ей их вовремя не возвращают. И Глафира пожалела совершенно незнакомую женщину, стоявшую на шоссе, остановилась, привезла ее к себе. Все-таки в певице больше хорошего, чем плохого. Хотя она не преминула воспользоваться ситуацией и мигом предупредила, что не станет платить мне деньги! Ладно, хватит составлять психологический портрет хозяйки, надо топать за продуктами.

Ровно в четырнадцать ноль-ноль появился Свин и заорал:

— Дуй в машину!

— Глафира не поднимется пообедать?

— Засунь себе суп в... — меланхолично сообщил продюсер. — Шевелись! Не забудь все необходимое!

Я пошла за костюмами и ящиком с косметикой. Свин — жуткий, неисправимый грубиян.

Сев в машину, я ойкнула и сказала:

— А где Глафира?

Свин, устроившийся на переднем сиденье, заржал.

— Не узнаешь?

Брюнетка, сидевшая около меня, растянула в улыбке большие кроваво-красные губищи, поморгала карими глазами и чуть хрипловатым голосом протянула:

— Хай!

— Хай, — машинально ответила я и спросила. — А кого нужно узнавать?

— Митьку, — хрюкнул Свин и пихнул шофера в плечо.

— Вот же он, — недоумевала я, — и куда подевалась Глаша?

— Сногсшибательно, — резюмировал продюсер, — она около тебя сидит!

Я уставилась на брюнетку, та подмигнула мне.

— Это... ты? — вырвалось у меня. — Не может быть!

— Лися постарался.

— А с голосом что?

— Вот блин, охрипла чуток!

— Ну... а почему глаза карие?

— Это линзы.

— Да?

— Не верит, — взвизгнула Глафира, — супер! Народ сляжет! Все газеты нам обеспечены! Да я это, я! Вот гляди, след от ожога!

Я уставилась на обнаженную руку Глаши, действительно...

— Можно пощупаю?

— Еще плюнь и потри, — хмыкнула она.

— Хватит базлать, приехали, — сообщил Свин. Когда мы вышли из машины, певицу утащила толпа народа. У меня выхватили ящик с гримом, сумку, портпледы и велели сидеть тихо на табуретке. Я послушно устроилась на жестком сиденье и привалилась спиной к дереву.

Снимать клип собирались на природе, режиссер выбрал симпатичную лужайку, покрытую зеленой травкой. Палило солнце, было очень жарко, где-то высоко в небе щебетали птички, изредка моего лица касался легкий ветерок.

Съемочная группа толпилась вокруг всяких приборов.

— Ну, звезда моя, ты готова? — заорал режиссер. — Эй, кто-нибудь, поторопите ее, натура уходит! Мне вон та тень не нравится! Сколько можно одеваться! У нее что, три задницы?

— Нечего орать, — ответила Глафира, выходя из расположенного рядом микроавтобуса.

Я бросила взгляд на певицу и чуть не свалилась с колченогой табуретки. Стройная Глаша напялила шубу из соболя, длинную, до щиколоток. Застегивалось одеяние лишь до пояса. Когда Глафира сделала шаг, полы разошлись в разные стороны и стала видна коротенькая ярко-красная юбчоночка и сапоги-ботфорты. На иссиня-черных волосах моей хозяйки сидела шапка-ушанка, верхний отворот которой украшала россыпь стразов.

— Где снег? — завопил режиссер.

Я почувствовала себя участницей пьесы абсурда. Какой снег? Они что тут, все с ума посходили? Одна стоит в шубе и ушанке, второй желает видеть белые хлопья, валящие с неба. На улице жаркий июнь! Сейчас Свин вызовет психиатрическую перевозку.

— Да, — капризно топнула ножкой Глафира, потом повернулась к режиссеру. — Меня торопили, а сами! Непорядок, Гена! Я звезда!

— Снег, живо! — замахал руками Гена.

Я вцепилась в табуретку.

— Только не нервничайте, — пробасил один из парней, стоявших возле какой-то непонятной штуки.

Затем он нажал кнопку, взял шланг... Мигом из него полилась обильная пена. Через пару секунд лужайка стала похожа на опушку зимнего леса.

— Что они делают? — спросила я у шофера Мити, который меланхолично курил на редкость вонючую сигарету.

— Клип снимают, — пожал тот плечами, — на песню «Зима души». Снег им нужен, вот и наваливают.

— Но почему же зиму снимают летом?

Митька пожал плечами:

— Хрен их разберет. А в декабре Глашка в купальнике по набережной бегала, тогда про август пела.

— Интере-есно, — протянула я.

— Всем заткнуться. — рявкнул Гена. — Мотор, пошла, пошла!

Глафира выскочила в центр лужайки, раскинула руки, завертелась, словно юла, и противным, слабым дискантом завела:

— В моей душе зима, зима, там нет тебя, тебя...

Я изумилась до глубины души. Секундочку, а где же звук? Сколько раз я слышала Глафиру, и все время у нее был не слишком большой, но вполне приятный голос. И потом, она сейчас фальшивит. Мой слух улавливает... Минуточку, похоже, у меня есть слух. может, я училась музыке?

— Стоп, стоп, — заорал Гена, — всех уволю на фиг! Где фонограмма? Где?! А? Все сначала!

Глафира отошла на стартовые позиции.

— Мотор, пошла, живо, радость на лице, счастье, — командовал Гена, — работаем!

Из автобуса грянула музыка, чистый, правильный голос завел:

— В моей душе зима, зима...

Я вздохнула. Похоже, в шоу-бизнесе сплошной обман. Поют под фанеру, говорят не то, что думают, цвет волос, глаз, эмоции — все неправда.

— Где счастье? — вопрошал Гена. — Хватай снег и умывайся! Ты в восторге.

Глафира зачерпнула было пригоршню пены и тут же с отвращением отбросила.

— Фу, воняет.

— Стоп! Сначала!

— Не хочу этим умываться.

— А надо.

— Ни за что.

— Делай как велят.

— Не буду.

Чуть не зарыдав, Глафира кинулась к автобусику и исчезла внутри.

— У нас обострение звездности, — перекосился Гена, — о боже! Очень тяжело настоящему мастеру! Одни истерички кругом. Живо выгоните идиотку, поддайте снегу, немедленно! Свет уходит! Солнышко мое, суперстар, ну постарайся!

Последняя фраза, сказанная совсем иным тоном, чем предыдущие, относилась вновь к появившейся на лужайке Глафире.

Действие повторилось во второй раз, третий, четвертый, пятый... У меня заболела голова. «Снег» нестерпимо вонял, музыка гремела, режиссер орал. Через два часа после начала съемок я от всей души пожалела Глафиру. Ей-богу, никаких денег и славы не захочешь, если требуется такая адская работа!

— Хватит, — взвыл Гена, — теперь конец. Глаша срывает шубу, падает лицом в снег, ее заносит метель. Ах черт, красивая картина будет!

И тут у моей хозяйки случилась самая настоящая истерика. С воплем: «Ни за что не стану падать!» — она унеслась в автобус.

— Да уж, — вздохнул Гена, — некоторые, понимаешь, звезды... Свин, наведи порядок.

— Надоела она мне, — вздохнул продюсер, — имидж вот поменял.

— Волосы недолго покрасить, — заржал Гена, — ты девку смени! Эта совсем от рук отбилась!

Став красным, Семен медленным шагом двинулся к автобусу. Я поняла, что он сейчас начнет рукоприкладствовать, и кинулась за ним.

— Пойми, Глафира устала. Легла поздно, встала рано, потом у стилиста была, и съемка такое тяжелое дело.

— Отвянь! — рявкнул Свин и влез в автобус.

Я вскочила за ним.

— Пожалей ее.

— Смойся.

— Она заболела!

Внезапно Свин усмехнулся:

— Это шоу-биз, детка, красиво лишь из зала. Кому какое дело, что с тобой? Мама умерла, любовник бросил, чирей на заду вылез, ноги отвалились — пой, киса, весели народ, тебе деньги уплачены! Это ее работа, ща пойдет и станет мордой в ихние химические сугробы нырять. Знаешь, сколько запись клипа стоит?

— Ей плохо.

— И что?

— Как это? — растерялась я. — Ну... пусть отдохнет.

— В могиле выспится, у нас еще два концерта сегодня.

Свин свирепо гаркнул:

— Глашка, вылазь!

Я быстро побежала в глубь автобуса и увидела певицу, ничком лежащую на вытертом диванчике.

— Не могу, — простонала она, — тошнит. У меня началась аллергия.

— Живо на площадку, — поднял кулак Свин.

Я бросилась на него:

— Ой, не бей.

— Съемка стоит, отойди.

— Не могу, — стонала Глафира, — все, ухожу, сыта по горло, бросаю сцену.

— Сначала отработай! — взревел Семен, пытаясь оторвать меня от себя.

— Нет.

— Ну ща заработаешь на орехи...

— Свин, — заорала я, — там же только надо лицом в снег упасть?!

— Ну? — он слегка сбавил тон.

— Давай я за нее прыгну.

— Ты?

— Да.

Секунду Свин надувал губы, потом буркнул:

— Переодевайся, живо, — и вышел на улицу.

Глава 9

Если вы думаете, что Глафира сказала мне спасибо, то жестоко ошибаетесь. Когда я, почесываясь и кашляя, влезла в машину, певица ехидно осведомилась:

— Ну как? Понравилось быть звездой?

— Не слишком, — честно ответила я.

— И почему?

— Все тело горит, «снег» такой ядовитый!

— Ты еще в декабре в речке со счастливым выражением на морде не плавала, — хохотнул Свин. Глафира отвернулась к окну.

— А что, — веселился продюсер, — давай, Танька, из тебя звезду сделаем.

— Спасибо, не надо, — поспешила отказаться я.

— Не хочет, — заржал Свин, — другие, между прочим, на все ради такого предложения готовы.

— Только не я.

— Заткнитесь, — сквозь зубы прошипела хозяйка.

— Сама замолчи!

— Дурак!

— Кретинка!

— Сволочь!

— Мерзавка!

— Скот!

— Дебилка!

Я вжала голову в плечи.

— Да ты дрянь! — завопил Свин.

Всю дорогу до очередного клуба они матерились и поливали друг друга грязью, используя такие «выражансы», что я чуть не умерла со стыда.

Концерт прошел как всегда. Отпев свое, Глафира влетела в гримерку и рявкнула:

— Где мой суп?

Я поспешила подать ей термос.

— Вот!

Хозяйка хлебнула из горлышка и взвизгнула.

— Это что?

— Ну как? Щавелевый...

В ту же секунду содержимое термоса выплеснулось на меня. Слава богу, суп оказался не огненно-горячим, а просто теплым. Певичка затопала ногами и завизжала на такой высокой ноте, что у меня мигом закружилась голова:

— Гадость, дрянь, бульон из половой тряпки!

Я выскочила в коридор, добежала до окна и в растерянности остановилась. Господи, что мне теперь делать? Совершенно не помню, кем я была в прошлой жизни, но в этой мне очень не нравится, особенно когда в лицо выплескивают суп. Уйти прочь? Куда? Без денег, документов, биографии, работы... Нет, надо взять себя в руки, умыться, отчистить одежду и вернуться к Глафире. У меня нет альтернативы. Потом, я сама виновата, не умею вкусно готовить, хотя, конечно, поведение хозяйки отвратительно, но оно имеет под собой основания...

Вдруг к горлу подкатил огромный горький комок, и я, не в силах справиться с собой, разрыдалась.

— Что случилось, дорогуша, — произнес тихий, вкрадчивый, голос, — повернитесь, душенька, кто вас обидел?

Я машинально повиновалась и увидела стройного мужчину не самого юного возраста, одетого в ярко-красный костюм. Короткие белокурые, скорей всего, крашеные волосы были при помощи геля зафиксированы в причудливую прическу, в ушах сверкали бриллиантовые серьги.

— Кто вас обидел? — повторил он.

В ту же секунду я поняла, кто стоит передо мной. Леонид Борисеев, одна из самых эпатажных эстрадных звезд, певец, танцор, человек, который, абсолютно не стесняясь, говорит о своей нетрадиционной сексуальной ориентации. Лично мне глубоко все равно, чем занимаются двое взрослых людей в тиши спальни, но Борисеев не тот человек, перед которым стоит раскрывать душу, он просто надо мной посмеется. И потом, мы находимся на разных ступенях социальной лестницы, я в самом низу, Леонид наверху, очень ему надо выслушивать сопливые рассказы чужой домработницы.

— Вы кто? — не успокаивался Борисеев. — Бога ради, перестаньте плакать, я не могу слышать рыдания. В чем дело, в конце концов? Кошелек потеряли? Сколько там было? Я вам дам, не переживайте. Деньги — это всего лишь бумажки.

Я хотела сказать: «Спасибо, не надо», но внезапно забормотала совсем иное:

— Суп... Глафира... Свин... термос.

Борисеев вытащил огромный носовой платок, осторожно вытер мне щеки и тихо поинтересовался:

— Лапушка моя, что тебя принесло к Глафире?

Я пожала плечами:

— Так фишка легла.

— Хотела на сцену попасть? Не вышло, и теперь в тусовке крутишься?

— Упаси бог.

— Тогда зачем здесь толчешься? Имей в виду, за кулисами люди быстро ломаются, тут совсем иной ритм, чем в нормальной жизни. Согласен, кое-кто только делает вид, что поет или танцует, но дело не в них. Ты-то можешь найти другое место. Сколько тебе лет? По внешнему виду еще не вечер, вполне симпатичная и молодая. Кстати, один из моих приятелей ищет горничную, думаю, платить много он не сможет, но ты попадешь в приличное место. Хороший дом, еда, оклад, никакого интима и истерик. Он вообще не из наших, банковский работник.

Продолжая окутывать меня своим неповторимым бархатным голосом, Борисеев вытащил мобильник.

— Ну, говори, как тебя зовут, и дело сделано.

К горлу вновь подкатил комок. Как меня зовут?

— Спасибо, — пробормотала я, — вот уж не ожидала, что вы захотите мне помочь, но моя карма — служить Глафире, по крайней мере, пока.

Леонид спрятал телефон.

— Дело хозяйское, коли нравится умываться супом...

— Не нравится, но всего рассказать вам не могу.

— Леня! — закричали из какой-то комнаты. — Куда ты подевался?

— Кстати, о супчике, — усмехнулся Борисеев, — в следующий раз, когда станешь щавель варить, выжми в кастрюлю лимон и брось кусочек сливочного масла, получится вкуснятина, я всегда так делаю. И купи себе поваренную книгу, ясно?

— Спасибо, — почти успокоившись, ответила я.

Борисеев шагнул было в сторону, но потом опять повернулся ко мне:

— Это шоу-биз, детка. Знаешь, тут почти все, кто сейчас звездами считаются, из очка вылезли. Мало кому повезло прямо от мамы с папой на сцену попасть и в десятку влететь. Ногти ломали, зубы, прогибались, кланялись, на коленях стояли, но добились своего. Так вот, на этой дороге люди начинают делиться на две части. Одни всегда помнят, каково им пришлось, и уважают окружающих, у других капитально сносит крышу. Первых очень и очень мало, стану перечислять — десяток имен назову, не больше. Остальные — такие, как Глафира. И еще, чем меньше таланта, тем больше гонора, самодовольства и желания унизить нижестоящего человека. Хотя кто сказал, что ты ниже Глафиры? Жизнь длинная, попомни мои слова, Глафира еще придет к тебе кланяться и просить денег. А ты тогда, сделай одолжение, не выплескивай на нее суп. Если хочешь быть интеллигентным человеком, всегда вежливо разговаривай со своей домработницей. А вообще, ищи себе богатого мужа или начинай зарабатывать сама, потому что лучшая защита женщины — ее толстый бумажник.

Быстро повернувшись на каблуках, Леонид исчез. Я побежала в гримерку. «Это шоу-биз, детка!» В который раз я слышу эту фразу! Актер на сцене и в жизни — это два разных, подчас полярно разных, человека. Никогда бы не поверила, что Борисеев способен утешать поломойку! А он, оказывается, добрый, милый человек...

Увидав меня, Глафира заорала:

— Таняша!

Я вздрогнула: что опять?

— Милая, прости, прости, прости...

Я попятилась к двери, но хозяйка бросилась мне на шею.

— Ну извини, я устала, измучилась. Вот, возьми чистую одежду, суп был замечательный.

Я обняла Глафиру:

— Нет, я сама виновата! Гадкий вышел супешник.

— Великолепный!

— Несъедобный.

— Прости!

— Ты меня извини.

— Я тебя люблю!

— Я тебя тоже!!!

Из глаз Глафиры брызнули слезы, и из моих одновременно тоже. Через секунду мы зарыдали, сжимая друг друга в объятиях. У хозяйки началась истерика, я, кое-как справившись с собой, напоила певицу водой. Но Глаша не успокаивалась. Она плакала в машине и не пришла в себя дома.

В конце концов Свин, который, застав нас в момент обоюдных рыданий, отчего-то не стал материться и драться, принес нам по чашечке приторно сладкого чая и с несвойственной ему заботливостью произнес:

— Вот что, истерички мои, глотайте и ложитесь.

Я залпом осушила чашку, почувствовала разливающееся тепло и моментально заснула прямо в гостиной, сидя в кресле.

Проснулась я от немилосердной боли в спине и сначала не поняла, где нахожусь. Потом вспомнила все: скандал, бурное примирение, истерику Глафиры, чаепитие в гостиной. Нужно встать, умыться, раздеться и лечь в кровать. Спать в кресле оказалось страшно неудобно, у меня свело поясницу.

Кое-как я поднялась, дошла до двери, потянула за ручку и в приоткрывшуюся щель услышала быстрый шепот:

— Эй, осторожней, не разбудите, а то завоет, — говорил незнакомый мне человек.

— Там снотворного килограмм, — очень тихо ответил Свин.

Удивившись, я осторожно прильнула к щелке и увидела Митю, шофера, который нес Глафиру, ноги певицы, обутые в лаковые сапожки, безвольно болтались, руки свесились. Рядом шел Свин. Парочка исчезла на лестничной клетке. Не успела я оценить происходящее, как продюсер вернулся, ведя за руку... Глафиру. Певица поправила темные волосы.

— Все усекла, лапа? — спросил Свин.

— Ага.

— Помнишь, как действовать?

— Да.

— Тогда вперед и с песней, — велел Семен.

Глаша скрылась в конце коридора, Свин вышел на лестницу, щелкнул замок. Я подождала пару минут, потом пошла к себе. Что у нас происходит? Сначала хозяйку, крепко спящую, выносят из квартиры, а через секунду она возвращается, бодрая и бойкая. Но обдумать случившееся не получилось, сон свалил меня с ног.

— Танька, Танька, ну где же ты? — долетело до меня сквозь дрему.

Я села, схватила халат и понеслась в спальню к Глафире.

— Ванну и кофе, — принялась командовать хозяйка.

Я дернула в разные стороны шторы. Яркий свет залил комнату.

— Закрой, — заорала Глафира и мигом натянула одеяло на лицо, — глаза болят! Дай тапки.

Я быстренько поставила у кровати пантофли. Глаша встала, я слегка удивилась, певица вроде была вчера выше ростом, хотя она постоянно на каблуках.

— Кофе вари, — велела Глаша и, занавесив мордочку волосами, ушла.

Голос ее сегодня звучал так же хрипло, как и вчера, но это была другая хрипотца, иной тональности. Подумав так, я удивилась: откуда мне известно про такую вещь, как тональность? И отчего у Глаши изменился тембр голоса?

К столу хозяйка вышла с наложенной на лицо штукатуркой, села спиной к окну и гаркнула:

— Чего уставилась? Где мой кофе?

Я стала наливать чашку. Надо же, как может измениться женщина при помощи самых простых средств! Возьмите тональный крем потемнее, нарисуйте широкие брови, вставьте в глаза цветные линзы цвета жженого кофе, сделайте татуаж губ, наложите румянец, придайте волосам колер горького шоколада и — пожалуйста! Вместо бело-розовой блондинки, похожей на куклу Барби, имеем смуглую цыганку. Но неужели, изменившись до неузнаваемости, можно привлечь к себе внимание публики?

День закрутился колесом. Прибыл Свин, потом какой-то парень, назвавшийся композитором. Затем еще двое юношей. Из кабинета полетели звуки рояля, раздался хороший, сильный голос. Через секунду я сообразила, что слышу меццо-сопрано, и поразилась до крайности. Глафира-то, оказывается, может петь. Почему же вчера во время записи клипа, пока не пустили фонограмму, она мяукала, словно новорожденный котенок?

— Мы уходим, — заглянул в кухню Свин, — вернемся ночью.

— А я?

— Ты свободна до семи, на, держи.

В моих руках оказалось сто рублей.

— Это зачем? — насторожилась я.

— На мороженое, — хмыкнул Свин, — выходной у тебя, до девятнадцати, усекла?

— Танька, — заорала Глафира, — где моя кофточка с блестками?

Я побежала в гардеробную.

— Ты о чем? Извини, тут столько вещей.

— Ладно, надену эту, — заявила хозяйка и мигом натянула на себя сиренево-розово-фиолетовую блузку.

Потом она принялась изгибаться у зеркала.

— Ну как?

Я посмотрела на тонкую талию, высокую грудь и обнаженные руки с гладкой нежной кожей.

— Изумительно! Тебе идут вещи с открытыми плечами.

Когда хозяйка с гостями ушли, я вытащила визитку и набрала номер.

— Да, — ответил недовольный голос.

— Ирина?

— Ну!

— Это Таня.

— Кто?

— Домработница Глафиры, вы дали мне свой номер.

— А, хорошо, что позвонила, — вмиг стала любезной журналистка, — давай встретимся поскорей, сегодня можешь?

— Могу прямо сейчас.

— Давай записывай адрес, — велела Ира.

Я порылась в гардеробной, выудила голубые джинсы, белую футболку, схватила сумочку и побежала к метро.

Ирина жила в небольшой двухкомнатной квартирке довольно далеко от центра.

— Узнаешь? — спросила она меня.

— Что? — не поняла я.

Журналистка махнула рукой.

— Ладно, пошли покалякаем.

Мы двинулись в комнату, служившую гостиной. У стола сидел довольно полный мужчина с бородой.

— День добрый, — весьма приветливо сказал он.

— Здравствуйте, — осторожно ответила я.

— Это Константин Львович, — весело сообщила Ирина, — он врач, очень хороший, профессор, ему с тобой поговорить надо.

— Зачем? — испугалась я.

— Так и собираешься жить не помнящей родства? — фыркнула Ирина. — Сделай одолжение, побеседуй с доктором.

— Я нестрашный, — загудел Константин Львович, — ни ножика, ни шприца — ничего с собой нет, просто посудачим о том о сем.

Следующие два часа мы мирно разговаривали о всякой всячине, Ирина все это время сидела в другой комнате. Наконец Константин Львович встал.

— Рад был познакомиться.

Я кивнула:

— Взаимно.

Доктор прошел к хозяйке, там он провел еще полчаса, затем Ира проводила профессора, вернулась и с порога заявила:

— Извини, но то, что собираюсь рассказать тебе, может произвести очень сильное впечатление, поэтому я и решила подстраховаться. Констинтин — замечательный психиатр, доктор наук сразу по двум специальностям. Он сказал, что тебя можно ввести в курс дела.

— Какого?

— Ты моя сестра.

Я попятилась:

— Кто?

Ира села за стол.

— Ладно, слушай. Тебя зовут Татьяна Кротова.

— Кротова? — ошарашенно повторила я.

— Именно так, — вздохнула Ирина, — давай по порядку.

— Хорошо, — кивнула я, — начинай.

Жили-были в далеком городке Краснолеске две сестры — Ирочка и Танечка. Первая была активная, пробивная, энергичная, мечтавшая о больших деньгах и славе. Вторая — мямля, тихая, незаметная, больше всего на свете любившая читать книги и грезившая о прекрасном принце. Но какие королевичи в глухом Краснолеске? Все мужчины тут были наперечет; интеллигентных среди них было всего трое, и те давно женаты, а на остальных Танечка даже смотреть не хотела. Ну о чем можно разговаривать с мужиком, который считает, что Лев Толстой написал балет «Лебединое озеро»? Никаких перспектив ни у Иры, ни у Тани на родине не было. Можно, конечно, выйти замуж, нарожать детей, считать всю жизнь копейки, насобирать на крохотную дачку и, сидя потом на веранде и наблюдая за резвящимися внуками, думать, что жизнь удалась. Может, кому-то подобное существование и покажется счастьем, но для сестер Кротовых оно было неприемлемым. Ира очень хотела прославиться любой ценой, а Таня ждала великой любви. Ни старшая, ни младшая сестра не могли осуществить свои желания в Краснолеске. Впрочем, тысячи и тысячи женщин по всей необъятной России, кусая ночью подушку, безнадежно думают о том, что жизнь течет совсем не так, как хочется, быт связал их по рукам и ногам, дети, муж, хозяйство, постылая работа... Все могло сложиться иначе, лучше, красивее, интереснее. Тысячи плачут, но кое-кто начинает действовать и, сцепив зубы, переламывает хребет судьбе. Танечка была из первых ноющих, неспособных на решительные шаги, Ирина же имела железный характер, и она принялась за дело. Сначала продала квартиру в Краснолеске, а потом, схватив в охапку слабо сопротивляющуюся Танюшу, рванула в Москву, город, который предоставляет всем ретивым огромные возможности.

Только люди, прибывшие из провинции, могут

понять, что испытали Ира и Танюша, оказавшись в огромном мегаполисе, где у них не было никого: ни друзей, ни родственников, ни могущественных покровителей.

Девушки сняли комнату в коммуналке. Ирина, твердо знающая, на каком поприще способна добиться успеха, стала обивать пороги редакций, пытаясь напечатать статейку. Танюша сидела дома. Ей даже не хотелось высовываться наружу, шумная Москва пугала ее, вызывала депрессию: толпы бегущих людей сносили с ног, метро отвратительно шумело. Оказавшись на столичной магистрали, Танечка терялась и тут же хотела спрятаться, поэтому и предпочитала носа из квартиры не высовывать.

Ира приходила домой за полночь и рушилась в кровать. Репортера ноги кормят — эту истину девушка усвоила сразу. Хочешь продвинуться — не отказывайся ни от каких заданий. Это был второй полученный ею урок. Конечно, Ирину раздражала вечно ноющая сестра, апатично сидевшая сутками у телевизора. Иногда у работающей без отдыха Иры появлялись нехорошие мысли. Может, следовало уехать покорять столицу одной? Ну с какой стати ей думать о том, как прокормить и одеть Таню? Сестре небось и в Краснолеске было бы хорошо, нет разницы, где грезить о счастье.

Один раз Ира, вернувшись домой, обнаружила, что у единственных сапог лопнула подметка. Обувь следовало выбросить, она не подлежала ремонту. Начинающая журналистка внезапно заплакала — это было совершенно несвойственное ей поведение. Таня вышла в прихожую и испуганно спросила:

— Что случилось? Тебя уволили?

Сестра молча показала сапоги.

— Фи, — с явным облегчением воскликнула Танюша, — я даже перепугалась! Думала, тебя вытурили, как тогда жить станем. Ерунда, купи себе новые. Мне, кстати, тоже полусапожки нужны.

У Иры мигом высохли слезы.

— Ах ерунда! — чуть ли не с кулаками налетела она на сестру. — Лентяйка, дармоедка! А деньги где? Ступай работать!

— Кто меня возьмет? — заныла Таня.

— Иди уборщицей на вокзал.

— Ладно, — залепетала Танюша, — хорошо, конечно, я все понимаю! Завтра же устроюсь, в конце концов, надо же научиться не бояться улиц, смешно, право, я чувствую себя здесь беспомощным младенцем.

Ирине стало жаль мямлю, и она бросилась утешать сестру:

— Извини, просто я очень устала.

Таня обняла Иру.

— Все будет хорошо, ты станешь знаменитой, а я удачно выйду замуж за москвича с квартирой.

— Сидя дома, в четырех стенах, жениха не найдешь, — не упустила случая ущипнуть сестру Ирина.

— Судьба и за печкой найдет, — серьезно ответила Танюша.

Глава 10

Самое интересное, что Таня оказалась права. Долгожданный суженый просто постучал сам в дверь, только был он не принцем на белом коне, не королем в мантии, не капитаном шхуны с алыми парусами, а самым обычным мужиком, соседом Игорем. Парень пошел выносить помойное ведро, захлопнул дверь, сообразил, что забыл дома ключи, и позвонил Кротовым.

— Можно мне от вас маме звякнуть? — попросил Игорь, когда Танюша распахнула дверь. — Хочу к ней за вторым комплектом ключей поехать, да вдруг матушка куда ушла.

Вот так и состоялось роковое знакомство. Роман разгорелся стремительно, Новый год встречали вместе.

— Пусть он принесет всем нам счастье! — провозгласила тост Ира.

Так и произошло. Игорь женился на Тане. Парень работал художником, больших денег не получал, изредка продавал свои картины и жил на медные копейки. Бедный, даже нищий, но лучшей кандидатуры для Тани на роль супруга было не сыскать. Игорь тоже охотно сидел дома, любой выход из квартиры он воспринимал как стресс. Молодая семья куковала в четырех стенах, супруги читали книги, рассматривали альбомы и были счастливы. Мать Игоря умерла вскоре после свадьбы, отца он практически не помнил. Друзей у Игоря не имелось, и в Москве, своем родном городе, он был так же одинок, как приехавшие из Краснолеска провинциалки.

Ира стала жить вместе с молодыми. Вот уж у кого жизнь била ключом. За двенадцать последующих месяцев Ирочка сделала головокружительную карьеру. Из никому не известной начинающей журналистки она превратилась в акулу пера, постоянную участницу тусовок, свою в мире шоу-бизнеса. Иру боялись, она умела разнюхать чужие секреты и моментально опубликовать их в газете. Каждый материал, состряпанный Ириной, разрывался, как пакет с пропавшим кефиром, свалившийся из окна кухни на десятом этаже. Впрочем,

содержимое статьи тоже можно было смело срав-
нивать с вонючей жидкостью.

Самое интересное состояло в том, что Ира
всегда писала только правду, одну правду, и ничего, кроме правды. Предъявить ей судебный иск
было невозможно. Ирина ничего не фантазирова-
ла, она просто добывала информацию. «Певец
Лосенко, гей и борец за права лиц нетрадиционной сексуальной ориентации, имеет двух детей и
жену», «Певица Зоя лишь кукла, за нее поет сестра Катя», «Продюсер Михеев заставляет подчи-
ненных употреблять наркотики» — подобных со-
общений много, ими кормится армия желтых изданий, но Ира умела найти эксклюзив. «У каждого
человека имеется скелет в шкафу, нет личности
без постыдных грешков», — говорила она.

Очень скоро Ирину начали бояться, заиски-
вать перед ней и предлагать деньги за то, чтобы
она не писала статью. К Кротовой пришло мате-
риальное благополучие и сомнительная слава
скандальной журналистки, в присутствии которой
следует быть осторожнее в высказываниях. Танюша в это время счастливо жила с Игорем. Правда,
теперь Ирине приходилось кормить не один го-
лодный рот, а два, но чего не сделаешь ради любимой сестры?

И тут, словно снег на голову, рухнуло несчастье. В тот день Ира, как всегда, сидела в своем кабинете и составляла план, на какое мероприятие
отправиться вечером. Утренние часы Кротова
проводила в редакции, разговаривала по телефону
с людьми, дававшими ей информацию. Одним приходилось платить за услуги, другие действовали
«бескорыстно», хотели сделать гадость бывшему
хозяину или любовнику. Поэтому, когда телефон

зазвонил в очередной раз, Ирина схватила трубку и промурлыкала:

— Вся внимание, говорите.

В ухо, словно железный кулак, ударил вопль:

— Помоги! Скорей!

Несколько мгновений понадобилось Ире, чтобы сообразить: это кричит всегда невозмутимая, ленивая Таня.

— Что случилось? — испугалась Кротова.

— Игорь... умер... умер... умер!

Ирина быстрее молнии помчалась домой. Ворвавшись в квартиру, она вызвала «Скорую» и попыталась выяснить у сестры подробности произошедшего. Прибывшие врачи лишь развели руками.

— Он уже коченеет, — сердито сказал один, — зачем машину гоняли? Не видите, он умер!

Таня вновь закатилась в истерике, а Ира растерянно забормотала:

— Но как же! Неужели ему нельзя помочь?

Врач вытащил из чемоданчика ампулу, быстро сделал Тане укол и сказал:

— Вы не поняли? Он уже все, отдал концы...

— Он же совсем молодой, — не успокаивалась Ира, — отчего умер так внезапно?

И тут появилась милиция, которую, как потом оказалось, вызвали сотрудники «Скорой».

Спустя несколько дней ситуация стала совсем плохой. Выяснилось, что Игорь отравился, может, сам случайно съел слишком много таблеток, а может, был убит.

Таню начали допрашивать, и она мигом стала основной подозреваемой. То, что молодая женщина рассказывала следователю, выглядело фантастически неправдоподобно.

— Я, — спокойно, словно под наркозом, объясняла Таня, — налила мужу суп, он попросил хлеба, мне пришлось идти на кухню. Там я взяла батон, доску, нож, решила отрезать ломоть и поранила палец. Потекла кровь, я сунула руку под холодную воду, а потом держала вату с йодом, пока кровь не свернулась. Вернулась в комнату и увидела, что Игорь лежит лицом на столе.

— Сколько же времени вы отсутствовали в гостиной? — спросил милиционер.

— Ну, минут десять, — неуверенно ответила Таня.

— Почему вы решили отрезать хлеб в кухне? Нет бы взять батон и прийти к мужу сразу.

— Не знаю, так как-то получилось...

— Покажите палец!

— Э... э... он уже зажил!

— За пару дней? — уточнил следователь. — Такая рана, что кровь, льющуюся из нее, вы останавливали в течение десяти минут?

— Ну, — Таня стала путаться, — просто я чуть содрала кожу, совсем ерунда.

— Почему же тогда не возвращались так долго к мужу? — мгновенно последовал новый вопрос.

Таня опять завела рассказ про батон, нож и рану.

— Как же в еду мужа попала отрава? — протянул следователь. — Мы вот тут выяснили, что Игорь Петрович был человеком верующим, посещал церковь, самоубийство он, наверное, считал огромным грехом.

— Да, — подтвердила Таня, — это так. Игорь умер от сердечного приступа.

— Правильно, — кивнул следователь, — именно от сердечного приступа, только чем он был вызван? Передозировкой сильнодействующего средства, которое легко купить в любой аптеке.

— Игоря отравили! — воскликнула Таня.

— И кто же? — прищурился следователь.

— Ну... не знаю.

— Вы же были вдвоем в квартире?

— Да.

— А сестра?

— Ирина находилась на работе.

— Ясно, значит, никого, кроме Игоря и вас?

— Да.

— Интересно.

— Может, пока я на кухню ходила, кто-то влез в окно? — предположила Таня.

— На пятый этаж?

— Ну... нет, конечно.

Еще два часа подобного разговора, и Таню задержали. Ирина сделала все, чтобы вытащить сестру из беды. Ситуация усугублялась тем, что за месяц до смерти Игорь перевел на жену все свое имущество: квартиру и щитовой домик на шести сотках.

— Почему вдруг ваш муж решился на подобный поступок? — поинтересовался следователь.

— Он был болен, — пояснила Таня, — ему предстояла серьезная операция, ну он и захотел сделать меня владелицей собственности.

— Вскрытие показало, что ваш муж был совершенно здоровым человеком, — отрезал милиционер.

— Да? — растерялась Таня. — Но ему врач сообщил о серьезном заболевании.

— Каком?

— Ну... вроде опухоль на печени.

— Фамилия доктора?

— Не помню.

— Адрес больницы, где ваш муж проходил обследование?

— Не знаю.

И как бы вы отреагировали на месте следователя? Женщина из провинции, живущая в Москве на птичьих правах, в съемной квартире, без работы, образования, денег, выходит замуж за москвича, обладателя всего, чего ей не хватает. Через некоторое время после бракосочетания она получает права на его имущество, а потом вдруг супруг погибает при более чем странных обстоятельствах...

Ирина замолчала. Я уставилась на нее:

— И дальше что было?

Кротова тяжело вздохнула:

— Тебя признали душевнобольной и поместили в спецбольницу. Уж поверь, мне немало средств пришлось потратить, чтобы ты не оказалась на зоне, я набрала в долг у всех, теперь вот расплачиваюсь. Честно говоря, я мечтаю съехать с этой квартиры, но, увы, долги, а из-за тебя я лишилась всех накоплений.

— Мы жили тут? — поежилась я.

— Да, — кивнула Ира, — не узнаешь? Смотри внимательно.

Я осмотрела мебель, в голове возникли смутные воспоминания. Я уже видела эту стенку югославского производства: платяной шкаф, что-то вроде буфета...

— Кажется, там стояла коробка с нитками, — вырвалось у меня.

— Верно, — кивнула Ира, — я ее перенесла потом в маленькую комнату.

— А квитанции на оплату квартиры мы держали в первом ящике?

— Да.

— Я спала на раскладном диване...

— Точно!

— Кактусы! У нас на подоконнике жили кактусы!

— Они погибли после того, как тебя забрали, — мрачно кивнула Ирина, — я не умела с ними обращаться, стала поливать каждый день, вот и сгноила.

— Собака? Здесь обитала собака, а может, кошка!

— Совершенно верно, Жулька, — подтвердила Ирина, — болонка Игоря.

— Она всегда спала со мной!

— Видишь, — приободрилась Ирина, — ты уже припоминаешь кое-что.

— Мальчик, — вдруг вырвалось у меня, — кажется, тут жил какой-то ребенок.

Перед глазами возникла сцена. Около стола сидит парнишка, перед ним книжка, тетрадка.

— Слышь, — говорит он, — ну прикол!

— Какой? — спрашиваю я.

— Да у Петьки его собака щенков родила.

— Что же тут смешного?

— Так его с ней гулять отправляли и велели следить, — засмеялся мальчик, — а Петька забыл про Джульку, вот она с кем-то из бродячих псов и сыграла свадьбу. Прикинь, что он сделал!

— Кто?

— Да Петька же! — веселился мальчик. — Испугался страшно, что мать с отцом его ругать станут, и решил им ничего не говорить.

— Вот уж глупость, — покачала я головой, — все равно же узнают.

— Точно, — хихикал ребенок, — когда Джульетта толстеть стала, Петька принялся ей шерсть на боках состригать!

— Зачем?

— Чтобы не было заметно, что сильно пухнет.

— И чем дело завершилось? — заинтересовалась я.

— Он ее наголо общипал, а мама все поняла, — сказал мальчик и начал медленно поворачивать ко мне лицо. До сих пор я видела только его затылок, но теперь показался край щеки... Сейчас я увижу личико целиком и, может, узнаю мальчика, вспомню...

Внезапно картина погасла.

— Мальчика звали Коля, — тихо сказала Ира, — это сын нашей соседки Вари, еще по коммуналке. Он потом под машину попал, а Варька уехала, не могла больше тут жить. Я бы тоже другую квартиру купила, но долги...

— Что же мне теперь делать, — чувствуя, как в висках начинает пульсировать боль, спросила я, — вернуться назад?

— Ни в коем случае! — воскликнула Ира.

— Но почему нам опять нельзя жить вместе?

— Ты забыла, что сбежала из психушки? Ко мне уже приходили из милиции, интересовались, не появлялась ли Татьяна дома.

— Ой!

— Вот-вот.

Я замолчала, головная боль становилась все сильней.

— Ладно, — Ирина шлепнула ладонью по столу, — поступим так. Ты пока работай у Глафиры.

— А вдруг меня узнают?

— Кто?

— Ну... знакомые.

— У тебя их в Москве нет, ты в основном сидела дома. Игорь мертв, его мать тоже, никаких подруг ты не завела, бояться нечего. Потом, ты сильно изменилась после смерти мужа, похудела килограммов на двадцать, постарела ужасно. Служи у Глафиры, если столкнемся за кулисами, а это обязательно произойдет, то будем делать вид, что незнакомы. Даже не заговаривай со мной!

— И мне всю жизнь маяться в горничных?

Ирина встала:

— Нет, конечно, нужно время, чтобы придумать, как тебя выручить.

— Может, вернуться в Краснолеск?

— Ага, прямо в лапы местной милиции.

— Убежать в другой город?

— Без паспорта?

— Свин обещал сделать мне документы.

— Вот и хорошо, — протянула Ира, — пусть сделает, а там поглядим. Пока существуй при Глафире, у Свина огромные связи.

— Зачем я ему нужна?

Ирина засмеялась:

— Глафира — припадочная идиотка, от нее все бегут, получат по морде пару раз и улепетывают. Да еще прислуге, как ты догадываешься, платить надо, а Глаша терпеть не может с деньгами расставаться, ты для них замечательный вариант, ясно? Абсолютно от нее зависящая тетка — за одни харчи и одежду работать будет.

Я кивнула:

— Да, все именно так.

— Значит, езжай назад и знай, я обязательно решу твою проблему, поняла?

— Ладно.

— Проводить тебя до метро? — предложила Ирина.

— Думаю, в этой ситуации нам лучше вместе тут не показываться...

— Верно, — кивнула Ирина.

Я вышла из квартиры и побрела к подземке, череп норовил разорваться от боли. Кто я — Таня Кротова или Настя Звягинцева? Наверное, Таня. Иначе с какой стати Ирина узнала меня? Настя Звягинцева убила любовника, Таня Кротова отравила мужа. Хрен редьки не слаще. Что мне делать? Похоже, я и впрямь жила в этой блочной пятиэтажке, в маленькой комнате, стенка, собака, ребенок... И все же что-то мешает мне до конца поверить Ирине. Но что? Она не поцеловала меня, не обняла, не прижала к себе. А ведь я ее сестра. Хотя это не аргумент... Нет, не аргумент...

Почти в прострации я добрела до метро, села в поезд, доехала до нужной станции и вернулась в квартиру Глафиры. Не успела я захлопнуть дверь, как та распахнулась вновь и на пороге появилась певица.

— У меня концерт, — заявила она.

— Хорошо, — ответила я.

— Собери там все.

— Ладно.

— Посплю пока.

— Хорошо.

— Разбуди меня в семь.

— Слушаюсь!

Взметнув вверх широкую юбку, Глафира пронеслась в комнату. Я постояла минуту, что-то мне показалось странным, необычным, не таким, как вчера...

— Танька, — закричала хозяйка, — помоги, «молнию» заело!

Я вошла в спальню, расстегнула змейку и вдруг сообразила: у Глафиры будто стали слегка шире бедра и короче ноги. В этот момент певица начала стягивать топик, она высоко подняла руки, открылись подмышки, я невольно глянула на них и почувствовала головокружение. Шрама, похожего на ссадину, не было.

Глафира отшвырнула топик, а я, словно завороженная, смотрела на ее руки: след от ожога испарился без следа.

Певица нырнула под одеяло прямо так, не умываясь.

— Пожалуйста, — попросила она, — задерни шторы.

Я села на кровать и спросила:

— Как тебя зовут?

— Офигела? Я — Глафира.

— Нет, ты не она.

Певица рывком села.

— Ну, блин, приехали.

— Глаша другая.

— Забыла, что я имидж поменяла?

— Не надо, — покачала я головой, — не начинай. У Глафиры шрам от операции вот тут, а еще она позавчера обожглась. Потом, у тебя фигура другая да и голос. Вы очень похожи, вас легко спутают посторонние, но не я. Ты кто?

Девушка молча смотрела перед собой.

— Знаешь, — продолжала я, — мне ночью не спалось, я встала воды попить и увидела, как Митя уносит Глафиру, а потом она опять входит. Значит, Глашу и впрямь куда-то утащили, а ты появилась вместо нее. Зачем? И где Глафира? Ее убили?

— С ума сошла? — подскочила незнакомка. — Жива она, в клинике лежит.

— Какой?

— Ну точно не скажу, ее Свин увез.

— А ты кто?

— Рита, — улыбнулась девушка, — послушай, я тебе все расскажу, только дай честное слово, что никому ни-ни! А то плохо нам обеим придется.

— Лично мне уже хуже не будет, — мрачно сказала я.

Глава 11

Ситуация оказалась простой, словно веник, и сложной, как исследование Марса.

Глафира, оказывается, давно сидела на кокаине, отсюда и перепады ее настроения, слезы пополам со смехом, истерики и объятия. Свин, придумавший для своей подопечной имидж «девочка-крик», в общем-то, рассчитал верно. Журналисты охотно пишут статьи про скандалы, имя Глафиры постоянно мелькало в газетах. Только она прикидывалась алкоголичкой, на самом деле Глаша просто не переваривала спиртные напитки, да и скандалила молодая звезда вначале неумело, а вместо кокаина, который подопечная Свина демонстративно нюхала на тусовках, в изящной коробочке лежала глюкоза. Но потом роль прикипела к телу. Скандалы стали естественными, а кокаин настоящим. Единственное, что не пришлось ей по вкусу, это коньяк. Глафира совершенно не могла пить, даже запах спиртного вызывал у нее тошноту.

Выводя Глафиру на сцену, Свин, вложивший кучу денег в свое детище, не прогадал. В первый же год Глаша, обладавшая феноменальной работоспособностью и неплохими актерскими данными, добилась успеха. Голосок у нее, правда, был слабенький, да и со слухом случилась беда, но на такой случай существуют всякие технические уловки. Кстати, первую, так сказать, непостановочную истерику Глафира закатила во время записи одной из своих песен.

Певица тогда просидела в студии пятнадцать часов кряду, потому что никак не могла выдавить из горла нужные звуки. Народ, работавший над синглом, устал, а Глафира больше всех. Одни люди, утомившись, мирно ложатся на диван и засыпают, другие устраивают скандал с битьем посуды. Глафира была из последних. В конце концов она не выдержала и налетела на парнишку, сидевшего за звукозаписывающим пультом.

— Дурак! Двигай тумблеры правильно! Все из-за тебя!

Юноша оказался не промах. Окинув красную от злобы Глафиру оценивающим взглядом, он процедил:

— Ну да, конечно, техника подводит. Ладно, и правда все устали, давайте сворачиваться.

— Я же ничего не записала! — начинающая звезда стала еще больше злиться.

— Беде легко помочь, — заулыбался во весь рот звукооператор, — ты, крошка, спой сейчас гамму, а я ее на ноты порежу и склею песню.

Секунду Глафира переваривала услышанное, потом до нее дошла суть оскорбления, и она кинулась на парня с кулаками. От полного разгрома студию спас Свин, который утащил отчаянно матерящуюся певицу в машину. Уже покидая комнату, Глаша схватила табуретку и с неженской силой метнула ее в обидчика. Юноша успел пригнуться, предмет мебели вылетел в раскрытое окно, упал на стоявшую во дворе «Нексию». Свину потом пришлось оплачивать ремонт автомобиля, зато все желтые газеты неделю смаковали подробности скандала.

— Видишь, — поучал свою подопечную продюсер, — вот как имя раскручивают! Только лучше, когда истерика запланирована, поставлена и сыграна.

Глафира, страстно жаждавшая славы, выполняла все приказы Свина. Но не зря китайцы говорят: «Хочешь быть веселым, всегда улыбайся, и улыбка прирастет к душе».

В последнее время Глафира стала подлинной истеричкой, и у Свина начали возникать сложности. Сколько он ни объяснял ей: «Скандаль с журналюгами, но не порти отношения с коллегами и фанатами», Глаша не обращала внимания на слова продюсера.

Когда одна газета вынесла «шапкой» через всю полосу высказывание Глафиры: «Публика любое дерьмо сожрет», Свин первый раз поколотил звезду. С тех пор у них началась война. В нормальном состоянии Глаша побаивалась продюсера, слушалась его и старалась вести себя тихо, но стоило ей понюхать «волшебный порошок», как она слетала с тормозов и неслась по кочкам. Домработницы у нее больше недели не задерживались, глупости, которые творила звезда, стали настолько гадкими, что это начало вредить ей. А в последнее время у Глафиры просто пропали светлые промежутки, и Свин решил действовать. Для начала он объявил о том, что она радикально меняет имидж и репертуар: из блондинки делается брюнеткой и начинает петь иные песни. А потом ночью, тайком, отвез певицу в клинику, где ее обещали поставить на ноги. Временно же заменить Глафиру на сцене должна Рита.

Я потрясла головой:

— Зачем нужна эта глупость? Просто комедия с переодеваниями. Ну сказали бы, что Глаша уехала в отпуск, и все. И с какой стати тебе жить в этой квартире?

Рита улыбнулась:

— Наивная ты. У меня своей жилплощади нет, снимаю, так что останусь тут, в чужих хоромах. С понедельника в телевизоре начнет крутиться новый клип Глафиры, одновременно песню поставят в жесткой ротации по радио. И что? Она сама-то где? Самое время бабки концертами рубить. У Свина на полгода вперед работа расписана, предстоит тур по провинции. Прикинь, сколько он потеряет!

— Но тебя же разоблачат.

— Нет, — усмехнулась Рита, — такое невозможно, даже свои вначале не поймут, в чем дело, ну а потом им все равно уже будет. Глафира-то сама не первая.

— В каком смысле?

Рита потянулась и зевнула.

— А до нее у Свина работала такая Настя Звягинцева, это он для нее придумал имидж «девочка-крик». Только Настька... эх! С ней какая-то гадость вышла. Свин ее быстренько домой отправил, а вместо Звягинцевой взял Свету Королеву, она под именем Глафиры работать стала. Бренд есть, денег в него немерено вложено, теперь вот мой черед.

Я взялась руками за голову и хотела спросить у Риты, знала ли она Настю, но тут девушка схватила меня за плечо:

— Умоляю, не говори Свину, что раскусила меня.

— Но почему?

— Он подумает, что я плохо справляюсь с ролью, и выпрет меня, другую возьмет. Пойми, это мой единственный шанс, я справлюсь, стану звездой, я-то не сяду на наркотики, нет, мне нужны деньги, слава...

— Глафира вылечится и вернется на сцену, — напомнила я.

— Нет, — с жаром воскликнула Рита, — никогда, ей каюк, как Настьке! Это мой шанс! Помоги! Пусть Свин думает, что даже тебя в заблуждение ввел.

— Хорошо, — кивнула я, — согласна, теперь ты послушай меня.

Я рассказала Рите про себя почти всю правду,

имени Иры Кротовой не называла, а вот о Насте Звягинцевой сообщила.

— Ты не она, — покачала головой Рита, — извини, но Настька намного моложе тебя. И она не в психушке, ее Свин куда-то отправил вон из Москвы, я о той истории плохо знаю, хотя, если постараться, можно нарыть информацию.

— Вот и хочу узнать, кто я!

— Попробуй, — дернула плечиком Рита.

Внезапно ко мне пришла холодная решимость: нечего сидеть сложа руки и мучиться, надо действовать. В конце концов, я не жила в барокамере, значит, нужно отыскать людей, которые сумеют объяснить, кто я. У кого-то есть мои фото, где-то лежат мои документы. Может, я Таня Кротова, а может, и нет. Впрочем, хорошо бы поболтать и с тем, кто хорошо знал Настю Звягинцеву. А про Рыкову Свин явно соврал, чтобы сделать меня зависимой.

— Значит, так, — решительно сказала я, — предлагаю создать тандем. Я помогаю тебе, а ты мне.

— Каким образом? — напряглась Рита.

— Я езжу с тобой на концерты, таскаю сумку, глажу шмотки, изображаю раболепную прислугу, ты швыряешь в меня табуретки, обливаешь супом, все путем. Но дома со всем хозяйством справляйся сама, не вздумай наедине со мной «звездить», я начну искать себя, ясно? Будем прикрывать друг друга. Явится Свин на квартиру, не найдет меня, поинтересуется, куда я подевалась, ты ответишь: «Отправила ее по магазинам». Если же ко мне кто примотается с расспросами, дескать, Глафира сама не своя, я начну отбиваться: «Да вы чего, ребята! Обкурилась она, вот и выглядит дико».

Внезапно Рита вскочила и обняла меня.

— Все будет хорошо! Мы обязательно, слышишь, всенепременно добьемся своего! Я получу славу и деньги, уйду от Свина, стану суперзвездой. А ты найдешь свою семью. Мы еще всем покажем! Мы им нос утрем. Ты за меня, я за тебя, вместе нас двое, мы не одиноки, мы сила, мы железные, несгибаемые! Мы — супер и все можем. Нас так просто не убить!

Я прижалась к Рите и услышала, как часто бьется ее сердце. Человек не должен быть одинок. Странное дело, выслушав рассказ Ирины, я не почувствовала никакой радости от известия, что обрела сестру. Но сейчас, рядом с Ритой, поняла: я вовсе не одна на белом свете.

— Мы вместе, — тихо повторила Рита.

Я шмыгнула носом:

— Собирайся, суперстар, на концерт.

В клуб мы прибыли чуть раньше, чем обычно, и, не столкнувшись ни с кем, прошли в гримерку.

— Слушай, — вдруг испугалась я, — а люди из припевки, подтанцовки не заподозрят плохого?

— С сегодняшнего дня у нас все новые, — сообщила Рита, — музыканты в курсе, но будут молчать, они еще с Настей работали. Ванька, ну тот, что на клавишах, с ней вроде даже дружил.

Решив потом поговорить с этим Ваней, я быстро распаковала костюмы. Рита стала натягивать короткую обтягивающую юбочку. Она пыхтела, извивалась и наконец воскликнула:

— Что за черт!

— Она тебе мала, — констатировала я, — у Глаши бедра чуть уже.

— У нас один вес!

— Но разный объем, такое случается.

— Бред! Вчера я спокойно в ее одежду лезла.

— В зеленый костюм?

— Да.

— У него юбка на резинке, а у этой жестко фиксированный пояс.

Кое-как Рита втиснулась в юбку из блестящего материала и замерла.

— Зря стараешься, — констатировала я, — ее не застегнуть, и потом, предположим, я зашью сейчас пояс, и что? Станешь танцевать, он лопнет.

Рита содрала с себя шуршащую тряпку.

— Что делать? Ой, и туфли мне малы!

— Свин не подумал об одежде?

— Не знаю, — с отчаянием воскликнула Рита, — он все предусмотрел: грим, цвет волос, а вот про шмотки забыл, и я тоже маху дала, отчего-то решила, что спокойно Глафирино барахло натяну.

— И туфли?

— Ну дура я, дура!

— Споешь в джинсах.

— Нет, нельзя.

— Почему же? Полно таких, кто очень просто одет.

— Глафира — это перья, блестки, каблуки, в общем, варварское великолепие пополам с фейерверком, — чуть не плакала Рита, — надо же, так на первом же выступлении облажаться! Свин меня выгонит!

Руки ее затряслись, на густо намазанные глаза стали накатываться слезы.

— Не реви, — рявкнула я, — безвыходных положений не бывает! Сейчас что-нибудь придумаю, никуда не ходи!

Ноги вынесли меня в коридор. Честно говоря, я хотела заглянуть к кому-нибудь в гримерку и попросить костюм, но, не успев сделать и шага по коридору, отмела эту идею. Никто не даст наряд, это смешно. И как выручить Риту?

Мимо меня с шумом протопали парни из шоу трансвеститов.

— Привет, Таньк, — сказал один.

Я кивнула.

— Здорово, мы снова вместе, вы когда идете?

— Ну у нас еще полно времени, — улыбнулся один из юношей, — прикинь, только в одиннадцать начинаем.

— Чего же вы в такую рань сюда приехали? — удивилась я.

— Да Пашка, урод, время перепутал!

— Ладно вам, ребята, — заныл Павел, которому, очевидно, уже крепко досталось от коллег за допущенную ошибку. — Ну есть у нас два свободных часа. Ща сумки бросим и пойдем шары погоняем, тут в соседнем доме бильярд.

Ругая Пашу, трансвеститы зашвырнули костюмы в комнату и ушли, забыв запереть дверь.

Я постояла перед ней, потом, осторожно оглядевшись по сторонам, нырнула в чужую раздевалку и стала рыться в сумках и портпледах.

Увидав меня со шмотками в руках, Рита изумилась:

— Где взяла?

— Неважно, — отмахнулась я, — у нас времени нет, живо меряй. Тут тебе и блестки, и стразы, и фиг знает что еще! Отпоешь, я тихонечко на место суну, хозяева раньше чем через два часа не подойдут.

— Гав-гав-гав, — донеслось из-за двери.

Я выглянула в коридор и увидела, что по нему идет мужчина со сворой пуделей. Песики заливались счастливым лаем.

— С нами будут дрессированные собачки, — в полном восторге заявила я Рите, — вот прикольно!

Но певица меня не услышала.

— Это велико, и то не подходит. Впрочем, вот, смотри.

Со скоростью ракеты Рита влезла в ядовито-розовый комбинезон, щедро обсыпанный блестками. Наряд сидел на ней, словно вторая кожа.

— К нему еще шапочка прилагается, — сообщила я, — немного странной формы, такая круглая, а сверху большая бомбошка. Да и сзади на комбинезоне что-то непонятное, крылья, что ли?

— Во-первых, это единственное, что подошло мне по размеру, — протянула Рита, — а во-вторых, чем чуднее я буду выглядеть, тем лучше! Босоножки только эти подходят, остальные огромного размера, прямо лыжи, а не обувь. У меня, правда, сороковой размер, но сейчас я кажусь себе просто Золушкой с хрустальной туфелькой.

В дверь постучали.

— Глафира, вы готовы?

— Да! — крикнула Рита, и мы вышли в коридор.

В кулисах, как всегда, толкался народ. Кто-то из подпевки, несколько балетных, парочка жарко спорящих о чем-то парней и представитель клуба, резко выделявшийся на фоне актерской братии. Наши были либо в невероятных концертных одеяниях, либо в джинсах, а администратор потел в черном костюме, галстуке и белой до синевы рубашке.

— А сейчас, — загремело над сценой, — перед вами выступит ослепительная, несравненная Глафира. Лучшие песни, сногсшибательные костюмы.

— Ла-ла-ла! — заорало из динамиков. — «Моя любовь — твое желанье, оно погибнет без меня...»

«Ну и бред, — подумала я, наблюдая за Ритой, бодро прыгающей туда-сюда с микрофоном в руке, — кто же пишет текст песен? Или, как говорила предыдущая Глафира, публика любое дерьмо съест? Впрочем, некоторое время Рите придется просто разевать рот под фонограмму предшественницы, но потом она постепенно сменит репертуар. Голос у Риты есть, дай ей бог удачи».

— Вау, — заорал кто-то, — ну, прикол!

Я вынырнула из моря мыслей и уставилась на сцену. Там, в потоке серебристо-голубого света, стояла совершенно обнаженная Рита. Тело девушки с неправдоподобно высокой грудью прикрывал лишь дождь сверкающих блесток. На певице не было ровным счетом ничего, даже трусиков-стрингов. В первую секунду я обомлела, потом мигом поняла, что произошло. Ядовито-розовый комбинезон был сделан из особого материала, «исчезающего» при определенном свете софитов. Стоило осветителю поменять фильтр, как возник эффект обнаженки. Наверное, в костюме есть специальные кармашки, куда вложена фальшивая грудь, поэтому сейчас у Риты был совершенно ужасающего размера бюст, а темный треугольник внизу живота — это на самом деле трусики особой формы, пришитые к брюкам изнутри. Они закрыли стринги темного цвета, которые были на Рите. Костюмчик-то для трансвестита! Представляю, какой шквал аплодисментов слышит настоящий хозяин прикида, ведь основная масса публики знает, что он мужчина, и тут такое!

Впрочем, и Рита не могла сегодня пожаловаться на отсутствие оваций. Публика в зале просто взвыла, кое-кто рванул к сцене и был остановлен бдительными секьюрити.

— Вау, — скандировали зрители, — вау! Глафи-ра! Гла-фи-ра!

Рита не могла видеть себя со стороны и не понимала, с какой стати ее почитатели залились в экстазе. Три парня из подтанцовки сначала разинули рот вместе со всеми, но потом профессиональная выучка взяла верх, и юноши снова начали бойко топать ногами и размахивать руками. Один из танцоров допрыгал до Риты и шепнул певице что-то на ухо. Риточка вздрогнула и моментально сложила руки на груди. Микрофон ткнулся в ее правый сосок, и тут странная бомбошка на голове певицы вздрогнула, что-то щелкнуло, и из верхушки шапочки забил вверх столб фейерверка.

Я зажала рот руками. Только бы Рита не заорала от ужаса и не бросилась за кулисы. Милая, ты же хочешь стать звездой, давай, постарайся выкрутиться из нестандартной ситуации.

Девушка запнулась, опустила было микрофон, песня спокойно пелась дальше, но никто — ни свои, ни чужие не заметили этой оплошности, народ глазел на голую певицу с фонтаном искр, вылетающих из макушки. Через секунду Рита пришла в себя, поднесла микрофон ко рту, но при этом случайно задела левую грудь.

Нечто похожее на крылья у Риты за спиной поднялось, развернулось, выпрямилось, расправилось и приняло вид двух рекламных щитов.

— Умереть — не встать, — простонал администратор в черном костюме.

Я, чуть не вывернув шею, пыталась увидеть, что за картинки изображены на постерах.

— У-у-у! — каталась от восторга публика.

Мои ноги подкосились в коленях, а руки вцепились в пыльную кулису. Слева ярко-красной краской были намалеваны две свинки в самой откровенной позе, справа три зайчика. Можно, не стану описывать, чем они занимались?..

Впрочем, в ночные клубы ходит веселиться публика, которую не смутить ни голым задом, ни рисунками скабрезного содержания. Было лишь одно «но»: никто не ожидал от эстрадной певицы подобного поведения, она ведь не стриптизерша, а шоу-звезда, призванная соблюдать хоть какие-то приличия, и песня, которая подходила к концу, совершенно не монтировалась с ее нарядом.

Чистый, нежный голосок задушевно выводил: «Мы с тобой лишь оглянемся, только-только подожди, не могу я быть с тобою, не могу я без любви. Не нужны мне ночи страсти, не нужны они, лучше ты мне незабудки подари».

Вообще-то, глупые слова, но публику они не раздражают. А теперь представьте, что их жалобно поет совершенно голая девица, осыпанная стразами, из головы которой бьет фейерверк, а по бокам сочного голого тела колышутся стенды с изображением свинок и зайчиков в самых откровенных позах? Увидав «галерею», танцоры снова онемели, потом самый высокий начал подбираться к Рите. Но вконец обалдевшая девушка и сама поняла, что происходит нечто невероятное. Она стала тихо пятиться, попала каблуком в небольшую щель в полу, дернулась, сильно топнула... Из слишком высоких платформ босоножек вырвались струи фейерверков. Песня стихла. Публика бушевала, Рита стояла, обратившись в каменную статую. Поняв, что она боится сделать шаг в обуви, похожей на бушующий вулкан, я бросилась к администратору.

— Можно закрыть занавес?

— Нет, — обалдело ответил тот, — его нет!

— Вот черт!

— Но я могу включить поворотный механизм, и та часть сцены, на которой сейчас стоит Глафира, окажется за кулисами, — выдавил из себя парень.

— Действуй скорей! — заорала я.

Глава 12

— Где ты добыла этот костюмчик, — прошептала Рита, оказавшись в гримерке, — откуда раздобыла заряженную вещичку, а?

— У трансвеститов, — покаялась я, сворачивая «щиты» и пряча их в «крылья».

— Они тебе такое дали, — удивилась Рита, — поделились эксклюзивными прибамбасами?

— Я сама взяла, — покаялась я.

— Надо немедленно вернуть это на место и улепетывать, — подскочила Рита, — а то нас парни по стене размажут. Они-то небось думают, что произведут фурор, только никто не удивится, зал все примочки уже увидел.

— Раздевайся скорей, — поторопила я певицу. Рита попыталась стащить комбинезон.

— Не могу.

— Почему?

— Я сильно вспотела, наверное, от страха, вот ткань и прилипла, она странная, похоже, то ли прорезиненная, то ли из какой-то липкой дряни... Ну-ка, помоги мне.

Я попыталась сдернуть верхнюю часть розового комбинезона. Ан нет, костюмчик сидел, словно приклеенный.

— Делать-то что? — затряслась Рита. — Ой, нам уже пора на второй концерт, да и эти бабы фальшивые сейчас так обозлятся.

— Спокойно! — велела я и побежала за клавишником Ваней.

— Ну и костюмище, — заржал он, — я чуть не помер, когда увидел! Откуда добыли?

— Потом, — отмахнулась я, — помоги нам!

— Уцепиться не за что, — Ваня покачал головой, попытавшись содрать комбинезон, — гладкий очень.

— Мне что, всю жизнь в чехле ходить? — всхлипнула Рита.

— Не реви, — пробурчал Ваня, — вот что, если я тебя сейчас за грудь потяну, ты мне по мордасам не съездишь?

— Дурак, — прошипела Рита, — это же накладной бюст! У меня своего такого нет!

Усмехаясь, Ваня вцепился в огромные, вызывающе торчащие прелести и с силой рванул их на себя. Раздался громкий чавкающий звук, комбинезон сполз до пояса.

— Да, — с удовлетворением констатировал Ваня, — оно правда, твоя красота не впечатляет, может, силикон впихнешь? А то доска доской.

Рита покраснела так, что у нее на глазах выступили слезы. Мне захотелось как следует треснуть Ваньку по затылку, но противный парень был нам еще нужен, предстояло стащить нижнюю часть комбинезона. Решив потом отомстить шутнику по полной программе, я толкнула Ваньку в спину.

— Тут не конкурс красоты, давай действуй.

Ваня ухватился за пустые рукава и ловко сдернул костюм до колен.

— Да, — вновь не утерпел он, — до Дженифер Лопес тебе далеко, за такую задницу никто миллион долларов не даст.

— Для певицы главное голос, — я попыталась заткнуть нахала.

Ванька рассмеялся:

— Это шоу-биз, детка! Без голоса можно обойтись, а без задницы никак. Уж поверь мне, старому, больному полковому коню.

Фраза «это шоу-биз, детка», постоянно повторяемая всеми на разные лады, стала меня бесить.

— Теперь освободи ей ноги, — процедила я сквозь зубы.

— Садись на стул, — велел парень, — и поднимай копыта. Черт, никак. Во прилипли!

Покрывшись потом, Ваня и так и этак пытался справиться с задачей, но его сил явно не хватало.

— Давай сделаем так, схвачу костюм, ты уцепишься за меня сзади, и на счет «три» рванем вместе, — предложила я.

— Посадил дед репку, — пропел Ваня, — а потом Репка отсидел, вышел и накостылял деду по шеям.

— Ты можешь хоть секундочку стать серьезным? — Я окончательно вышла из себя. — Сейчас эти бабопарни вернутся и нас поколотят.

— Так вот откуда прикид, — хлопнул себя по бедрам Ванька. — Ну вы мальчикам и подбросили подлянку! Эксклюзив сперли!

— Мы не знали, — шмыгнула носом Рита.

— Ладно, готовься, — велел Ванька.

Я схватила костюм, звукооператор вцепился в мою талию.

— Раз, два... три! — скомандовал он.

Я, вложив все силы, с неистовством рванула комбинезон. Ваня, очевидно, тоже сконцентрировал всю свою мощь, потому что на секунду мне показалось, что его руки сломали мое тело пополам.

Чмок! Голые ноги Риты взметнулись вверх, певица упала с табуретки на пол, но, слава богу, концертное одеяние было снято. Я не успела обрадоваться избавлению от напасти. Сила инерции понесла нас с Ванькой назад. Парень, по-прежнему судорожно сжимая мою талию, налетел спиной на дверь. Хлипкая, похоже, сделанная из прессованного тряпья дверь упала, мы выскочили в коридор и шлепнулись на пол.

— Жива? — прокряхтел Ванька.

— Да, — ответила я, держа смятый комбинезон.

— Вставай, — зашевелился подо мной клавишник, — а то всего костями исколола.

Я потрясла головой и увидела, что одна накладная грудь, украшавшая комбинезон, выскочила из специального кармашка и откатилась в сторону.

— Чего разлеглась, — пнул меня Ванька, — подымайся.

Я встала на ноги и хотела подобрать фальшивый бюст, но тут откуда ни возьмись вылетел серебристый пуделек. Со счастливым лаем он подскочил к бутафорской прелести, схватил ее и был таков. С воплем: «Положи назад!» — я побежала за собачкой.

Естественно, никаких шансов настичь воришку у меня не было. Во-первых, животное резво передвигалось не на двух ногах, а на четырех лапах, а во-вторых, оно хорошо знало дорогу. Не прошло и двух секунд, как пудель шмыгнул в какую-то дыру под деревянным помостом и затаился.

Я встала на колени.

— Кисонька, отдай!

Тишина в ответ.

— Хочешь сосиску?

— Р-р-р...

— Хороший мальчик.

— Р-р-р.

— Ладно, ладно, девочка, верни тете грудь.

— Р-р-р.

Поняв, что с пуделем мне не договориться, я побежала искать дрессировщика. Он обнаружился в просторной комнате, сидел у зеркала, накладывая на лицо тон.

— Ваш пудель украл у меня грудь! — с возмущением воскликнула я.

Мужчина на секунду замер, потом положил маленькую резиновую губку на стол.

— Вы кто?

— Костюмер Глафиры, Татьяна.

— Очень приятно, Виктор.

— Мне абсолютно все равно, как вас зовут! Немедленно отнимите у своей собаки мой бюст.

Глаза Виктора начали вываливаться из орбит.

— Вы хотите сказать, что одна из моих актрис подпрыгнула и отгрызла у вас... э... ну и глупость! Ей никогда так высоко не подскочить, пудели подвижны, но они все же не чемпионы мира по прыжкам в высоту.

Он еще и издевается надо мной!

— Я лежала на полу!

— Где?

— В коридоре!

— Зачем, — вздернул брови Виктор, — с какой стати вы там валялись? У вас в гримерке нет дивана?

— Неважно, — топнула я ногой, — я упала! А собачка: ам — и деру!

— Ерунда, — решительно заявил дрессировщик, — мои актеры не едят сырое мясо! И потом, они просто не способны отгрызть в один миг такой кусок от человеческого тела!

Старательно сдерживая бешенство, я прошипела:

— Она или он ничего не откусывали, грудь отвалилась сама, от удара! Откатилась в сторону, а тут чумовой пудель появился.

Виктор потряс головой:

— Господи! Милая, вы что, как конструктор, из сборных деталей состоите?

— Хватит, — я потеряла всяческое терпение, — бюст накладной, резиновый, из концертного костюма!

— Теперь понятно, — мигом посветлел Виктор, — с этого следовало начинать! И кто же набезобразничал? Рей? Глэдис или Таими? Хотя на них это не похоже! Вот Сима может!

— Собака не представилась, — буркнула я, — имени не назвала. Вот что, вытащите ее наружу и отнимите грудь.

— Откуда вытащить? — воскликнул Виктор.

— Пудель забился под какой-то помост!

— Но мои собаки все здесь! Вот они! Я им никогда не разрешаю бегать свободно по коридорам, — возмутился дрессировщик, — эти актрисы очень послушные, да?

— Гав, — подтвердил стройный хор, — гав.

— Но чей же пудель носится за кулисами?

Виктор скривился:

— Это Ричи, кобелек Инессы, солистки «Лисичек», отвратительный субъект, уж поверьте мне. Капризное, невоспитанное, визгливое, глупое существо, все в хозяйку.

— Извините, — пробормотала я и выпала в коридор.

— Нашлась! — заорал, налетая на меня Ванька. — Дуй в машину, опаздываем!

— Костюм...

— Я его на место пихнул, ботинки и шапчонку тоже.

— Но бюст...

— Плевать.

— Как же...

— Вот так! — рявкнул Ванька и поволок меня вниз.

— Все равно трансвеститы правду узнают, — вздохнула я, — им сейчас расскажут, какой «стриптиз» Глафира устроила, они вытащат комбинезончик и живо сообразят, что к чему!

— Нас уже тут не будет, — успокоил меня Ванька, распахивая дверь автомобиля, — не пойман — не вор. Начнут предъявлять претензии, ответим: «Чего пристали, вы нас видели сами? Вот и молчите».

На второй концерт, в клуб «Соты», явился Свин. Увидав его, я быстро сказала:

— Вели Глафире меньше есть!

— Почему? — удивился продюсер.

— Ей юбка мала!

Свин поскреб в затылке, потом почти ласково пробасил:

— Иди кофе глотни за мой счет.

— А за свой я не могу, денег нет, — парировала я.

Продюсер чихнул, вытащил из кошелька две розовые бумажки и царственным жестом протянул мне:

— Ни в чем себе не отказывай! Вернешься через полчаса.

Я нашла Ваню и спросила:

— Хочешь кофейку?

— Можно, — согласился парень, — если ты угощаешь.

— У меня двести рублей, — быстро предупредила я.

— Нищета, — горько вздохнул Ваня, — пошли.

Мы устроились за крошечным столиком у стены и получили две наперсточные чашечки кофе.

— Охота людям по ночам танцевать ходить, — вздохнула я, — нет бы спать себе тихонечко в кроватках!

— Типун тебе на язык, — фыркнул Ваня, — еще, не дай бог, услышат и разбегутся, мы тогда без денег останемся. Пусть уж отплясывают, и им хорошо, и нам приятно!

— Ты Настю Звягинцеву знал?

— Ага, — кивнул Ванька, — как не знать? Она первой Глафирой была. Я с самого начала говорил Свину: «Не выйдет из нее ничего». Путаная девка, с каким-то бизнесменом жила, а потом там неприятная история случилась. Любовника ее прирезали, Настька заболела, пропала, вот Свин вместо нее другую и приволок и Глафирой сделал. Теперь имеем третий вариант.

— Скажи, я на нее похожа?

— На кого? — Ваня поставил чашку на стол.

— На Настю.

— Ну... фигурой, цветом волос, — стал перечислять он, — а так нет, конечно. Если только издали, она тоже тощая была, самая мелкая из Глафир. А почему интересуешься?

— Да так, — протянула я, — просто из любопытства. Ко мне пару раз за кулисами люди подходили, восклицали: «Привет, Настя!» — а потом извинялись: «Простите, мы вас со Звягинцевой перепутали».

Ваня взял пластмассовую ложечку, повертел ее в руках, а потом резко сказал:

— Врешь!

— Я никогда не лгу!

— Прям смешно, — скривился парень, — считаешь меня за лоха? Да Свин запрещает солисткам кому-либо свое настоящее имя называть! То, что первая Глафира в миру Настька Звягинцева, знал очень ограниченный круг людей. Их уже давно нет при сцене, состав группы менялся, я один из старых остался. Настю теперь никто не помнит, да и знали ее за кулисами плохо, она мало совсем проработала, а потом исчезла. Что ты задумала? Хочешь сама Глафирой стать? Даже не надейся!

— Почему? — Я решила поддержать разговор.

— Старая ты, — гаркнул Ваня. — Выглядишь ничего, фигура как у девочки, только морда скоро разваливаться будет. Нет, в таком возрасте не начинают. Тебе сколько лет?

— Неважно, — я постаралась уйти от щекотливой темы.

— В сорок впервые на сцену не вылезают, — ухмыльнулся Ваня, — справил четыре десятка — и уходи с подмостков. В свете софитов хорошо лишь юные смотрятся. Хоть сто подтяжек сделай, хоть ноги к щекам пришей, а моложе не станешь. Сколько раз я на певичек глядел и думал: всем вы хороши, кудри блондинистые, грудь торчит, попа тоже, морщинок нет, шея лебединая, а народу понятно, что бабушка! Вот скажи, почему? То ли блеск в глазах другой, то ли энергетика иная, но сразу ясно: этой двадцать, а той, такой же шикарной, уже пятьдесят и пора переходить на амплуа благородной матери. Режиссером становись, продюсером, организовывай шоу, но не скачи сама с микрофоном. Я уважаю старость, но не тогда, когда она в мини-шортах, спрятав варикозные ножки в утягивающие колготки, строит из себя Лолиту. Надо уметь вовремя уйти в тень, но что-то никто не торопится! Нет, Танька, тебе нечего о сцене мечтать, ушло твое время.

— Не знаешь, случайно, где сейчас Звягинцева?

Ванька пожал плечами:

— Мне сие неинтересно.

— Ладно, — кивнула я, — а кто такая Ира Кротова?

Ваня вздрогнул:

— Ты откуда ее знаешь?

— Она ко мне сама подошла, мне очень мило поболтали о том о сем.

Звукооператор вытащил сигареты.

— Надеюсь, ничего такого про Глафиру ты не наболтала? Имей в виду, Кротова пиранья, с ней в один аквариум лучше не попадать. Она страшный человек. Живет как гиена, питаясь падалью. Ирочка очень любит на новенького налететь, ну, того, кто недавно в шоу-бизе, еще не разобрался, что к чему. Сначала она ласковая, такая вся карамелька-шоколадка. Ну люди и расслабляются и начинают языками чесать, дураки. А наша Ирочка в кармане всегда включенный диктофон держит, ясно?

Я кивнула.

— Да, она, кстати, меня тоже спутала!

— Со Звягинцевой? — удивился Ваня.

— Нет, со своей сестрой.

— С кем?

— Ну вроде у нее сестра была, а потом пропала неизвестно куда, — быстро соврала я, — вот Ира и решила, будто я — это она. Обозналась, говорит, мы очень похожи. Ты ничего про Таню Кротову не слышал?

Ваня подергал себя за левое ухо.

— Брешет она, — уверенно заявил он наконец, — вот сучара! Нюх, словно у гепарда! Небось заподозрила что-то про Глафиру и решила тебя охмурить.

— У нее нет сестры? — поинтересовалась я.

— Не знаю, — протянул Ваня, — она про себя ничего не рассказывает, слова лишнего не вымолвит. Может, и имеет родственников... Только никогда бы она тебе не стала про свои секреты трепать. Нет, явно хочет что-то вынюхать! Пошли, а то сейчас Свин взбесится.

Я вернулась назад и увидела, что продюсер ухитрился невесть где раздобыть для Риты коротенькое блестящее платьишко на тоненьких бретельках, а к нему босоножки, состоящие из спицеобразного каблука и двух паутинообразных ремешков.

Глафира отправилась петь. На этот раз ничего экстраординарного не произошло, никаких бьющих в небо фейерверков и похабных картинок. Встречали певицу с умеренным восторгом, никто особо не прыгал от счастья, услыхав тоненький голосок, льющийся из динамиков.

— Наша Глаша словно холодная геркулесовая каша, — прозвучало сбоку, — видите, стишок получился! Может, мне начать песни писать? Глаша-каша! Можно схарчить лишь от очень большой голодухи!

Я посмотрела на говорившую и узнала Ирину.

— Вы просто ей завидуете, — неожиданно встала на защиту коллеги маленькая рыжеволосая девочка, похоже, бэк-вокалистка «Баблз», — такая молодая — и уже звезда! А вы только злобствуете, потому что не вам аплодируют!

Ирина испепелила храбрую малышку взглядом.

— Еще как мне хлопают, — процедила она, — Глафире моя слава и не снилась! И потом, она через год исчезнет, лопнет, словно мыльный пузырь, и следов не останется. А я до смерти писать буду. Кстати, кошечка, говорят, ты сольную карьеру начинаешь, свой клип записала?

— Да, — тряхнула рыжими кудрями девочка.

— Молодец! — похвалила Ира. — Значит, не зря Тоня денег заплатила!

Щеки малышки вспыхнули бордовым цветом.

— Вы о чем говорите? — она попыталась продемонстрировать полнейшее самообладание. — Какая Тоня?

— Рыльская, — спокойно ответила Ирина, — жена Антона. Он с тобой спал, а супруга решила муженька в семью вернуть. Правильно, между прочим, Антоша богат, словно Крез, кто ж таким мужиком швыряется. Вот Тонечка и заплатила тебе отступные. Дала конвертик и велела: «Возьми деньги и отвянь от Антона!» А ты молодец, потребовала сумму увеличить вдвое: дескать, беременна от него. Вот отсюда и клип, кстати, аборт-то ты не делала, облохала Тонечку. Правильно, так им, женам проклятущих олигархов, и надо! Насосались народной кровушки, а нашей кошечке денег на клип не хватает! Эй, ты куда!

Рыжеволосая девочка быстро скользнула в темноту коридора и исчезла. Ирина засмеялась и прошла совсем близко от меня. Я почувствовала ее дыхание, запах дорогих духов, потом горячие пальцы Кротовой сунули мне в руку бумажку. Оказавшись в одиночестве, я прочитала записку:

«Завтра в полдень, Тушинский рынок, у выхода из подземного перехода, прямо у вещевых рядов. Смотри, чтобы за тобой не проследили».

Глава 13

На следующий день, договорившись с Ритой о том, что приду домой непосредственно перед отъездом на концерт, я поехала на «Тушинскую». Вышла в нужном месте из подземного перехода и растерялась. Вокруг гомонила толпа. Люди бежали в разные стороны, почти у всех в руках были коробки, пакеты, кульки, свертки... Испугавшись, что не найду в толчее Ирину, я огляделась вокруг и увидела подходящего к переходу мальчишку, одетого в грязные джинсы и не менее замызганную футболку.

— Кого ждешь? — спросил он меня.

— Ирину, — машинально ответила я.

— Пошли, — велел подросток, — она в кафе сидит.

Не дожидаясь меня, он нырнул в толпу, я бросилась за ним.

Похоже, паренек ориентировался на огромном рынке, словно рыба в воде, мы бодро пересекли ряды, торгующие верхней одеждой, протолкались между продавцов обуви, добрались до забора...

— Давай за мной, — бросил провожатый и шмыгнул в дыру.

Я молча повиновалась, теперь мы оказались в небольшом проулочке, двинулись мимо припаркованных машин, пересекли пару дворов и неожиданно уткнулись в стеклянный павильончик с вывеской: «Кафе «Солнышко».

— Тебе туда, — «Иван Сусанин» ткнул пальцем в сторону двери, потом повернулся и исчез.

Я вошла внутрь и чихнула. В тесно набитом помещении пахло пивом, рыбой, сигаретами и чем-то непонятным, пробирающимся в нос, словно еж в тесную нору.

Зал был заставлен пластмассовыми столиками, между которыми сновали грузные официантки с подносами. В общем, типичная пивнушка советских времен, даже странно, что в наше время еще сохранились подобные.

— Эй, — донеслось из угла, — иди сюда!

Я повернула голову и увидела Ирину.

— Я здесь, — помахала она рукой.

Подождав, пока я сяду на хлипкий, пошатывающийся стульчик, журналистка поманила подавальщицу и велела:

— Пива и креветок.

Девушка, кивнув, пошла к стойке.

— Я совсем не пью, — быстро сказала я, — извини.

— Я тоже не люблю хмельное, — ответила Ирина, — к пиву равнодушна, креветки чистить ненавижу, но сидеть за пустым столиком нельзя, привлечем к себе внимание. Вот смотри, пожалуй, это единственное, что осталось от твоей семейной жизни.

Улыбнувшись, Кротова достала из сумочки два снимка. Я уставилась на фото. Одно запечатлело совершенно незнакомого мне мужчину, рослого, плечистого блондина с лицом апатичного кролика. На мой взгляд, дядечка пятьдесят шестого размера в объеме должен выглядеть бодро, но у этого индивидуума в глазах не было никакого огня, он напоминал мопса-переростка. Знаете этих собак с вечно несчастным выражением на мордочке? Только мопсы вызывают умиление, а мужик на снимке, несмотря на рост и внушительные габариты, казался убогим.

— Это кто? — удивилась я.

— Не узнаешь? Твой муж Игорь, — ответила Ирина, закуривая сигарету.

Я пристально вглядывалась в изображение, никаких положительных эмоций оно у меня не вызывало. Я была супругой этого хрыча? Любила его, сидела с ним постоянно дома? Спала в одной постели? Кошмар!

На столешницу легло еще одно фото. На этот раз явно сделанное в загсе. Игорь в темном костюме стоит, положив обе руки на спинку стула. На нем сижу... я, очень полная, одетая в светло-бежевый костюм с длинной, почти до полу, юбкой. Мои руки судорожно сжимают небольшой букет из белых гвоздик, старомодные туфли высовываются из-под праздничного наряда, волосы украшают дурацкие маленькие цветочки.

— А это что? — Я окончательно перестала понимать происходящее.

— Свадебное фото, — пояснила Ира, — денег у нас особых не имелось, вот и решили белое платье тебе не шить, и потом, смешно бы ты выглядела в фате... Уже не девочка! Ну что, убедилась?

— Да, — в полном отчаянии ответила я, — только, извини, ну совсем ничего припомнить не могу.

— Это понятно, — вздохнула Ира, — твоя психика защищается от внешних раздражителей. Подобные случаи описаны в литературе. Некоторые убийцы, совершив преступление, потом начисто про него забывают.

— По-твоему, я убила Игоря?

Ира кивнула:

— Да. Хочешь правду?

— Конечно.

— Тогда слушай. Игорь тебя... — начала было Ирина, но тут к нашему столику подошел, слегка покачиваясь, плохо одетый мужчина и, панибратски хлопнув Ирину по плечу, воскликнул:

— Вот так встреча!

Ирина с трудом выдавила из себя улыбку.

— Привет, Жорик, каким образом ты тут оказался?

— Я же сюда переехал, вон в тот дом, — словоохотливо прояснил ситуацию Жора, — бывшей жене двушка досталась, а мне щель в сарае. Тебято каким ветром занесло в сию рыгаловку?

— Просто мимо шла, пить захотела.

Жорик глянул на меня и с удивлением воскликнул:

— Таня! Во блин! Тебя выпустили?!

Я растерялась и не нашлась, что сказать.

— Ты путаешь, — быстро пришла мне на помощь Ирина, — это Лена, моя коллега, мы вместе работаем.

— Ну-у... — протянул пьянчужка, — прямо одно лицо с твоей сестрой-убийцей.

— Жора, — сурово заявила Ирина, — Татьяна никого не убивала! Она больна и находится в клинике.

Жорик заржал:

— Ага, ясно! Извиняйте, коли спутал. Значит, она теперь Лена? Ну и хорошо.

— Ты пьян! — с возмущением воскликнула Ирина.

— Трезв, словно монашка в Великий пост, — икнул Жора. — Не ожидала, что я жив, да? Думала, спился Жорик? Ан нет, жив курилка, все хорошо помнит, хоть и завсегдатай местной тошниловки, и еще очень даже ничего!

Ирина вскочила, швырнула на столик деньги, схватила меня за руку и поволокла из пивнушки. Я побежала за ней и по дороге к выходу непонятно по какой причине оглянулась. Мерзкий пьяница и не думал следовать за нами. Жорик пододвинул к себе бокалы с пивом, которые принесла по нашему заказу официантка, и запустил грязные пальцы в тарелку с крупными, исходящими паром креветками.

— Шевелись, — довольно зло сказала Ирина.

Мы быстрым шагом дошли до небольшого скверика и устроились на скамеечке.

— Кто это был? — в тревоге воскликнула я. — Откуда он все про меня знает?

— В этой ужасной встрече есть один положительный момент, — вздохнула Ира, вытаскивая сигареты, — теперь ты окончательно убедилась, что являешься Таней Кротовой, моей несчастной сестрой. Жорик — адвокат, защищавший тебя на суде.

— Этот маргинал? — возмутилась я. — Ты наняла для моей защиты почти бомжа? Господи, если тебе так жалко денег, лучше уж вообще никого бы не приглашала, государство выделило бы бесплатного защитника, он хоть был бы трезвым. Ну спасибо, уважила сестру!

Ирина швырнула на асфальт окурок и раздавила его носком элегантной кожаной лодочки.

— Следует признать, что время, проведенное в психушке, тебя здорово изменило, пару лет назад ты в подобной ситуации ударилась бы в слезы и стала бы причитать о своей горькой судьбе, а теперь злишься. Это уже прогресс, меня всегда до икоты раздражала сестричка—манная каша. А насчет Жорика... Ну, во-первых, он ценен тем, что знает всех вокруг. Не секрет, что многие судьи и прокуроры — взяточники. Только у меня никто конвертики не взял бы, побоялись бы. А от Жорика с дорогой душой гуманитарную помощь приняли. Я ведь уже говорила, что по уши в долгах сижу. Сначала пришлось заплатить тому, кто вывел меня на Жорика, потом адвокат начал действовать, и расходы стали расти в геометрической прогрессии. Господи, я так боялась, что ты окажешься на зоне, хорошо понимала: в бараке моей мямле не выжить, согнут ее, сломают, под нары запихнут. Психушка казалась лучшим выходом из положения. Да, конечно, там не здорово, но намного лучше, чем в какой-нибудь Сосновке, среди оголтелых зэков. Кто же знал, что ты потеряешь память? Я все сделала, всем заплатила! Одна аптекарша жуткую сумму запросила!

— Кто? — похолодевшими губами спросила я.

Ира поморгала, потом медленно протянула:

— Да, профессор объяснил, что у тебя амнезия, но я никак не могу привыкнуть к этому... Понимаешь, Жорик тогда узнал много ценной информации. В частности, что у следователя имеется козырь, который он, «раскалывая» тебя, прячет до поры до времени в рукаве. Нет, ты дура!

— С какой стати ты ругаешься?

— Дура, дура, — замотала головой Ирина, — ну не жилось тебе с Игорем, понимаю, зануда он был, педант, кто угодно около такого с ума сойдет. Ну так разведись спокойно! А ты! Накупила лекарств да еще все взяла в одной аптеке, у метро. Провизорша тебя запомнила, потому что, прежде чем приобрести таблетки, покупательница сначала попросила разные средства, долго изучала листовки, тщательно расспросила аптекаршу о последствиях передозировки и лишь потом вынула деньги. Представляешь, какой гирей на твоей шее должны были стать показания тетки? Но, слава богу, Жора узнал адрес, и мы просто ее подкупили.

— Значит, я все-таки убила мужа!

— Естественно, — хмыкнула Ирина, — какие могут быть сомнения, из-за квартиры. Впрочем, моей вины тут тоже много, я еще и поэтому вытаскивала тебя из беды. Помнишь, как мы поругались?

— Нет, — прошептала я.

— Месяца за три до убийства, — напряженным голосом сообщила Ирина, — я пришла домой жутко усталая, есть хотела до дрожи, сунулась в холодильник — там ничего, а ты в телик пялишься. Игоря, слава богу, не было, редкий случай, поехал наш гений куда-то.

Журналистка принялась орать на сестру:

— Могла бы в магазин сходить!

— Денег нет, — ответила Таня, — ты не оставила.

Последнее замечание просто взбесило Ирину.

— А самой заработать западло? — взвизгнула она. — Живете с Игорьком, словно червяки, питаетесь мною...

— Я ничего не умею, — попыталась отбиться Таня, — куда же мне устроиться?

Но Ира, не слушая ее, принялась выкрикивать упреки, оскорбления. Вдруг Таня встала и обняла сестру.

— Милая, — тихо сказала она, — ты погоди еще чуть-чуть. Очень скоро мы получим эту квартиру в свое полное распоряжение. Да, я не работаю и навряд ли сумею найти службу, но зато обеспечу нас жилплощадью.

Ира устало опустилась в кресло.

— Интересно, каким образом это тебе удастся?

Таня улыбнулась:

— Просто подожди.

Через некоторое время Игорь переписал на жену квартиру и домик на шести сотках.

— Видала? — с торжеством спросила Таня.

Ирина скривилась:

— Да, только в придачу к комнатам имеется Игорь, его придется кормить, поить и одевать всю оставшуюся жизнь!

— Нет.

— В случае развода твой муж получит половину нажитого, — напомнила Ира.

— А кто говорит о разводе? — тихо спросила Таня. — Муженек просто исчезнет из моей жизни!

— Очень здорово, — усмехнулась сестра, — оставит нам ключи, посыплет голову пеплом и отправится босиком в Тибет?

— Ты подожди, — опять сказала Таня, — и проблема разрешится.

Ну а вскоре Игорь скончался.

Ира замолчала, потом зачиркала дешевой пластмассовой зажигалкой, пытаясь закурить.

— Что же мне теперь делать, — срывающимся голосом поинтересовалась я, — не могу же я вернуться домой и снова жить спокойно?

— Нет.

— Меня моментально запихнут в психушку?!

— Верно!

Кровь бросилась в голову, виски заломило, перед глазами затряслась сетка из черных точек. Я закричала:

— Не хочу! Не желаю вновь оказаться в дурдоме!

Ирина отбросила недокуренную сигарету, взяла новую, сломала ее и принялась крошить табак на землю.

— Знаешь, есть вариант, только, боюсь, нам с тобой будет трудно его осуществить.

— Говори. Скорей, я на все согласна, только бы оказаться в безопасном месте, жить спокойно, зная, что никто не придет и меня не тронет, — сказала я.

— Нам нужны деньги, — вздохнула Ира, — много. Купим дом где-нибудь в безвизовой стране, там, где нас никто не знает, и уедем на постоянное жительство.

— У меня нет документов. Свин обещал сделать паспорт, но никак не несет его, — пожаловалась я.

— Получить удостоверение личности — самое легкое дело, — успокоила меня Ирина, — нам для этого никакой Свин не нужен. А вот деньги... Требуется, по крайней мере, миллион долларов.

Я закашлялась:

— Сколько? Уж не знаю, какие суммы тебе платят в редакции, но мне, обслуживая Глафиру, явно «лимон» не заработать. Насколько я понимаю, Свин вообще не намерен платить мне.

Ира зло улыбнулась:

— Свин — сукин сын, и именно он принесет нам с тобой необходимую сумму, более того, Семен откроет счет на Западе и положит на него деньги туда, мы же просто ими воспользуемся.

— Ира, — я постаралась вернуть сестру с небес на землю, — миллион долларов — это же огромная сумма. Откуда она у Свина?

Собеседница покусала нижнюю губу:

— Ну уж не настолько велика сумма, как тебе кажется. Ладно, ты умеешь держать язык за зубами?

— Да.

— Тогда слушай. Моя специализация — тайны людей шоу-бизнеса. За их разглашение отлично платят газеты, но еще больше денег дают звезды, чтобы информация не попала в печать, сечешь?

Я кивнула.

— Свин, — продолжила Ирина, — очень богатый человек, но он прикидывается маленькой сиротой. Да, такая сиротинушка с золотой мошной. Уж поверь мне, Свин гребет деньги совком.

— Неужели Глафира ему столько приносит?

Ирина потерла руки:

— Вопрос не в бровь, а в глаз! Наш Свинушка еще является хозяином «Баблз», шоу трансвеститов и этой противной девицы Жеки, которая намозолила всем уши бессмертными хитами «У любви в плену» и «Глаза голубые». Контракты составлены самым кабальным образом, исполнители имеют сущие гроши, основной доход течет в карман Свина, который не останавливается ни перед чем! Полгода назад разгорелся дикий скандал. По провинции каталась группа «Баблз», не имеющая ничего общего с теми суперпопулярными парнями, от которых тащится пол-России. Случается порой такое, несколько мошенников называются известным именем и колесят по городам и весям. Лже-Максимов, фальшивые Алена Лапина и Леонид Борисеев... Ну откуда зрителям в каком-нибудь медвежьем углу знать, как выглядят на самом деле эти артисты? Вот мошенники и добывают фонограмму и «концертируют», не слишком заботясь о шоу. Представляешь, люди настолько наивны и так рады посмотреть на знаменитостей, что практически ни у кого не возникает естественных вопросов. Минуточку, а почему певица одна на сцене? Где балет? Бэк-вокал, музыканты? Отчего, в конце концов, нет красивых костюмов, фейерверка, перьев?

Мошенники подчас зарабатывают больше настоящих звезд, а еще они, как правило, очень нагло ведут себя, и зрители начинают судачить о закидонах московских штучек. Сколько раз подлинные солисты попадали в неприятности! Вот недавно Юру Ракова из «Билли» стала бомбардировать письмами беременная мадам. Она уверяла, что должна родить от него. Юра, конечно, не ангел, хорошеньких фанаток никогда не пропускает, но в городке Арлетске, откуда шли послания, группа «Билли» никогда не гастролировала. Впрочем, иногда самозванцев ловят, они нарываются на кого-то, кто знает солистов, и ау! Вот так и попались фальшивые «Баблз». Но только злые языки поговаривают, что Свин великолепно о мошенниках знал, более того, он их сам и запустил. Так что денежки у него есть.

— Но с какой стати ему нам миллион отдавать? — усмехнулась я.

— А вот это интересный вопрос, — кивнула Ирина, — сейчас объясню.

Глава 14

— Свинчик наш в шоу-бизе давно крутится, — завела Ира, — но не фартило ему. Все такой материал попадался, что никак в звезды не протолкнешь. Везде был облом. Вот, например, Нора, данные хорошие, поет, танцует, вроде начала в гору лезть — и бац, села на наркоту. Обычное дело, не выдержала нагрузок, решила попробовать стимуляторы, ну и покатилась вниз. Свин в нее вложился и все потерял. Второй раз он попытался с Толиком работать. Тот послушный, даже покорный, старательный, а харизмы нет. Как ни пыжился, публика его проигнорировала. Думаешь, легко звезду сделать? Берешь юношу или девушку, сырой материал, и начинаешь. Парикмахер, стилист, визажист, уроки вокала и танцев, визиты к стоматологу, покупки песни у композитора, ее запись, концертные костюмы, подтанцовка, аппаратура... До фига бабок вложить надо, и неизвестно еще, как публика отреагирует. Знаешь, есть такое понятие, как энергетика. У одного имеется драйв, у другого нет, и никакими баксами его не купить. Ладно, не станем углубляться. Толик не пошел, народ его просто не заметил. Свин исчез, все решили, что он разорился, и вдруг, здравствуйте, выныривает невесть откуда с Глафирой, и, похоже, в деньках не стеснен, клип снял, журналистов купил. Ну и завертелось...

— А почему он скрывает, что является хозяином и других успешных проектов, — перебила я Ирину, — это же ему плюс или нет?

— От налогов уходит, — объяснила она, — не хочет доходы декларировать. Потом, ему выгоднее, что «Баблз» вроде как сами по себе считаются, им песни дешевле достаются, и по газетам имя Свина не склоняют, когда состав солистов меняется. Ты, наверное, не знаешь, но у «Баблз» постоянная текучка — то один парень уйдет, то другой. Свин, дурак, считает, что все концы в воде утопил, только я все знаю.

— Думаешь, если пригрозишь опубликовать информацию, он тебе заплатит за молчание? — догадалась я.

— Твои мысли текут в правильном направлении, — похвалила меня Ирина, — только миллион баксов это никак не стоит, но у меня есть кое-что еще...

— Что именно?

— Первой Глафирой была некая Настя Звягинцева, — без тени улыбки заявила Ирина, — голосок слабый, так, на троечку, но некто вложил в девицу деньги большие, просто немереные, и Глафира зазвучала везде.

— Ну и что?

— Потом Настя оказалась замешана в деле об убийстве своего любовника, бизнесмена Сергея Лавсанова, который и давал Свину деньги на ее раскрутку. Но выяснилось, что Настя ни при чем, Лавсанова пырнула ножиком домработница, якобы он к ней приставал... понимаешь?

— Пока не слишком, — честно призналась я.

— Настя петь бросила, — объяснила Ира, — а почему?

— Ну... умер покровитель, денег не стало!

— Нет, тугриков у Свина меньше не стало. Он мигом заменил Настю на другую девицу, ту, что сейчас подвывает под именем Глафира. Из чего я делаю заключение: дело нечисто. Очевидно, оба, и Свин, и Настя, замешаны в убийстве Лавсанова, бедная домработница парится ни за что в клинике для психов, в дурке!

— В той же, где лежала я?

— С чего ты это взяла?

— Ну... мне так показалось.

— Вовсе нет, — ответила Ирина, — ту домработницу зовут Таня Рыкова, и она помещена в спецбольницу в местечке Волково[1].

— Ты знаешь, что она не виновата!

— Догадываюсь.

— И никому ничего не сказала!

— Зачем?

— Чтобы несчастную отпустили.

— Мне наплевать на нее, — жестоко заявила Ира, — а на тебя нет! Хочу выручить сестру и уехать

---

[1] Психиатрическая больница в Волкове выдумана автором.

подальше. К Тане Рыковой никаких эмоций не испытываю, ей, скорей всего, заплатили, она сама знала, на что шла! Да не о ней речь.

— А о ком? — борясь с головной болью, спросила я.

— О тебе, — рявкнула Ирина, — и обо мне! Слушай, у Свина имеются документы, подтверждающие его участие в убийстве. Наша задача найти их, похитить, а потом уж взять продюсера за мягкое брюшко и сообщить: «Знаем все, гони бабло, иначе, папочка, окажешься в милиции». Вот за спасение своей шкуры Свин и отстегнет миллион баксов.

Вдруг железный обруч, сдавивший мне голову, лопнул. Я вдохнула душный, пыльный воздух и невольно сказала:

— На мой взгляд, это подло — шантажировать человека. Может, попробуем заработать деньги иным путем? Честным?

Ира хрипло засмеялась:

— Самое интересное, что это говоришь ты, женщина, убившая ради квартиры и дачи мужа.

Я растерянно замолчала. А ведь правда, я совсем забыла, что являюсь убийцей, но шантаж все равно нехорошее дело.

— Если ты способна в кратчайший срок честным путем получить сумму с большими нолями, то начинай, — ухмыльнулась Ира.

— Можно взять ссуду в банке, — пролепетала я, — продадим квартиру, дачу...

— Ага, — подхватила Ира, — шмотки...

— Да, — воспряла я духом, — ей-богу, будет лучше, еще можно драгоценности в ломбард снести, шубу, ковер... Наберем помаленьку — и бежать!

— Рваные трусы и носки, — прошипела Ирина, — молчи лучше, о чьих драгоценностях ты болтаешь? Вот сейчас тресну тебя.

Я отшатнулась.

— Не бойся, — успокоила меня Ира, — не трону. В конце концов, ради тебя я сделаю все для нашего бегства, но и ты должна поработать! Знаю, знаю, ты не привыкла шевелиться, но в связи с исключительностью ситуации потребуются некоторые усилия и от Танечки-мямли!

— Прекрати меня так называть!

— А что? Обидно?

— Да.

— Надо же! Однако ты начинаешь походить на человека, раньше тебя это не коробило.

— А теперь задевает!

— Хороший признак, — издевательски протянула Ирина, — в вас, мадам, просыпается человеческое достоинство! Кстати, ты ни разу, даже узнав, что вместо зоны отправляешься в больницу, не сказала мне «спасибо».

— Наверное, была свиньей, — чувствуя огромную усталость, медленно ответила я, — спасибо и извини за все. Поверь, я совершенно не помню себя в качестве Тани Кротовой, в мозгах чистый лист, но чем больше ты про меня рассказываешь, тем сильнее я себе не нравлюсь. Теперь дела пойдут по-иному, вот увидишь, я буду работать и больше не доставлю тебе хлопот. Мне жутко стыдно за все и отвратительно осознавать, что я из корысти лишила жизни человека. Может, я очень раскаивалась и господь поэтому лишил меня памяти? Проявил милость?

— Сказки про доброго боженьку оставь на потом, — заявила Ира, — хватит достоевщину разводить, действовать надо.

— Делать-то что? — растерянно спросила я.

— Ты можешь проникнуть к Свину домой?

— Каким образом?

— Просто, ну, допустим, вечером вернетесь с концерта, ты чай им подашь, верно?

— Да, вероятно, они ужин попросят, салатик там...

— Меню можешь не озвучивать! — оборвала меня Ирина. — На!

— Это что? — испуганно спросила я, глядя на небольшой пузырек, который сунула мне Ира.

— Снотворное, сильное, но безобидное, капнешь им с Глафирой в еду, через десять минут они заснут. А ты возьмешь у Свина ключи и к нему в дом рванешь, компромат искать.

— Ой, я не смогу!

— Ерунда! Это элементарно!

— Мне не нравится такой вариант.

— Вот, а обещала мне помогать, прощения просила. Значит, все одни слова, ты по-прежнему Танька-мямля!

— Ну хорошо, — сдалась я, — будь по-твоему. Только вряд ли Свин держит компрометирующие его документы на самом виду. Скорей всего, у него есть сейф, или он отнес папочку в банк, в ячейку.

— Ты сначала в письменном столе пошарь, а потом, коли ничего не обнаружится, будем мозгами раскидывать, — велела Ирина, — ступай домой, да не трусь. Снотворное хорошее, Свин десять часов проспит, а когда проснется, ничего не заподозрит. Ну так ты мямля?

— Нет, — вздохнула я и, попрощавшись с сестрой, пошла к метро.

Около входа в подземку бойко торговали палатки. Я встала возле паренька, который продавал видеокассеты, и тупо уставилась на разноцветные коробочки.

— Чего-нибудь хотите? — вяло поинтересовался мальчишка, обмахиваясь газетой.

И как ответить на этот вопрос? Да, очень хочу узнать всю правду про Таню Кротову. Неужели я убила Игоря из-за квартиры? Но ведь этого продавцу не сказать!

— Нет, — улыбнулась я, — можно просто поглядеть?

— Сколько хотите, — разрешил юноша и, потеряв ко мне интерес, переключился на других покупателей. Их оказалось трое: папа с сыном, мальчиком лет семи, и всклокоченный дядька, одетый, несмотря на жару, в темный габардиновый плащ.

— Детские слева, — пояснил торговец.

— Ага, — кивнул папаша, — сюда, значит. Выбирай, сынок.

— Молодой человек, — спросил «плащ», — «Маска» есть?

— Купили.

— Жаль. А «Один дома»?

— Это ж старье!

— Но не все фильм видели, — возмутился дядька, — я, например, не успел!

— Могу заказать, оставьте задаток, завтра получите кассету.

— Нет, тогда... э... «Особенности национальной охоты».

— Давно не торгуем, народ уже его насмотрелся.

— Что же взять? — пригорюнился дядька. — Ладно, давайте вон ту! Нет, нет, левее, вторую в третьем ряду.

— Да вы чего! — удивился парень. — Не берите.

— Почему? Плохая картина?

— Это драма, — отрезал продавец, — там думать надо.

Стараясь не рассмеяться, я скосила глаза на папеньку с сыном и стала свидетелем другого, не менее забавного диалога.

— Ну, Митька, чего хочешь? — вопрошал отец.

— Не знаю, — апатично ответил разомлевший от жары мальчик.

— Любую тебе куплю. Какую брать?

— Не знаю.

— Про инопланетян?

— Не знаю.

— Во, про бандитов! Хочешь?

— Не знаю.

В конце концов терпение у родителя лопнуло.

— Вот что, сынок, — сказал он, — наша мама где работает?

— В магази-ине, — проныл ребенок.

— Молодец. А кем?

— Продавцом, в колбасе.

— Умница, — похвалил папенька отпрыска за редкостную сообразительность, — а теперь представь, подходит к нашей любимой мамочке покупатель. Она его и спрашивает: «Что желаете?» А тот отвечает: «Не знаю». И как думаешь, что ему наша мамуля ответит?

— Не знаю.

— Она скажет, — очень нежно закончил отец, — она обязательно скажет!.. Скажет... ну неважно, что! Совершенно неважно, да! Только, поверь, ей не понравится такой покупатель! И она ему... ладно, берем про трех поросят.

Поняв, что больше не в состоянии слушать бред покупателей, я бегом спустилась в метро и наткнулась на книжный лоток.

— Возьмите в дорогу детектив! — кричал продавец.

Я ткнула пальцем в один томик:

— Этот дайте.

Устроившись в самом углу вагона, я раскрыла книжку и попыталась углубиться в чтение, но уже через секунду поняла, что очень хорошо помню содержание этого романа, так хорошо, словно сама его написала. Я захлопнула книгу и уставилась на яркую обложку. Арина Виолова. «Гнездо бегемота». Из глубин памяти вынырнула целая цепь фамилий: Маринина, Акунин, Полякова, Дашкова, Устинова... Похоже, я их всех читала, впрочем, эту Арину Виолову тоже, раз могу пересказать книгу. У меня, оказывается, великолепная память, но почему я не помню ничего, связанного с собственной личностью? Хотя комнату, где жила Таня Кротова, я узнала, даже вспомнила, где у нас лежат нитки и квитанции по оплате за квартиру. У нас... Вот я уже говорю: «У нас»!

Рита обнаружилась на кухне.

— Как дела? — зевая, спросила она.

— Ни так ни сяк, — ответила я, — готова заступить на вахту шоу-бизнеса, куда рулим сегодня?

Рита надула сильно накрашенные губки.

— Ля-ля-ля, — пропела она. — А снег идет...

— По-моему, ты фальшивишь, — вздохнула я.

— А ты откуда знаешь? — изумилась Рита.

Я пожала плечами:

— Иногда возникают какие-то воспоминания. Вот сегодня я выяснила, что прочитала гору детективов, в том числе даже какой-то тетки по имени Арина Виолова. А еще мне кажется, что я имею музыкальное образование... Да ладно! Ты так и не сказала, куда мы катим?

— Коттеджный поселок «Алискино».

— Да ну, — удивилась я, — там клуб?

— Не-а, частный дом.

— Мы едем давать концерт на квартиру?

— В особняк, — поправила Рита, — а что такого? Заплатили за концерт, обычное дело. У хозяйки вроде день рождения.

— Эй, девки, — заорал из прихожей Свин, — чего жвачитесь, машина внизу!

Я ринулась в гардеробную за вещами.

— Танька, — капризно заверещала Рита, — дрянь! Где мои колготки?

— В ванной.

— Принеси!

Я принесла.

— Фу, — завизжала Рита и шлепнула меня колготками, — почему не новые?

— Давай, шевелись! — гаркнул Свин.

— Ты с нами едешь? — поинтересовалась Рита, влезая в джинсы.

— Ага.

— А зачем?

— Не твое дело!

— Ну скажи, — капризничала Рита, сбрасывая на пол кучу нижнего белья, лежавшую на стуле.

Увидав, что Свин не смотрит в мою сторону, я исподтишка показала Рите кулак и стала подбирать кружевные лифчики и трусики.

— Топай в машину! — гаркнул Семен, но потом вдруг неожиданно сменил гнев на милость и спокойно продолжил: — Хозяин дома — большой человек, Романкин Аркадий Николаевич, я хочу с ним познакомиться, может пригодиться.

— Аркадий, — невольно повторила я, — Аркадий...

— Чего талдычишь, словно заевшая пластинка? — вмиг обозлился Свин. — Одевай звезду, бери пожитки и топай вниз.

Я молча застегнула на Глафире босоножки, подхватила сумку, портпледы, термос, ящик с косметикой и вышла к машине.

Странное дело, имя родного мужа, убитого мною Игоря, не вызвало у меня никаких эмоций. А вот слово «Аркадий» всколыхнуло что-то внутри. Может, я когда-то любила человека с таким именем? Аркаша... Я читала детективы Арины Виоловой, училась музыке, а еще имела собаку с кошкой... Муж... вроде и он был! Игорь? Нет, никаких эмоций.

— Сейчас тресну тебя, — гаркнул Свин, — чего стоишь с разинутой пастью?! Тормозной жидкости нахлебалась? Лезь в авто.

Я села в «Мерседес».

— Фу, — вздохнул Свин, — давай, Митька, жми. С бабами только свяжись, везде опоздаешь.

Глава 15

Спустя примерно минут сорок мы очутились около глухих железных ворот. Митька побибикал. Выглянул охранник.

— Вы к кому? — вежливо спросил он.

— Романкин Аркадий Николаевич артистов заказывал, — пояснил Митька, высовываясь в окно.

— Ты, это, поосторожней насчет заказывал, — занервничал Свин, — учись говорить красиво. Заказывают знаешь кого! Нас приглашают.

— В микроавтобусе кто? — напрягся секьюрити.

— Музыканты с инструментами.

— Пущай выходят, и вы вылазьте, пешком к заднему ходу идите, — начал объяснять охранник, — по боковой дорожке, по центральной не топчитесь, там для гостей столы поставили.

— Вот сволочи, — прошептал оказавшийся около меня Ваня, — за дерьмо нас считают.

— А ты рассчитывал с гостями салат есть? — хихикнула я.

— Вовсе нет, — завел было Ванька, — только...

Но договорить фразу ему не удалось, потому что мы добрели до двери черного хода и очутились перед мрачной теткой в черном шелковом платье с белым кружевным воротничком.

— Добрый вечер, — ледяным тоном сказала она, — меня зовут Наталья Ивановна. Слушайте внимательно. Выступаете в каминном зале. Вход туда через гостиную, там накрыт чай.

— Вот видишь, — шепнула я Ваньке, — а ты их сволочами назвал, нас угостят эклерчиками или другим чем, еще вкусней.

— Там на столах будут пирожные, конфеты, выпечка всякая, — словно робот вещала Наталья Ивановна, — коньяк, ликеры...

Глаза музыкантов заблестели, гитарист Костик облизнулся.

— ...но не вздумайте стырить хоть крошку, — мрачно докончила Наталья Ивановна, — это не для вас положено, а для гостей.

Ванька возмущенно засопел. Мне стало смешно, Наталья Ивановна, очевидно, такая же домработница, как я, с чего бы ей гнуть пальцы перед нами?

— Наташа! — возмущенно воскликнула девушка лет двадцати, вбегая в помещение, где проводили «инструктаж». — Что за ерунду ты несешь!

Это же артисты, звезды! Угощайтесь, сколько хотите! Ешьте на здоровье!

— Спасибо, — буркнул Костя, — мы не из голодного края прибыли!

— Ваше дело, конечно, Ника, — с достоинством ответила Наталья Ивановна, — я с детьми хозяина спорить не имею права, но эти, с позволения сказать, актеры такие кадры! Им только позволь — все для приличных людей приготовленное сожрут, а что не смогут, с собой прихватят!

— Нам бы в туалет пройти, — перебил прислугу Костик, — а потом переодеться надо.

— Сюда, сюда, — засуетилась Ника, — по коридорчику, там санузел для обслуги, смотрите, с нашим туалетом для гостей не перепутайте. Наемные работники пользуются тем, что за зеленой дверью, а остальные ходят вон туда, за желтую!

Я прикусила нижнюю губу, чтобы не рассмеяться ненароком. Милая Ника, не пожалевшая для людей третьего сорта, лабухов[1], вкусных пирожных, не собиралась пускать нас в ванную, предназначенную для «чистых» посетителей.

— Хватит тут базлать, — взвился Свин, — ставьте аппаратуру, переодевайтесь — и вперед.

Целый час Рита просидела на банкетке в огромном зале, ожидая публику. В конце концов Свин не вытерпел и ушел на кухню, откуда незамедлительно послышался его громкий голос:

— И долго нам париться?

— Вам платят за час, — спокойно возразила все та же Наталья Ивановна.

— Надоело сидеть без дела!

— И что? Деньги же все равно идут, ждите. Сейчас люди отужинают и явятся.

---

[1] Лабух — музыкант *(сленг).*

Красный от злости Свин вернулся в камин-ную, огляделся по сторонам и налетел на меня.

— Ишь, расселась! А ну принеси нам кофе!

Я порысила на кухню и осторожно спросила у Натальи Ивановны:

— Извините, пожалуйста, можно кипяточку?

— Зачем? — перекосилась прислуга.

— Музыканты кофе хотят, — зачастила я, — вы не волнуйтесь, у нас все с собой, баночка рас-творимого напитка, сахар, одноразовые стаканчи-ки, а вот горячей воды нет.

Наталья Ивановна указала на симпатичный ярко-оранжевый чайник.

— Умеете таким пользоваться?

— Да, да, спасибо, — закивала я, — вы очень любезны.

Домработница, не моргая, смотрела, как я, вымыв руки, раскладываю кофе по стаканчикам.

— Поднос возьми, — буркнула она, — ловчее донесешь. Вон тот, пластиковый.

Я взяла ярко-розовый поднос и спросила:

— Можно прихватить пару бумажных салфе-ток?

— Зачем?

— Настелю на подносик, чтобы не испачкать, вдруг кофе расплескается!

— Ну бери, — уже не таким ледяным тоном процедила Наталья.

Я напоила музыкантов, потом сложила ис-пользованную посуду в мешок, вернулась на кух-ню, вымыла поднос и спросила:

— А где у вас контейнер для мусора?

— Сюда сунь, под мойку.

— Давайте вынесу, с какой стати вам за нами убирать.

— Оставь, по участку ходить нельзя, — протянула прислуга, — там ландшафтный дизайн, редкие растения.

Я вернулась в каминную, и тут двери, ведущие в глубь особняка, распахнулись и появилась публика: три дамы, сверкающие бриллиантами, и пятеро мужчин в безукоризненных вечерних костюмах. Женщины походили друг на друга, словно яйца от одной курицы: молодые, длинноволосые блондинки с хорошенькими мордочками глупых зайчиков. Им всем вместе, наверное, не было и шестидесяти лет. Мужчины тоже смотрелись как близнецы: полные, лысоватые, пожилые бизнесмены, мало похожие на Аполлонов и Адонисов.

— Сюрпри-из, — прочирикала самая высокая из нимф и, не удержавшись на каблуках, шлепнулась в одно из бесчисленных кресел с золочеными ножками. Мне стало понятно, что девица основательно пьяна.

— Эт-та чего будет? — спросил один из мужиков.

— Садись, Вова, — велел самый толстый, — концерт слушать станем.

— А... а, хорошо, — буркнул Вова, — клево ты, Аркашка придумал.

Компания уселась, Аркадий хлопнул в ладоши:

— Заводи, ребята.

Музыканты вцепились в инструменты, из динамиков полились звуки, Рита стала приплясывать и разевать рот.

— Вау, тащусь прямо. — завизжала одна из девок. — Начинай, девчонки!

Блондинки, все как одна хорошо поддатые, начали трясти кудрявыми головами и сучить ножками в эксклюзивной обувке. Подняться из кресел и пуститься в пляс девушкам не позволял алкоголь.

Мужики, уронив подбородки на грудь, дружно засопели, музыкальный час навеял на них сон.

— Папочка, — пришла в негодование одна из девушек и пнула Вову, — хватит дрыхнуть, зажигать надо!

Вова с трудом разомкнул веки.

— А? Что? Где?

— Давай плясать! — не унималась блондинка.

— Сейчас, киска, — попытался успокоить ажиотированную супругу муж, — минуточку, только отдохну немного.

— Нет, сию секунду хочу! — заорала капризная женушка.

И тут музыка стихла.

— Слышь, пацаны, — зевая, спросил Вова, — а вы медленное можете? Душевное, спокойное, не трень-брень, скок-поскок, а мелодичное?

— Что вы имеете в виду, — ядовито поинтересовался Костя, — Моцарта? Шопена? Шуберта? А может, фуги Баха?

— Не, — миролюбиво ответил хозяин дома, — ну вот так... э... как оно там... «Ямщик, не гони лошадей...».

Костик тихо тронул струны гитары.

— Отстой, — замотала головой киска.

— «Мне некуда больше торопиться...» — добавил Аркадий.

Костя накрыл струны ладонью.

— Нет, такое не знаем, про «торопиться».

— Эх, жаль, — расстроился Аркадий, не поняв издевки музыканта, — тогда про поезд...

— Какую? — тихо спросила Рита.

— Ну, где поезд... поезд... не понимаешь, что ли?

— «Опять от меня сбежала последняя электричка», — запел Ваня.

— Нет!

— «Поезд меня уносит, поезд меня уносит вдаль»...

— Нет!!

— Слышь, Вань, — хихикнул Костик, — тут контингент другой. Небось вот эту желают... «По тундре, по широкой дороге, где мчится поезд Воркута — Ленинград...»

— Душевная песенка, — одобрил хозяин, — прям цепляет, но я не ее хочу.

— «Постой, паровоз, не стучите колеса, — внезапно пропела я, — кондуктор, нажми на тормоза...»

— Замолчи, — топнул Вова, — терпеть ее не могу.

— Ну, поезд, поезд, — бубнил Аркадий. — Поет песню такой пацан, он, вообще-то, сам, похоже, с зоны, его там унижали, под шконки пинали, а потом он заавторитетился, и с ним даже собаки здороваться начали!

— Это кто ж такой? — растерялся Свин.

— Кит Ларусев? — предположил Ваня.

— Не, — быстро ответил Аркадий, — зеленый такой, с ушами... ну... ну... поезд!

Глаза Костика медленно расширились.

— Знаю, — подскочил он, — вот! «Теперь я Чебурашка, мне каждая дворняжка при встрече смело лапу подает!»

— Уже ближе, — кивнул хозяин, — только там про вагон.

— «Медленно минуты улетают вдаль», — запела Рита, — ну и так далее, там еще дальше есть... «катится, катится голубой вагон».

— Во, — шлепнул себя по коленям Аркадий, — она! Дальше про эскимо и день рождения!

— «Прилетит вдруг волшебник в голубом вертолете», — мигом сориентировался Ваня, — только это же разные песни.

— А вы их как одну спойте, — подмигнул Аркадий, — для моей любимой жены Аллочки, именинницы.

— Да, — икнула самая блондинистая блондинка, — хочу.

Рита растерянно глянула на Костика.

— Вообще-то, я слов не знаю, только обрывки.

— Ерунда, — тихо ответил гитарист, — начали.

Рита взяла микрофон и чистым, сочно окрашенным голосом завела:

— Теперь я Чебурашка, ла-ла-ла, слов не знаю, день рождения раз в году, голубой ваго-он! Катится, катится голубой вагон...

Блондинки завизжали, Наталья Ивановна, стоявшая в проеме двери, ведущей в кухню, усмехнулась, мужики начали дружно сопеть. Вдруг откуда-то сбоку понесся чистый голосок, настоящее сопрано. Неизвестная певица, нисколько не фальшивя, выводила в унисон с Ритой.

— А-а-а-а...

Я оглянулась по сторонам. Кто же это, интересно, поет? Блондинки едят пирожные, согласитесь, с набитым ртом трудно издавать даже обычные звуки, а мужчины мирно спят.

— А-а-а-а, — подпевала неизвестная личность, причем делала она это мастерски.

Чуть подучить девушку — и из нее определенно выйдет звезда, на нашей современной эстраде такой чистый голос редкость. Вон куда забралась, легко берет «верх». Свин повертел головой в разные стороны, потом глянул на меня. В его глазах застыло явное удивление. Я развела руками и показала пальцем на свой закрытый рот.

— А-а-а-а...

Музыканты тоже начали оглядываться, Рита взяла ниже, голос опустился тоже, певица «поднялась», незнакомка вторила ей.

В полном изумлении я обвела взором огромный каминный зал, ей-богу, его акустике может позавидовать Кремлевский дворец съездов, и вдруг обнаружила, кто обладает певческим талантом.

На небольшом бархатном диванчике восседала собачка, маленькая, рыженькая, лопоухая, с острой мордочкой. Ей глаза были полузакрыты, нос высоко поднят, а из горла лились просто волшебные звуки.

— А-а-а-а...

Рита тоже приметила «коллегу», в ту же секунду она осеклась, Костик перестал нащипывать гитару, Ваня захихикал.

— Давай еще, — открыл один глаз Аркадий, — мне нравится!

— Ага, — подхватил Вова, — вот это: а-а-а-а! Прямо за душу рвет!

— Мы хотим плясать! — заорали блондинки.

— Ну и пошли вон, — рявкнул Аркадий, — надоели! Желаем оперу слушать! Эй, парни, сбацайте печальное, а ты пой медленно, торжественно: а-а-а-а, мы отдыхать будем.

— Танцевать, — хныкали девушки.

— Сказано, пошли вон! — покраснел Аркадий.

— Брысь отсюда, — топнул ногой Вова, — разговорились! Бабе надо место знать!

Остальные мужчины продолжали спать, никак не реагируя на внешние раздражители.

Блондинки выпятили пухлые губки, потом встали и с самым гордым видом прошествовали к дверям. На пороге киска обернулась и прошипела:

— Имей в виду, Вовчик, тебе это будет дорого стоить!

— Ладно, ладно, — отмахнулся муж, — завтра поедешь и купишь себе брюлики, а сейчас испарись, мы отдыхать хотим.

Девицы ушли. Вова и Аркадий с наслаждением закрыли глаза. Музыканты заиграли что-то тягучее, похожее на похоронный марш. Рита собралась было открыть рот, но ее опередила собачка, решившая на этот раз выступать соло.

— А-а-а-а, — полетело под сводами зала.

— Кайф, — простонал Вова, — вот она, сила искусства, послушаешь такое и чище становишься, лучше...

Рита отошла в сторону и села на банкетку.

— А-а-а-а, — выводила собачка.

Понимая, что сейчас захохочу во весь голос, я сбежала на кухню и спросила у Натальи Ивановны:

— Можно я тут посижу? Тихонько, там концерт идет.

— Надо же, — вдруг улыбнулась прислуга, — с чего бы это Лапа завыла? Она такое впервые проделывает. До сих пор, кто ни приходил, молчала, а тут — нате, заливается как соловей! А вы кем у них работаете? Танцуете или поете?

Я улыбнулась.

— Я не творческий человек, разрешите представиться, Таня, домработница Глафиры.

Лицо Натальи Ивановны приняло человеческое выражение.

— Зови меня Наташей, — совсем другим тоном сказала она, — еще поспорить можно, кто из нас более творческий: мы или они! Знаю ихнюю кухню, сплошной обман! Голосов никаких, одна аппаратура. А суп-то так просто не сварить, вдохновение нужно. Ну-ка, попробуй мой кофе.

Я взяла протянутую чашку, отхлебнула и совершенно искренне воскликнула:

— Восторг! Там кардамон, корица и чуть-чуть какао!

— Угадала, — прищурилась Наташа, — между прочим, никто рецепта не знает!

— Вы так профессионально говорите об уловках шоу-бизнеса, — решила я польстить женщине.

Наташа скривилась:

— Да уж, насмотрелась. Одно время я работала у дамы, которая пыталась стать певицей, у меня с тех пор просто аллергия на этих кривляк.

— Что, такая противная хозяйка попалась?

Наташа закатила глаза.

— Да уж! Тесен мир, плюнь — и попадешь в знакомого!

— Вы о чем?

Домработница нахмурилась.

— Так продюсер, который сейчас с вами приехал, Свин, с ней работал. Я-то мужика сразу узнала, хоть он и закабанел окончательно, жрет небось много. Ну да он всегда горазд на это был, мастер спорта по хаванью. Меня Свин, конечно, не признал, оно и понятно, кто же на горничную смотрит. Да и изменилась я, волосы остригла, покрасилась в темный цвет, неудачно вышло, теперь старше кажусь. Я, когда услышала, что хозяйку Глафира поздравлять приедет, прямо передернулась вся. Вы пришли, а я смотрю и жду, ну где же эта сучка Настя!

— Звягинцева? — подскочила я.

— Ты ее знаешь? — фыркнула Наташа. — Скажи ведь — она пакостница!

Я схватила Наталью за рукав:

— Вы долго с ней работали?

— Долго с такой и святая не выдержит.

— А все же?

— Месяца три-четыре, нет, полгода, потом хозяина убили, а она смылась, — выпалила Наташа, — представляешь, она меня звала «чмо»! «Эй, чмо, бегом сюда, постирай мне колготки!» Я, правда, вначале терпела, у меня мама парализованная лежала, после инсульта, деньги нужны были жутко! Поэтому и молчала. Сначала думала, привыкну. А еще надеялась, что Настя в конце концов устыдится и поймет, что нельзя человека, который тебе прислуживает, унижать! Но нет! Горбатого могила исправит.

— Ну ты нас тоже не лучшим образом встретила, — не утерпела я, — «пирожные не берите, они для людей»!

— Ага, — кивнула Наташа, — я прямо сатанею, когда кривляк-певцов вижу. Вот до какой степени меня Настька достала, ей-богу. А ведь она мне благодарна должна быть, ой как благодарна!

— За что?

— Да так, — загадочно ответила Наташа, — может, испортить сейчас Свину малину? Подойти к нему да шепнуть: «Приветик, не узнаешь, котик? Я — та самая... Наташка-чмо! Мне есть что рассказать про смерть Лавсанова, много интересного, много! Плати, голубок, а то разину ротик». Только он не испугается.

У меня закружилась голова.

— Почему? Если ты и впрямь знаешь нечто этакое...

— Не испугаю я его, — повторила Наташа, — а уж очень ему насолить хочется!

— Могу помочь, — скрывая радость, заявила я.

— И каким же образом? — кисло спросила она. — Собираешься пургена ему в чай подсыпать? Приятный пустячок, но я хочу ему капитально наподдавать, за чмо. Лучше бы нам сегодня не встречаться, я уже пережила обиду, забыла немного, а увидела эту рожу, опять все всколыхнулось. Прямо урод! Впрочем, ты тоже за чужими грязь убираешь и должна меня понять! Отомстить хочу! Жутко! До дрожи!

Наташа отвернулась к окну и трясущимися пальцами стала приглаживать волосы.

— И ведь могу! Такое про него знаю. Зря эта мразь живет спокойно.

Я обрадовалась. Вот хорошо! Не придется подсыпать Свину в еду снотворное, выкрадывать у него ключи и обыскивать чужую квартиру. Сейчас Наташа расскажет мне кое-что, и, вполне вероятно, этой информации хватит, чтобы запугать Свина. Честно говоря, мне совершенно не нравится идея Ирины получить миллион путем шантажа, но, похоже, иной дороги нет.

Я спросила Наташу:

— Правда хочешь ему отомстить?

Горничная кивнула:

— Очень.

— У меня есть возможность помочь тебе.

— Каким образом? — удивилась она.

— Понимаешь, я пишу статьи в желтую прессу, под псевдонимом, конечно. Могу и про Свина накропать, если расскажешь что-то интересное!

Наташа выпятила нижнюю губу, стала накручивать прядь волос на палец, было видно, что ее терзают сомнения.

— Представляешь, — подлила я масла в огонь, — мы ославим Свина на всю Россию, подпортим ему бизнес.

— Ладно, — кивнула Наташа, — только никаких диктофонных записей, а ну покажи, что в джинсах прячешь.

Я быстро вывернула карманы.

— Видишь, пусто.

— И еще имей в виду, — протянула домработница, — имени моего не упоминай, если напишешь, что от меня информация исходит, мигом отопрусь и в суд на газету подам, выкручивайся как хочешь!

— Согласна, — кивнула я, — рассказывай быстрее, пока там концерт идет!

Глава 16

Наташе не слишком-то повезло с самого детства. Отца она не знала, мама пила горькую, поэтому девочка с года была предоставлена самой себе. Большинство детей из так называемых неблагополучных семей, не имея перед глазами нужного примера, начинают с ранних лет прикладываться к бутылке и очень быстро спиваются. Но Наташа оказалась иной, ей хотелось чего-то достичь в жизни, добиться материального благополучия, например, купить машину. Лежа ночью на продавленной раскладушке, под вытертым до дыр тонюсеньким байковым одеяльцем, девочка мечтала: вот она на своей личной «Волге» заруливает в родной двор. Бабки-сплетницы просто падают с лавочек, а соседки-одногодки разевают рты. Небрежно вертя в руках колечко с ключами, Наташа идет к подъезду, а вслед ей несется восторженный шепоток местных кумушек:

— Вот вам и дочка пьяницы! Выбилась в люди, на «Волге» раскатывает!

Ни о каком институте Наташа не думала, перебирала в уме рабочие профессии. Сначала пошла на завод, потом год училась на штукатура, но ей нигде не нравилось. Грязно, шумно, мало платят.

Но вскоре судьба повернула к ней свой сияющий лик. Однажды Наташа пошла в магазин и увидела упавшую пожилую женщину. Наташа — девушка жалостливая, поэтому бросилась к несчастной, помогла подняться, довела бабусю до дому и донесла ее сумку.

Старушка пригласила добрую самаритянку попить чайку. Наташа заколебалась и... согласилась. С тех пор ее жизнь резко изменилась. Бабуля оказалась хорошо обеспеченной женой академика, и ей требовалась домашняя работница.

С тех пор прошел не один год. Хозяйка умерла, но перед смертью пристроила Наташу к своей знакомой, та уехала в Израиль, передав честную, старательную, аккуратную домработницу Сергею Лавсанову.

Бизнесмен не был женат, изредка в его доме появлялись девушки, но надолго они не задерживались. Проходила пара недель, и очередная куколка исчезала, освободив место следующей. Наташу хозяин уважал, платил ей очень хорошо, никогда не проверял счета и не придирался. Один раз, правда, случилась большая неприятность. Из кабинета Лавсанова исчезла крупная сумма денег, которую Сергей держал в письменном столе.

Наташа, перепугавшись до смерти, бухнулась хозяину в ноги.

— Уж простите, — зарыдала она, — понимаю, что не на кого думать, кроме как на меня! Я убираю везде, в кабинет захожу и про деньги знаю, в какое место положили, видела. Только не брала я их. Если не доверяете, выгоните меня вон, но милицию не зовите, посадят ведь!

Сергей неожиданно улыбнулся:

— Иди завари мне чай! Я тебя не виню.

— Спасибо! Ей-богу, это не я!

— Принеси чаю, — слегка обозлился Лавсанов.

Наташа быстро исполнила просьбу и вновь завела:

— Здоровьем клянусь, это не я.

— Знаю, отстань.

— В жизни чужого не взяла!

— Пошла вон! — вышел из себя Сергей.

— Ой, — схватилась за сердце прислуга, — вы меня рассчитываете? Христом богом молю...

— Никто тебя не увольняет, — заорал всегда сдержанный Лавсанов, — уймись! Это не я чихнул вам на лысину[1].

— Чихнул на лысину? — изумилась Наташа.

— В библиотеке есть Собрание сочинений Чехова, — засмеялся Сергей, — ты бы почитала вместо просмотра сериалов.

— Так вы не сердитесь? — Наташа упала на колени.

Лавсанов нахмурился, потом сказал:

— Ладно, понимаю, ты не угомонишься и доведешь меня до инфаркта. Ты хорошая домработница, по нынешним временам это редкость, мне не хочется с тобой расставаться. Пошли, покажу тебе кое-что.

Еле живая от пережитого, Наташа поднялась вместе с хозяином в кабинет. Там Лавсанов включил компьютер и велел: «Смотри».

Изумленная домработница увидела на экра-

---

[1] Лавсанов вспоминает рассказ А.П.Чехова о чиновнике, который, чихнув, случайно испачкал своего заведующего. Потом он довел начальника почти до смерти, без конца извиняясь, и в результате все закончилось плохо.

не... рабочую комнату хозяина, пустую. Потом вдруг картинка ожила, распахнулось большое окно, и через него из сада влез человек в форме. Он быстро подошел к письменному столу, выдвинул ящик, оглянулся, вытащил пачку денег, сунул ее за пазуху и пошел назад, на секунду крупным планом возникло его лицо. Наташа ахнула:

— Это же Петя! Охранник, который ворота при въезде в поселок открывает.

— Верно, — кивнул Лавсанов, — я, естественно, сразу увидел, кто вор, и ни на минуту про тебя не подумал.

— Но... как... откуда? — стала заикаться Наташа.

— В доме повсюду камеры, — усмехнулся Лавсанов, — чтобы я мог контролировать прислугу, поняла? Ни в чем плохом тебя не подозревал, но порядок есть порядок, я никогда бы ничего не рассказал, но ты меня слезами замучила. И потом, твою репутацию камера спасла. Представляешь, что бы я подумал, не имея этой записи? Заподозрить секьюрити, стоящего у ворот, никому и в голову не придет. Сразу бы на тех, кто в доме работает, подумал. Окна подсоединены на пульт, а сигнала о взломе не поступало, следовательно, — вор свой. Знаешь, почему не звенело у охраны?

— Не-ет... — совершенно ошарашенно протянула Наташа.

— Так Петр сам сигнализацию отключил и помчался в мой дом, — пояснил Лавсанов. — Помнишь, мы ведь его вызывали, когда ты стекло случайно разбила? Новый датчик парень ставил и углядел, где деньги, я при нем достал их, приятелю в долг давал. А потом он придумал хитрый план, тебя виноватой хотел сделать. Конечно, это моя беспечность, но охранника я не опасался.

Наташа перекрестилась, и жизнь в доме снова вошла в свою колею, а потом у Сергея появилась новая любовница — Настя Звягинцева.

Очередная пассия хозяина абсолютно не понравилась Наташе. Во-первых, она никак не могла понять, сколько же лет девице. Та утверждала, что ей двадцать пять, и Сергей верил пронырливой киске, но у Наташи роились подозрения. Порой Настя вела себя совсем как хорошо пожившая, прожженная баба. Правда, фигура у нее была идеальная, лицо практически без морщин, но глаза говорили о зрелом возрасте. Еще Настя казалась ей неискренней, приторно-вежливой и показушно влюбленной в Лавсанова.

«Ничего, — думала Наташа, прислуживая противной девке, — скоро от тебя тут и запаха не останется. Чай, не первая такая, навидалась я всяких».

Но неожиданно Сергей привязался к Насте, прошел месяц, второй, третий. Звягинцева стала чувствовать себя в шикарном доме полноправной хозяйкой, а потом она решила стать певицей, и появился Свин.

Сергей уезжал из дома рано, возвращался за полночь. Бизнес требовал присутствия хозяина постоянно, и у Лавсанова совсем не оставалось свободного времени. Для своей любовницы он оборудовал на месте бильярдной студию, и туда стали приезжать музыканты.

Наташа только вздыхала, глядя, как плохо воспитанные парни топчут грязными кроссовками элитный наборный паркет и плюхаются в истертых джинсах на дорогую мягкую мебель, сделанную по специальному проекту. А еще они пили хозяйский коньяк, курили сигары Сергея и вообще вели себя развязно.

Один раз Наташа не выдержала и сказала Свину:

— Вы бы хоть ноги обтрясли чуток, вон какие ошметки грязи с подошв валятся!

— Молчи, чмо, — рявкнул продюсер, багровея, — будет мне тут всякая шваль замечания делать!

— Возьми тряпку и вымой, дрянь, — заорала Настя, услышавшая замечание, — живо, ишь, распустила язык! Завтра же велю Сереже вон гнать нахалку! Тебе деньги за уборку платят, а не за замечания хозяевам.

Внезапно Наташа обозлилась.

— Хозяин тут — господин Лавсанов, — высоко подняв голову, ответила она, — это он мне дает зарплату, причем очень хорошую, я служу тут не первый год. А вы кто? У Сергея Григорьевича бабы потоком через спальню текут. С какой стати мне вас слушаться, сегодня вы есть, а завтра нет!

Свин на секунду замер с открытым ртом, а потом со всего размаха отвесил Наташе пощечину. Настя, завизжав, тоже накинулась на обидчицу, но домработница увернулась, убежала и заперлась в своей комнате.

Наружу она вышла лишь на следующее утро, когда утих скандал, устроенный Настей любовнику. Сергей позвал к себе Наташу и заявил:

— Ты теперь убираешь мой кабинет, спальню, библиотеку и следишь за гардеробом. Остальное будет делать другая прислуга.

Наташа молча кивнула, а к вечеру в доме появилась тихая, незаметная Таня Рыкова. Первый месяц Наташа не разговаривала с Таней, а та, опустив глаза, тенью шмыгала по первому этажу и студии, прислуживая Насте и убирая за музыкантами. При виде Наташи вторая горничная бледнела и, прошептав: «Простите», вжималась в стену, стараясь стать практически незаметной.

Было понятно, что новенькая до одури боится Наташу. И еще она раболепно сгибалась перед Настей, смотрела на Звягинцеву с таким обожанием, что Наташе стало жаль дурочку. Впрочем, с неменьшим восторгом Таня бросалась выполнять и указания Лавсанова. Слова: «Хозяин сказал» она произносила с благоговением. Вскоре Наташа изменила свое отношение к Тане, поняла, что та ничего в жизни слаще морковки не ела. А потом Звягинцева начала петь в концертах, Таня и Наташа стали коротать вечера вдвоем, и Рыкова внезапно рассказала о себе.

Вот тут Наташе стало ее по-настоящему жаль. Бедная, затюканная отцом дебоширом и пьяницей девушка. Наташа сама провела детство около обнимающейся с бутылкой мамы и знала, что за счастье жить рядом с алкоголиком.

— Это ужасно, — внезапно вырвалось у меня, — постоянно находишься в страхе, ждешь, когда ключ в замке повернется, и задаешься вопросом, какой он явится. Совсем плохой или еще ничего. Это изматывает хуже скандалов!

— Сама небось с пьяницей живешь, — покачала головой Наташа, — гони его в шею! Имей в виду, все они захребетники.

Я прижала к груди внезапно онемевшие руки. Похоже, в моей жизни был опыт тесного общения с алкоголиками. Господи, кажется, постепенно начинаю узнавать о себе все больше и больше. Я увлекалась детективами, похоже, обожала Арину Виолову, училась музыке, любила животных, а теперь еще у меня и выпивоха в анамнезе. Надо спросить у Ирины, кто у нас в роду якшался с бутылкой: папа или мама?

В общем, жизнь в коттедже постепенно наладилась. Таня перестала бояться Наташу, а та больше не злилась на Настю, пришлось примириться и с тем, что малоприятная Звягинцева теперь полноправная хозяйка дома. Только приезды Свина нарушали статус-кво. В присутствии продюсера Настя делалась неуправляемой и хамила Наташе по полной программе. Сам же Свин прислугу иначе чем «эй, ты» и «чмо» не величал. Ему доставляло радость видеть, как домработница сначала свирепеет, а потом начинает плакать.

Сообразив, что Семен специально обижает ее, Наташа стала держать себя в руках и на все придирки Свина спокойно отвечала: «Слушаю! Как изволите! Что пожелаете?»

Теперь уже Свин начинал злиться, натолкнувшись на каменную стену равнодушия, сквозь которую не проникали брошенные им бранные слова. Поняв, что сумела переиграть продюсера, Наташа удвоила осторожность и ни разу не дрогнула, не крикнула, не дала повода пожаловаться на нее Лавсанову. Даже когда продюсер столкнул локтем со стола стакан с чаем и горячая жидкость вылилась на ногу Наташе, она не зарыдала. Настя поняла, что Свин переборщил, и бросилась к прислуге, восклицая:

— Господи! Это же так больно! Он случайно!

— Да, — сдерживая слезы, кивнула Наташа, — можно я отойду, обработаю ожог?

— Конечно, конечно, — закивала Звягинцева, — ложись отдыхай, Танька уберет.

— Время лишь семь часов, — напомнила Наташа.

— Все, — засуетилась Настя, — твой рабочий день окончен.

Наташа взяла в аптечке мазь, наложила толстым слоем на красную кожу, надела носки и легла. Неожиданно ее свалил сон.

Проснулась она около одиннадцати вечера, нога болела нестерпимо, очевидно, мазь не помогла. Вспомнив, что в кладовке, где хранятся продукты, есть запас лекарств, Наташа, хромая, доползла до кухни, открыла дверь и вошла в чулан. Впрочем, чулан не совсем верное слово, это была большая комната, в которой на стеллажах хранилась уйма вещей. Тут стояли банки с компотами, соленьями и вареньем, консервы из овощей, пакеты с крупами. Еще здесь имелся шкаф для вина, морозильник и всякая ерунда типа аптечки, тут же хранились рулоны туалетной бумаги, салфетки, электролампочки и прочая чепуха, столь нужная в быту.

Наташа стала рыться в ящичке в поисках какого-нибудь средства, чтобы унять боль в обожженной ноге.

Внезапно на кухне послышался шум.

— Скот, — произнес Лавсанов.

— Серега, ты что? — забубнил Свин.

— Положи на место, — рявкнул хозяин, — верни по-хорошему!

— Я ваще ничего не пойму! — воскликнул Свин.

— Где орел? — спросил Сергей.

— В сейфе, — вклинился в разговор голос Насти, — где ж ему быть?

— Вот что, голубки, — жестко заявил Лавсанов, — верните орла по-хорошему, и разбежимся без проблем. Я, памятуя о прежних отношениях, шум поднимать не стану. Орел не мой, он принадлежит Роману Кнутову. Я тебе, Настя, об этом говорил, лучше его верните.

— Сережа! Ты... — завела было Звягинцева.

— Не начинай, — оборвал ее любовник.

— Ваще, — заныл Свин, — какой, блин, орел? О чем речь? Никак не врублюсь!

— Пошел вон, сукин сын, — ответил Лавсанов, — прикидываешься одуванчиком? Хочешь объяснений! Ну, получи!

Наташа, трясясь от страха, стояла, прижав к себе коробку. Потом она подошла к двери кладовки, чуть-чуть приоткрыла ее и одним глазом стала наблюдать за происходящим.

Лавсанов облокотился о мойку и, с презрением глядя на Свина и Настю, заговорил. Наташа с трудом понимала, что происходит. Но когда суть дела стала ей ясна, домработница чуть не завизжала от радости, похоже, сладкую парочку выгонят сейчас вон.

У Лавсанова имелся друг, некий Роман Кнутов. Наташа никогда не видела этого парня и впервые слышала его имя. Но сейчас Сергей говорил о Кнутове, как о лучшем приятеле. Так вот, Роман отдал Сергею на хранение очень ценную вещь, которую Лавсанов называл орлом. Отчего Кнутов не положил сокровище в банк, по какой причине не захотел хранить его у себя дома, Лавсанов не объяснил. Естественно, орел лежал в сейфе. Сергей изредка проверял его наличие. Сегодня, решив в очередной раз удостовериться, что ценность на месте, Лавсанов не нашел раритет. И теперь он требовал:

— Верните орла и, возблагодарив меня за доброту, убирайтесь вон!

— Сбрендил! — закричала Настя. — Мне-то он зачем?!

— Верни его!

— Я тут ни при чем. Если Свин спер, то какой с меня спрос?

— Я даже не ходил наверх, — замахал руками

продюсер, — и ваще, я не в курсах, что ты где хранишь. Ну сам подумай, я Настю раскручиваю, мне охота ее звездой сделать, ты бабки даешь, ну кто станет рубить сук, на котором сидит?

— Ты, — спокойно прервал его Сергей, — и она! Вы оба! Если сейчас не отдадите, конец вам. Я точно знаю, что его вы взяли.

— Да? Откуда же? — прищурилась Настя.

Наташа, вспомнив про видеосъемку, замерла в радостном предвкушении. Вот сейчас Лавсанов скажет про камеры и выгонит наглецов вон.

Но Сергей лишь улыбнулся:

— Знаю, и все.

— Глупости, — топнула ногой Настя, — ты слишком много вина выпил, вот и несешь чушь. Орел на месте.

Лавсанов покраснел:

— Можем вместе подняться в кабинет и посмотреть, сейф пуст.

— Прислуга сперла, — быстро сказал Свин, — больше некому.

— Нет. Они вне подозрений. Это ты подсмотрела код, я часто при тебе в сейф лазил.

— Ага, меня-то обвиняешь, а свою сучку Наташку... — завела было Настя.

Тут Сергей отвесил любовнице пощечину. Настя взвизгнула и вцепилась ему ногтями в лицо, началась драка. Наташа зажмурилась, больше всего ей хотелось испариться из чулана, но она боялась выйти и теперь стояла с закрытыми глазами. Некоторое время на кухне раздавался визг Звягинцевой и мат дерущихся мужчин. Потом вдруг стало тихо, так пронзительно, что Наташа открыла глаза и сквозь всю ту же щель увидела жуткую картину.

Глава 17

Лавсанов лежал на полу, чуть поодаль валялся длинный нож, испачканный чем-то темно-красным. По светло-серой рубашке Сергея медленно расплывалось бордовое пятно, Свин и Настя, тяжело дыша, жались к буфету.

— Что делать? — еле слышно спросила Звягинцева.

Свин качнулся из стороны в сторону.

— Бежать быстро, через заднюю калитку.

— Куда?

— Ну... ко мне.

— Идиот! Нас же сразу найдут!

— И что? — возразил Свин. — Скажем, что уехали из поселка рано утром и не возвращались.

— Ничего не выйдет, — парировала Настя, очевидно, она сохранила более трезвую голову, чем деморализованный продюсер, — включи соображение! Да охрана видела, как мы приехали. И потом, через заднюю калитку лишь пешком уйти можно. Нет, следует что-то другое придумать!

— Господи, — задергался Свин, — вот ужас-то! Кошмар! Тюрьма!

— Заткнись! — рявкнула Настя.

Наташа стояла в чулане ни жива ни мертва. Только сейчас до нее дошло, что Свин и Настя убили Сергея. Первым желанием домработницы было вылететь и заорать: «Я все видела! Сейчас вызову милицию!» — но, поняв, что за ними наблюдал ненужный свидетель, Настя и Свин попросту придушат Наташу, им терять теперь нечего.

Пока несчастная домработница соображала, как поступить, Настя воскликнула:

— Знаю! Ты побудь тут.

— Что придумала, говори, — прохрипел Свин.

— Нас никто не видел, — напомнила Настя, — в доме никого нет.

— А поломойки?

— Наташка дрыхнет, — пожала плечами Настя, — ты же ей ногу обварил, а Танька... Ладно, погоди тут!

Свин остался у трупа. Некоторое время он стоял молча, потом подошел к Сергею, аккуратно засунул руку ему в карман брюк, вытащил портмоне, выудил оттуда деньги и сунул кошелек на место.

Бедной Наташе деваться было некуда, пришлось ждать, как станут разворачиваться события дальше.

Наконец Настя вернулась, вместе с ней шла Таня.

— Ой, — воскликнула прислуга, — господи!

— Значит, помнишь, да? — спокойно сказала ей Настя. — Ты сейчас берешь этот ножик и бежишь по дороге к домику охраны с криком: «Кто-нибудь, помогите!»

— Вообще-то, мне страшно, — поежилась Таня.

Настя схватила домработницу за плечи и встряхнула.

— Очнись! Я же расписала тебе, что будет! Найму лучшего адвоката, в тюрьму ты не попадешь, полежишь некоторое время в клинике, и все. Это просто больница, врачи, медсестры, таблетки. А за такую ерунду получишь квартиру и кучу денег.

— Страшно мне, жутко! — тряслась Таня.

— Чушь, — фыркнула Настя, — на вот еще.

Быстрым движением Звягинцева сняла с пальца кольцо с крупным бриллиантом, потом, поколебавшись секундочку, вынула из ушей сверкающие сережки и протянула драгоценности Тане:

— Бери.

Девушка машинально сунула бриллианты в карман.

— Вдруг я не справлюсь, — протянула она, — спросят меня в милиции чего, а я не отвечу.

— Ерунда, — решительно заявила Настя, — тверди одно: хозяин начал приставать, домогаться меня, я стала сопротивляться и нечаянно его ножиком ткнула. Все, стой на своем: ничего не помню, в глазах было темно. И все время знай, у тебя будут временные неприятности, совсем чуть-чуть, зато потом ты получишь квартиру и деньги.

— Я тебя звездой сделаю, — ожил Свин, — ей-богу, затмишь Пугачеву, знаешь, сколько она бабок имеет!

Обработка Тани продолжалась довольно долго, наконец она согласилась.

— Мы пойдем в комнаты, — быстро сказала Настя, — сделаем вид, что спим, пусть нас охрана разбудит. Я потом скажу, что Свин приехал в гости и заночевал. А ты выжди тут пару минут и беги. Давай бери ножик-то, бери.

Таня подобрала кухонный нож. Свин и Настя мигом испарились. Наташа выскользнула из чулана.

— Не смей! Немедленно положи орудие убийства на место и иди к охране. Расскажи, как тебя подкупали.

Таня вздрогнула:

— Нет, я поступлю по-ихнему.

— С ума сошла!

— Мне квартира нужна и деньги. А еще Семен обещал звездой меня сделать!

— Ты дура! Ладно, я сама на пост смотаюсь.

Таня схватила Наташу левой рукой за плечо, продолжая сжимать в правой нож, она зашептала:

— Натуся, не лишай меня счастья. Сейчас менты придут, дом опечатают, и куда я потом пойду! Домой? К отцу, который снова бить меня начнет? А так через пару месяцев я получу все, о чем мечтала. Ну какое тебе дело, а?

— Настя тебя обманет!

— Нет, она меня из грязи вытащила, хозяйка не такая, это у тебя с ней нестыковка вышла.

— В тюрьму сядешь!

— Что ты! Настя обещала меня в клинику устроить.

В глазах Тани была такая надежда, что Наташа пробормотала:

— В конце концов, это твое дело.

— Спасибо, — кивнула Таня, — ты ступай к себе и сделай вид, что спишь.

Наташа замолчала и включила чайник.

— Знаешь, чем дело кончилось?

— Догадываюсь, — ответила я, — ничем хорошим!

— Вот-вот, — кивнула домработница. — Таню запихнули в дурку, она там по сию пору парится. Настя быстренько смылась, где теперь она живет, чем занимается, я понятия не имею. А Свин на коне, похоже, с деньгами, причем огромными. Сейф в кабинете после смерти Сергея оказался пустым, ничего ценного в нем не нашли. Хотя у Лавсанова много чего имелось: одних запонок с камнями и зажимов для галстуков было штук двадцать. Но ничего не обнаружили, вот так.

— И ты не сказала милиции про кражу?

Наташа вздохнула:

— Нет.

— Но почему?

Домработница насупилась:

— Ну... не хотела Таньке малину портить. Вдруг я ошиблась и ей в самом деле бы куча всего обломилась? Маловероятно, конечно, но могло так случиться. А потом...

Наташа замолчала.

— Продолжай, пожалуйста, — поторопила я ее.

— Я испугалась, — нехотя произнесла Наташа. — Что я в жизни умею? Только на людей работать. И кто меня к себе в дом возьмет, если в деле об убийстве замешана буду?

— Так ведь ты лишь свидетель!

— Это самое плохое для нанимателя.

— Но почему же?

— Значит, я не умею язык за зубами держать, — объяснила Наташа, — хорошая горничная вообще ничего не видит и не слышит, кроме указаний хозяина. Что в семье происходит, не ее дело, она должна помалкивать. Вот я и отвечала на все вопросы ментов: «Извините, обожгла ногу и свалилась в кровать. Когда засыпала, все нормально было».

— Ты спасала Свина и Настю...

— Нет! О себе в первую очередь подумала, — горько сказала Наташа, — на хорошее место потом пристроилась, сюда, в Алискино. Только меня совесть мучить начала. Прикинь, Танька пару раз приснилась. А все из-за фильма.

— Какого?

— Да вон, — Наташа ткнула пальцем в яркие коробочки, лежавшие на подоконнике, — хозяева понакупят роликов, сами поглядят, потом нам отдают. Ну и попалась мне лента про то, как люди в дурке живут! Вот где кошмар-то! И начала мне Таняха сниться. То ее к кровати привязывают, то насилуют, то бьют...

Уставившись в окно, Наташа стала изливать душу. Муки совести терзали ее и перед Новым годом стали просто невыносимыми. Желая избавиться от кошмаров, Наташа попросила своего нового хозяина, бизнесмена:

— Не могли бы вы мне помочь?

— Давай, воркуй проблему, — ухмыльнулся тот и полез за кошельком.

— Нет, нет, — остановила его порыв Наташа, — дело в другом. У меня подруга оказалась в спецклинике, родственников она не имеет, адресок бы узнать...

— «Дачку» притащить хочешь? — догадался бизнесмен.

— Да, и поговорить нам надо.

— Говно вопрос, — усмехнулся работодатель, — это как два пальца об асфальт.

Через три дня Наташа очутилась в Малине.

— Где? — перебила я домработницу. — Малино?[1]

— Ну да, — кивнула рассказчица, — Таню туда определили. А что?

— Да нет, ничего, — пробормотала я, вспоминая, что Ира называла другой адрес, — просто мне смешным показалось слово — «Малино».

— На мой взгляд, ничего веселого, — с тяжким вздохом констатировала Наташа, — страшное место. Вроде чисто кругом, ремонт сделан, а давит, просто ложится на мозги камнем тамошняя обстановка.

— Вы поговорили с Таней?

— Нет.

— А почему?

Наташа включила чайник.

— Она ко мне не вышла, отказалась от свидания. Передачу взяла, велела сказать спасибо и что живет нормально, записочку написала, да... написала...

---

[1] Автор не считает нужным давать подлинные адреса мест, где содержатся несчастные умалишенные люди, преступившие закон.

— И что в ней было? — заинтересовалась я.

Наташа молча налила нам кофе.

— Что было... Три фразы: «Спасибо за вкусное. Обо мне не беспокойся, все хорошо, жить везде можно. Так мне и надо». Я вообще спать перестала, ворочаюсь, ворочаюсь... Поговорить не с кем.

Она замолчала. Из гостиной доносились разухабистые звуки музыки, топот, гиканье. Очевидно, блондиночки все же не дали своим несчастным мужьям тихо подремать после обильных возлияний и заставили бедных толстяков пуститься в пляс. Но в кухне, даже несмотря на то, что голос Риты проникал сюда, было очень тихо, словно в крематории в тот момент, когда смолкает похоронная мелодия и гроб с легким шуршанием уезжает в никуда.

— Я больше не могу так, — призналась Наташа, — просто съела себя! Сделай одолжение, съезди к Тане, за мой счет, конечно, оплачу тебе услуги и дорогу. Может, она с незнакомой женщиной поговорит!

— Навряд ли.

— Ну тогда соври, что тебя Настя послала! Тогда она точно клюнет.

— Но зачем мне ехать в Малино? Если хочешь искупить вину, ступай в милицию и расскажи правду, хотя... Кто ж тебе поверит? Этак всякий может бог знает что натрепать.

Наташа переменилась в лице.

— Доказательство есть! Помнишь, я говорила тебе про пленку, ну, про запись, которую в доме Лавсанова вела камера? Настя и Свин понятия не имели, что их действия фиксируются.

— И что, милиция не изъяла это вещественное доказательство?

— Я их опередила, — помотала головой Наташа, — когда Таня побежала к охранникам, я проникла в кабинет хозяина и быстро вытащила пленку. Он же мне все показывал, я тебе говорила уже. Сергей потом просматривал материал на мониторе, информация сохранялась на жестком диске. Я ее переписала на кассету и с собой взяла. А на диске все стерла. Да, по-моему, менты ничего не смотрели особо, Таня ведь призналась в убийстве.

— Ты умеешь пользоваться компьютером? — я с уважением посмотрела на собеседницу.

Та, слегка порозовев, ответила:

— Дело нехитрое, у меня ноутбук есть, самый недорогой купила, люблю по ночам в Интернете бродить, здесь в доме выделенная линия есть, хозяин разрешил подключиться.

— А почему Настя и Свин не заметили камеры? — спросила я.

— Так это была крошечная аппаратура — шпионское оборудование, очень хорошо замаскированное. Хозяин не хотел, чтобы кто-то об этом знал, — объяснила Наташа.

— Так в чем дело! — подскочила я. — Отнеси эту пленку в соответствующие органы, Таню освободят, а у тебя совесть успокоится.

Наташа взяла со стола зубочистку, разломала ее на мелкие кусочки и сказала:

— Боюсь хуже Таняхе сделать. Я ведь не знаю, как дело обстоит. Конечно, это маловероятно, но вдруг Настя слово сдержала и квартиру ей купила?

— Так Рыкова же в клинике, — напомнила я.

— Ну и что! Выйдет когда-нибудь и поселится. И вдруг Звягинцева в клинику ездит, а? Мне надо точно знать, что Таняша ничего не получила, пойдя на аферу. И еще...

— Что?

— Боюсь информацию открывать, говорила

ведь уже, что потом на работу не устроюсь. Представляешь, какой лакомый кусочек для газет? Завоют, завизжат, начнут мое имя полоскать.

Музыка стихла.

— Похоже, твои отпелись, — мрачно сказала Наташа.

— Послушай, — быстро сказала я, — давай сделаем так. Ты организуешь мою поездку в Малино, ну, скажешь, к кому мне там подойти, чтобы дали с Таней поговорить. Если ее обманули, тогда ты отдашь мне запись, а я уж сама опубликую эту историю в прессе. Твоя фамилия даже не будет упоминаться. Просто я сообщу: получила материал от источника, который пожелал сохранить инкогнито. Убьем двух зайцев: освободим Таню и отомстим Свину.

— Давай номер своего телефона, — велела домработница.

Я улыбнулась:

— У меня нет мобильного.

Наташа быстро нацарапала на листке строчку и протянула его мне.

— На, держи мой номер, теперь скажи, как тебе домой звонить.

Я взяла салфетку, начала писать, и тут в кухню заглянула Рита. Старательно изображая капризницу, она прогундосила:

— Танька, чего расселась? Живо шмотки собирай! Нам еще на день рождения ехать!

— Куда? — изумилась я.

— На тусню, — рявкнула Рита, — хорош базлать, мы работаем, а она тут кофием наливается, макака немазаная!

Наташа фыркнула и отвернулась к окну. Я быстро выскочила в коридор и прошептала:

— Ну про макаку это уж слишком!

Рита хихикнула:

— Извини, стараюсь изо всех сил. Давай собираться, я смертельно устала, а еще предстоит на этот кретинский сейшн[1] рулить.

— Да, — улыбнулась я, — ты устала? А мне показалось, что тебе собачка здорово помогла.

— Ой, прикол! — взвизгнула Рита. — Голос-то какой! Кое-кто из наших позавидовать может.

Быстро собрав сумки, мы уселись в машину.

— Ну чего, едем? — спросил, зевая, Митька.

— Свина ждем, — протянула Рита, — и куда он пропал!

Тут на дорожке показался продюсер, его лицо по цвету напоминало сырой говяжий фарш. Извините, конечно, но приводить тут слова, которые он произнес, я сейчас не стану.

— Что, Свинушка, — хихикнул куривший около автобуса Ванька, — похоже, хозяева не захотели поговорить с тобой на равных?

— Сволочь, — рявкнул Семен, влезая в «мерс», — корчат из себя дворян, два пальца протягивают, губы кривят! А то я не знаю, откуда ихнее богатство взялось. Прямо-таки сами заработали!

— Их, — вдруг тихо сказала Рита.

Свин удивленно посмотрел на певицу.

— Ты о чем?

— Не «ихнее» богатство, а «их», — продолжала она, — ты неграмотно говоришь! Их богатство. Слова «ихнее» в русском языке нет!

Я тяжело вздохнула. Ну сейчас начнется! Зря Рита полезла на рожон! Еще секунда, и Свин завопит. Но продюсер поступил нестандартно. Абсолютно спокойно он вышел из автомобиля, открыл заднюю дверь, выволок наружу Риту, швырнул ей под ноги сумку и велел:

---

[1] С е й ш н — мероприятие (*сленг, искаженн. англ.*).

— Езжай на автобусе со всеми, коли такая умная, а я уж, малограмотный неуч, на своем честно заработанном «мерине» отправлюсь. Танька, вылазь и шмотки этой, образованной, прихвати, нефиг в лимузинах раскатывать!

Поняв, что стала жертвой чужого скандала, я ящерицей вынырнула из салона, не забыв взять портплед и ящик с косметикой.

— Чао бамбино, синьорита, — ухмыльнулся Свин, устроился возле Митьки и, очень ласково сказав: — Глафира, дуй на тусовку, Кудрявенький ждет, — приказал шоферу: — Вперед, да не тряси!

«Мерс» исчез, оставив после себя легкий запах бензина.

— Да, — хохотнул Ванька, вывешиваясь из окошка микроавтобуса, — тяжела и неприкаянна жизнь эстрадного артиста, ты-то чем его так обозлила?

Рита поправила волосы.

— Идиот! Разговаривать не умеет! «Ихняя», «ложит», просто стыдно!

— Ну ты даешь, — из автобуса подал голос Костя, — забыла, кто кому платит? На штаф посадит, ничего за концерт не получишь!

— Сволочь он! — резюмировала Рита.

— Ты в другой раз-то свой ум не демонстрируй, — посоветовал Ванька, — может, у Свина в Фиговске, откуда он родом, так говорят. Ну вроде как в Питере: у нас подъезд — у них парадное, в Москве люди батон хлеба просят, а в северной столице булку белого. Мы тут балакаем «их деньги», а на свиновской родине «ихние тугрики» бормочут, понимать надо!

— Свин не москвич? — поинтересовалась я, втискивая вещи в минивэн.

— Нет, — мотнул головой Костя.

— Откуда он? — спросила я.

— Хрен его знает, — пожал плечами Ванька, — появился незнамо откуда, нам сие неинтересно. Главное, он деньги зарабатывать умеет.

Глава 18

Микроавтобус поплюхал по шоссе.

— Вот беда, — зевнула Рита, — чтоб он сгорел!

— Кто? — спросила я.

— Кудрявенький со своей тусовкой, — ответила певица, — спать хочу немыслимо!

— Давай поедем домой, — предложила я.

— Нельзя, — грустно ответила Рита, — просто невозможно! Софка никогда не простит!

— Ты о ком? — недоуменно поинтересовалась я.

— У Кудрявенького есть секретарша, — Рита принялась вводить меня в курс дела, — имечко ей Софья Константиновна, но все кличут даму Софа. Жутко стервозная особа. Кудрявенький-то обидчив, но отходчив, а эта грымза памятлива, словно медведь-гризли. Она обид не прощает. Так вот, у Софки в руках список гостей, и она в нем галочки ставит. Ну, допустим: Митя из «Баблз» приехал одним из первых, в подарок привез вазу дорогую, сидел до утра. А вот Арабелла прикандыбала под самый конец тусни, приволокла в качестве презента свой диск, повертелась десять минут, и ау!

— Ну и что? — пожала я плечами.

Рита постучала кулаком по лбу.

— Тумба ты! Пройдет неделя, заявится Арабеллин продюсер к Кудрявенькому и запоет: «Что-то мы давно у вас не звучали». И тут Софа своему начальнику и надует в уши: «Арабелла вас не уважает, на день рождения плохо поздравила, всего секунду посидела и уехала, денег на подарок пожалела. Вот Митя из «Баблз» другой». И что получится?

Я, моргая, смотрела на Риту.

— Из всех громкоговорильников Митечка орать станет, а Арабелла исчезнет, — закончила моя новая хозяйка, — а у нас знаешь как: либо ты у людей постоянно в ушах звучишь, либо умер. Три месяца в эфире нет, народ тебя забыл. Ты в курсе, кто такой Кудрявенький?

— Нет, — потрясла я головой.

Ванька вытащил из кармана плоскую фляжку, сделал пару шумных глотков и, закручивая пробку, пояснил:

— Кудрявенький — владелец сети радиостанций, с ним ссориться ну никак невозможно! Захочет, мигом кислород перекроет. Никакие им организованные сейшны пропускать нельзя. Во-первых, на них всегда полно журналюг, и обязательно попадешь в какую-нибудь газету...

— Например, в журнал «Свиноводство», — хихикнул Костя, с интересом слушающий наш разговор.

— Ну и что? — не сдался Ванька. — Его тоже люди читают, пусть про Глафиру узнают. Лично мне все равно, кто где денежки заработал, чтобы за концерт платить! А во-вторых, насчет Софки — это чистая правда!

— Прямо вот так в эфир не выпустит? — Я пыталась разобраться в ситуации. — А если песня хорошая и люди ее любят?

Рита засмеялась:

— Эх ты, наивняк, никто по этому поводу не парится.

— Знаешь, как Кудрявенький говорит, — встрял в наш разговор Костик. — «Если я каждый день стану в жесткой ротации твердить стишок «Уронили мишку на пол, оторвали мишке лапу», пипл[1] сначала возмущаться станет, а потом привыкнет, затем распевать начнет, и вскоре эта «песня» все первые места в рейтингах займет. Главное, чтобы музыка постоянно у народа в ушах звенела, а имя исполнителя по газетам полоскалось, и готово — звезда! Суперстар!

— Хорош трепаться, — отчаянно зевая, сказала Рита, — лучше вон там притормозите, у магазина.

— С какой стати? — возмутился Ванька.

— А подарок?

— Во черт!

— Что бы вы без меня делали, дураки? — снисходительно заметила Рита. — Пошли, Таньк, пусть эти «битлз» в машине сидят, только мешать нам будут.

Оказавшись в огромном торговом зале, Рита стала рассуждать вслух:

— Ну что можно подарить козлу, у которого имеется золотой прииск? Не тащить же ему сотую зажигалку? Да, вот задача!

— Купи туалетную воду.

— Фу!

— Ручку, дорогую.

— У него их до фига.

— Рубашку, галстук, кашне, часы, брючный ремень...

— Еще трусы присоветуй, — скривилась Рита.

— Тогда не знаю, — сдалась я.

— Вот и я тоже, — начала было певица, потом, не договорив, рванула в отдел игрушек. — Смотри, какой прикол!

---

[1] П и п л — народ *(сленг, искаженн. англ.).*

Тоненький пальчик хозяйки с длинным острым ноготком ткнул вниз, я опустила голову. На полу в углу сидело нечто огромное из фиолетово-розового бархата. Голова чудища была украшена круглыми очками, шеи у него не наблюдалось. Квадратный подбородок лежал на широкой груди, плавно перетекающей в живот. Из туловища торчали коротенькие обрубочки, четыре штуки. Верхняя пара, очевидно, являлась руками, нижняя ногами. На поясе у чудища висела круглая коробочка с изображением ноты «ля».

— Вау! — взвизгнула Рита и дернула продавщицу за плечо. — Эй, скажи, это кто?

— Брамбес, — ответила девушка.

— Кто? — переспросила я.

— Брамбес, главный герой мультика «Путешествие во времени», не смотрели? — оживилась продавщица. — Очень стебный! Он еще и разговаривает, нажмите сюда!

Рита ткнула кулачком в коробочку.

Брамбес заморгал маленькими глазками, открыл большой рот и изрек:

— Хр... бр... пр... кха-кха-кха... ай бонт... кронт...

— О чем он толкует? — напряглась Рита.

Продавщица заморгала, мне стало понятно, что девушка, как и я, совершенно не знает английского языка и не может перевести монолог монстра.

— Слышь, Кать, — крикнула Рита, — чего Брамбес бубнит?!

— «Добрый день, поздравляю, сейчас спою песенку», — донеслось из глубины зала. — Ткните его еще раз, он мелодию заведет, здоровскую такую, веселую.

— Не надо, — предостерегла Рита продавщицу, — без музыки обойдемся, сами, если надо, запоем. Берем! Абсолютно бесполезная вещь, большая, просто то, что надо.

— Мы его сейчас оденем, — засуетилась продавщица, — к Брамбесу костюмчик есть, вот смотрите: белая рубашка, пиджак, брюки, галстук и даже зажим для «гаврилки» имеется, под золото, с буквой Б. Классно, а?

— Супер, — согласилась Рита, расплачиваясь. — Вы урода пока обряжайте, а мы за цветочками смотаемся.

Брамбес оказался очень тяжелым, я еле-еле доволокла его до автобуса. Рита при всем желании никак не могла мне помочь, ее руки были заняты огромным колким веником из пятидесяти одной кроваво-красной розы.

— Вы бы, девки, еще домашние тапочки купили! — возмутился Ваня.

— Белые, — хихикнул Костя.

Я, еле дыша от напряжения, впихивала неподатливое тело Брамбеса в автобусик. Монстр сопротивлялся изо всех сил, цепляясь руками и ногами за все выступающие части.

— В другой раз сами идите, — обозлилась Рита, — легче всего других критиковать. Знаешь, объяснить человеку, что он неправильно поступил, элементарно просто, а вот показать, как нужно сделать, намного труднее.

Тихо переругиваясь, мы докатили до места, где происходило торжество.

— Таньк, бери урода, — велел Ванька.

— Он тяжелый.

— И че?

— Может, поможешь? — с легкой надеждой спросила я.

Ваня выпучил подкрашенные глаза:

— Думай головой. Мы — звезды! Нам западло самим такое таскать. На то есть специально обученные люди, в данной ситуации — это ты. Хватай страшилище да топай за нами, приседая и кланяясь. Имей в виду, это пока мы тут, в автобусе, среди своих, ты тоже человек, а на тусовку вас, черную кость, не звали! Ясненько?

Я молча стала вытягивать гнусно ухмыляющегося Брамбеса наружу. Спасибо, Ваня, что указал мне на мое место.

В зале, украшенном гирляндами цветов, стояла очередь из гостей. Все держали в руках пакеты, коробки, кульки, перевязанные яркими лентами. От роскошных букетов одуряюще пахло. Аромат лилий, роз и каких-то неизвестных мне экзотических растений смешивался с благоуханием разнообразного парфюма, коим щедро облилась публика. У меня защипало в носу, а на глаза начали наворачиваться слезы. Интересно, вдруг у меня аллергия на что-нибудь? Очень некстати было бы сейчас свалиться тут в приступе кашля или с отеком Квинке.

Рита пристроилась в хвост.

— А почему здесь очередь? — наивно поинтересовалась я.

— Так к Кудрявенькому стоим, — пояснила Рита, — подарки вручать, поцелуи раздавать. Сейчас оближем благодетеля, коньячку хряпнем, тарталеточку сожрем, пару гадостей друг другу скажем, и адью!

Я стала оглядываться по сторонам.

— Ой, сколько народа!

— Ничего удивительного, — стала меня вводить в курс дела Рита, — вообще тусовка делится на две части. Первая, самая большая, это профессионалы.

— Кто?

Певица кивнула в сторону седовласого, пожилого мужчины, одетого самым странным образом. Крупное, накачанное тело обтягивали джинсы молодежного покроя, торс облегала майка, сделанная из рыболовной сети. К престарелому красавчику жалась девчоночка щенячьего возраста, очень хорошенькая, просто картинка.

— К вопросу о профессионалах, — стала самозабвенно сплетничать Рита, — знакомься, плейдед Игорек. Вроде он писатель, но книг его не видела. Шляется по всем светским мероприятиям, постоянно в сопровождении дурочек, лет им столько, что нашему Игорьку суд больше даст, если, конечно, узнает, чем дедуся занимается. Сам он, правда, уверяет, будто еще и полтинник не разменял. Хотя следует признать, Игоряша не самый противный, он малышек в свет выводит, экономит на ресторане и пыль в глаза глупышкам пускает, дескать, со всеми дружу. А вон там парнишка-красавчик, видела?

— Да, — кивнула я.

— Актер Васенька, специалист по стареющим эстрадным дивам, — захихикала Рита, — переходящее знамя.

— А где он играл?

— Пока нигде.

— Почему же актером называется?

Рита развеселилась окончательно.

— Что же ему, альфонсом представляться? А вон там Ардо маячит, музыкальный якобы критик, про всех гадости пишет, но он хоть работает, гнида. А остальные! Цирк прямо, с вечеринки на вечеринку кочуют, все, как один, великие, только никто их картин не видел, книг не читал, песен не слышал. Впрочем, им не позавидуешь. Прикинь, как тяжело по банкетам носиться. Опять же с одеждой проблема, в одном и том же показываться нельзя.

— А нормальные люди тут есть?

— Ага, — кивнула Рита, — это вторая часть туски, те, кто редко веселиться ходит. Нина Загребина, вон та, в желтом костюме, она косметолог, новых клиентов ищет, Рома Красков, модельер, Саша Бронский — стилист... Эти по работе пришли. Ой, привет!

— Кому это ты машешь?

— Марине Батиной.

— Как? Самой Батиной? Эта невзрачная женщина в джинсах суперпопулярная певица?

— Точно.

— Почему она так просто одета?

Рита тяжело вздохнула:

— Знаешь, у меня от твоих вопросов голова кругом идет. Почему, почему! По кочану! Батина себе имя уже сделала. Чем выше звезда, тем меньше спеси, если нормальный человек, конечно. А если два дня на эстраде, вот тогда — да! Софочка! Ты шикарно выглядишь!

Я вздрогнула и увидела стройную даму неопределенного возраста, облаченную в черное платье — безукоризненный наряд, к которому невозможно придраться.

— Я очень рада встрече, — улыбнулась секретарша всесильного босса.

— Ты меня не узнала? Я Глафира!

— Глаша! Новый имидж?

— Йес!

— О! Отлично! Полнейшее перевоплощение. Даже голос изменился, — Софья явно издевалась над Ритой, мигом поняв ситуацию.

Риточка суетливо стала совать клевретке букет.

— Это тебе.

— Мне? С какой стати?

— Просто из любви, — щебетала моя хозяйка.

Разинув рот, я наблюдала за происходящим, и тут кто-то грубо начал выхватывать у меня Брамбеса.

— Я сам вручу подарок, — прошипел невесть откуда взявшийся Свин.

— Эй, — возмутилась я, — это Глафира купила!

— Давай сюда!

— Но она без презента останется.

— Поспорь еще! — рявкнул Свин.

Тут толпа внезапно рассосалась, и мы очутились возле именинника. Я постаралась не расхохотаться во весь голос. Стало понятно, отчего ехидные люди шоу-бизнеса прозвали этого типа Кудрявеньким. На отполированном до блеска черепе виновника торжества не было ни одного волоса.

— Дорогой мой, — взревел Свин, — я просто счастлив, что вижу тебя! Спасибо за приглашение.

— Тебе спасибо, что нашел время, — оскалился Кудрявенький, — там, в зале, подан легкий закусончик, надеюсь, отдохнешь, расслабишься.

— Уж я прям не знал, что тебе подарить, — принялся врать Свин, — полгода голову ломал, мучился, ну неохота VIP-набором отделываться. Хотел нечто эксклюзивное подарить, чтобы не как у всех. И вот нашел!

Продолжая улыбаться, продюсер вырвал из моих рук Брамбеса и посадил его рядом с Кудрявеньким.

— Смотри, какой классняк, — вещал Свин, — я специально заказал его в Лондоне в магазине «Сувенир эксклюзив», его четыре месяца изготавливали. Я даже бояться начал, что не успеют к дате. Только сегодня, сволочи, самолетом прислали! Видишь, как я тебя люблю! Думаю, никто ничего подобного не подарил!

Я с уважением покосилась на Свина. Однако он ловкий человек! Мигом сочинил историю, такое не всякому дано. Сейчас Кудрявенький произнесет приличествующие случаю слова благодарности, мы быстро проглотим пару бутербродов и можем наконец-то ехать домой!

Но отчего-то в зале, битком набитом людьми, установилась странная тишина. Кудрявенький начал медленно приобретать фиолетовую окраску.

— Во прикол, — с восхищением прошептал некто за моей спиной, — даже зажим для галстука с буквой Б.

Я уставилась на Кудрявенького. На носу устроителя праздника сидели круглые очки, шеи не наблюдалось, квадратный подбородок лежал на широкой груди, плавно перетекающей в живот. Из туловища торчали коротенькие обрубочки. А теперь прочитайте описание Брамбеса. Здорово, да? Да еще, как назло, всесильный владелец радиовещательной сети был облачен в темный костюм, белоснежную рубашку, а галстук его украшал зажим с буквой Б. И какая разница, что Кудрявенький приобрел свой прикид в супер-пупер фирме и заказал украшение у ювелира? Брамбес в одежонке, сделанной рукастыми китайцами, смотрелся ничуть не хуже, а заколка, прихватывающая его «гаврилку», была точь-в-точь такая же, как у Кудрявенького: золотая с весело переливающимися камушками.

— Класс, — шептал голос за спиной, — честно говоря, Свина я терпеть не могу, но сейчас прям зауважал! На такое не всякий отважится! Он небось в Лондон фотку отправил. Одно не пойму, откуда он узнал, что Кудрявенький на тусовку нацепит? Не иначе как подкупил его прислугу.

И тут Ванька, решивший нарушить ужасное молчание, суетливо воскликнул:

— Игрушечка еще и петь может!

Свин разинул рот, но Ванька уже ткнул пальцем в коробочку.

— Фр... хр... пр... — понеслось над толпой, — ай... Грохнул хохот.

— Вау, — простонал за мной тот же голосок, — это еще прикольней!

Я обернулась, увидела щуплого мальчика в розовой блузочке со стразами и спросила:

— Понимаете, о чем он поет?

— Конечно, — кивнул тот.

— Сделайте одолжение, переведите.

— Я супербосс, всех раздавлю, голову оторву, кто обидит Брамбеса, тот покойник, вон, вон, убирайтесь прочь, лучше убить, чем вам помочь, — радостно сообщил юноша и сложился пополам от смеха.

Защелкали вспышки фотоаппаратов, журналисты кинулись к Кудрявенькому, толкая друг друга, они гомонили:

— Встаньте около двойника!

— Классный прикол!

— Вот это снимочек будет!

Кудрявенький, очень хорошо понимающий, что случившееся нужно обернуть шуткой, обнял Брамбеса.

— Действуйте, ребята, — велел он борзописцам, — я давно так не смеялся. Я его работать посажу, а сам подамся в горы, на лыжах кататься.

После того как были сняты все кадры, Кудрявенький глянул на Свина и ласково сказал:

— Ну спасибо, порадовал!

— Да уж, — с каменным лицом повторила стоявшая рядом Софа, — повеселились!

— Очень рад, — в полуобморочном состоянии кивнул Свин.

— Я тебе этой радости никогда не забуду, — с самым невинным видом пообещал Кудрявенький. — Эй, кто-нибудь, отведите моего лучшего друга выпить!

Два парня в безукоризненных костюмах схватили продюсера под руки и, преодолевая его слабое сопротивление, повели того в дальнюю часть зала, где были накрыты длинные столы.

— Таньк, — зашептала Рита, — рвем когти, пока живые, давай, шевели ходулями, Свин незлопамятный, ну, поорет завтра и забудет, а вот если сейчас ему под руку попадемся, кирдык нам всем, а тебе в первую очередь.

— Почему мне? — испугалась я, пробираясь сквозь толпу.

— А Костька шепнул Семену, что покупка Брамбеса была твоей идеей, — сообщила Рита. — Ну с какой стати ему это в голову взбрело?

Я со страшной скоростью побежала к двери. Согласна, сейчас лучше исчезнуть из поля зрения Свина, а с Костей я поговорю позднее.

Глава 19

Ночью мне не спалось. Я раскрыла окно, высунулась наружу, увидела несущуюся по улице ленту машин, и меня охватила тоска. Москва, похоже, никогда не засыпает. Интересно, как мне понравилось тут в первый день? Сейчас, например, меня совершенно не радует сидеть в каменном мешке, вдыхая смог. Думается, лучше было бы на природе. Интересно, какой дом был у нас в

Краснолеске? Перед глазами возник деревянный дом, сделанный из бруса, зеленого, а может, голубого цвета.

— Воду опять отключили, — донеслось изнутри.

— Значит, не помыться, — произнес женский голос.

Ярко вспыхнувшая картина погасла. Может, мы жили в частном секторе, имели огород, баню, и поэтому мне сейчас так плохо в мегаполисе? Да я тут просто задыхаюсь! С какой стати Ирина, возжелавшая денег и славы, потащила меня с собой? Отчего не оставила сестру в покое? Лично мне, похоже, ничего не нужно, хочется просто полежать в кровати, почитать детективчик, съесть пару конфет.

Внезапно я обозлилась. Хорошо, пусть я подлая убийца по имени Таня, которая совершенно ни за что отравила своего мужа. Ладно, согласна, я гадкое, безнравственное существо, ленивое, эгоистичное. Я сидела целыми днями дома, висела камнем на шее у Ирины, а потом еще стала преступницей. Только, очевидно, амнезия в корне меняет личность! Потому что сейчас мне глубоко противна Татьяна Кротова, хоть я и являюсь ею. Да, я так жила, но больше не хочу! Мне кажется подлым заниматься шантажом, даже если объектом его является отвратительный Свин. Мне не по нутру красть у сонного мужчины ключи, а потом обыскивать его квартиру. Конечно, получить миллион долларов очень соблазнительно, только я не способна добывать деньги таким путем даже ради спасения собственной шкуры.

Я захлопнула окно, потом пошла в туалет, выбросила пузырек со снотворным и легла в кровать. Но сон не шел, в голове крутились разнообразные мысли, тяжелые, словно бочки с водой, и колючие, будто морские ежи. С одной стороны, мне нужно позвонить сестре, она столько для меня сделала: влезла в долги, вытянулась в нитку, но устроила в больницу. Следовательно, сейчас я просто обязана сообщить Ире, что нет никакой необходимости шарить в квартире у Свина, потому что Наташа имеет в руках совершенно бесценную запись, с другой...

Не додумав мысль до конца, я схватила трубку и нервно потыкала в кнопки.

— Да, — донесся сквозь грохот музыки голос Иры, — слушаю.

— Это я.

— Кто? — сестра попыталась перекричать шум.

— Таня!

— Сейчас, погоди, — донеслось сквозь гром аккордов, и в ухо полетели короткие гудки.

Я положила телефон на диван. Наверное, я не вовремя побеспокоила Иру, для нее ночь — рабочее время. Небось стоит сейчас где-нибудь за кулисами или топчется в клубе, добывая очередную сенсацию.

Стало душно, я распахнула окно, в комнату вползли смог и шум. Отчего-то на душе было гадко. Нет, я не могу, не хочу, не стану заниматься шантажом. Съезжу в это Малино, поговорю с Таней и, если пойму, что несчастную девушку обманули, возьму у Наташи пленку. Телефон зазвонил.

— Я в туалет спустилась, — пояснила Ира, — говори, чего хотела!

— Откуда ты знаешь этот номер? — изумилась я.

— Определитель его показал, ну, давай, а то мне некогда.

Я попыталась объяснить ситуацию.

— Ясно, — протянула Ирина, — эта Наташа, значит, сейчас служит в Алискине... Вот что, надо к ней поехать и выпросить пленку.

— Она ее сама отдаст, если я, после похода в больницу скажу, что Таню обманули.

— Незачем время зря терять, — сердито возразила Ирина, — нам эта Таня до лампочки, самим спасаться надо. Не нужно ездить в Алискино.

— Наташа мне телефон дала, — перебила ее я.

— И не звони! — рявкнула Ира. — Выждем дня два-три, а потом скажешь, что побывала в клинике. Забудь про эту Таню, о себе подумай. Ясно? Ну здорово, само в руки приплыло!

— Но мне... — попыталась я продолжить рассказ.

— Нефига ездить! Пуганем Свина и уедем!

— Нет!

— Что «нет»? — оторопела Ирина.

— Не могу.

— Ты о чем?

— Прости, Ира, — затарахтела я, — понимаю, что доставила тебя кучу неприятностей, но теперь все пойдет по-иному! Знаешь, я сильно изменилась. Не хочу строить свое счастье на несчастье других.

— Похоже, ты и впрямь здорово перекосилась, — зло ответила Ира, — раньше-то тебя не очень мучили размышлизмы, жила словно канарейка. Корм я тебе приносила и в клювик вкладывала. А ты лишь принимала его, особо не интересуясь, где и как добыть кусок сыра. Обо мне ты, сестричка, не думала. Чем же Ирочка платит за корочку хлеба с маслом? Лежала день-деньской под пледом и книги читала, а я с утра до утра по городу носилась, лапками била, в голове занозой торчало: деньги, деньги, деньги. Где их взять? Как накормить Танечку? Как одеть сестричку?

— Да, я понимаю, — залепетала я, — но теперь-то все по-другому станет. Видишь ли, в результате амнезии я превратилась в другого человека, мне даже думать дико, каким червяком я была!

— Каким ты был, таким ты и остался, — рявкнула Ирина, — помнишь эту песню?

— Нет, — растерялась я.

— Никаких изменений я в тебе не вижу, — сурово продолжала Ирина, — по прежним рельсам катишься. Не хотела мне помогать и сейчас не собираешься! На мне из-за тебя долги висят! А ты моральные терзания развела, пакостница!

— Ира!

— Не хочу больше с тобой дела иметь. Все! Хватит. Вылезай теперь сама! — Ирина окончательно рассвирепела. — Чью шкуру, спрашивается, я спасти решила? Из-за кого бежать за границу надумала? Вас, мадам, увезти хотела, все потерять собралась: положение, карьеру. И где благодарность? Нет бы сказать: «Ирочка, я все сделаю...» Ну и пошла ты! Не смей ко мне подходить, отныне мы посторонние люди.

Раздались резкие, короткие гудки. Я осталась сидеть, прижимая к груди трубку. Ну просто беда, я ощущаю себя настоящей преступницей и мерзавкой. Убила мужа, втравила Иру в расходы, а теперь еще и обидела сестру, которая всю жизнь тащила на себе меня, лентяйку. Надо немедленно перезвонить Ирине, попросить ее встретиться, объяснить свою позицию.

Трубка внезапно опять стала издавать звонки. Я обрадовалась: это сестра, которая небось тоже переживает ссору.

— Да, — закричала я, — слушаю!

Но вместо уверенного контральто сестры раздалось тихое, мягкое сопрано:

— Извините за столь поздний звонок, позовите, пожалуйста, Таню.

— Слушаю, — вздохнув, ответила я.

— Наташа тебя беспокоит, помнишь меня?

— Конечно.

— Еще раз прошу прощения, но ситуация так сложилась, — принялась оправдываться Наташа, — разбудила тебя, наверное!

— Да нет, мы только что с работы приехали.

— Если хочешь ехать в Малино, то придется это сделать прямо завтра.

— Почему такая спешка?

— Не знаю, тот, кто устраивает свидание с Танюшей, сказал: завтра. Так как?

На секунду я заколебалась. Что делать? Отказать Наташе, позвонить Ирине, извиниться и плясать под дудку авторитарной сестры? Или попытаться жить так, как мне подсказывает совесть?

Внезапно у меня сильно заболела голова, к горлу поднялась тошнота.

— Нет, — выпалила я, — никогда!

— То есть ты не поедешь? — уточнила Наташа.

Тугая повязка, охватывающая череп, лопнула, мне стало хорошо, боль исчезла, перед глазами перестала трястись серая сетка.

— Нет, — повторила я, — то есть да, я еду в Малино.

— Записывай, как добираться, — повеселела Наташа.

Я схватила листок бумаги.

— Когда дойдешь до клиники, — завершила рассказ Наташа, — спросишь старшую медсестру Хрычкову Раису Ивановну и скажешь ей: «Меня прислал Александр Борисович Ляпунов, привет из Поливановки, от восьмого отряда». Она все сделает бесплатно, никаких денег ей давать не надо, ясно?

Завершив разговор, я легла, натянула одеяло на голову и приготовилась бороться с бессонницей. Нет, не стану звонить Ирине, пусть считает меня неблагодарной тварью. Мне больше не следует использовать других людей для собственного спасения. Я должна научиться сама справляться с жизненными трудностями! Значит, так, завтра еду в Малино, беседую с Таней и, если узнаю, что Звягинцева и Свин обманули несчастную, забираю у Наташи запись и иду в редакцию газеты ну... допустим... ладно, придумаю куда. Разразится дикий скандал, но Таню-то выпустят. Я спасу ее и тем самым, может быть, сумею искупить хоть часть грехов, совершенных мною ранее. А дальше... Попробую достать себе документы на чужое имя и начну новую жизнь, с чистого листа. Не всем представляется возможность совершить подобный шаг, мне повезло. Я обязательно добьюсь успеха, стану обеспеченной женщиной, твердо стоящей на ногах. И вот тогда, уверенным в себе человеком, а не никуда не годной улиткой, приду к Ирине просить прощения, заплачу долги, сделанные ею из-за меня... Да, именно так. Никогда не сдавайся, жизнь полосатая, чтобы высоко подпрыгнуть, надо сначала удариться о самое дно.

Утром я уехала из дома около семи. Взяла у Риты из сумочки деньги и прикрепила на холодильник магнитом записку: «Не беспокойся, вернусь к 16.00. Извини, влезла в твой кошелек и утащила малую толику».

Путь занял чуть больше часа, наверное, мне просто повезло, потому что я не задержалась нигде. Электричка, в которую я вскочила, отошла от перрона буквально сразу, и до нужной остановки поезд домчал меня без всяких проблем. На небе весело сверкало солнышко, легкий, теплый ветерок изредка шевелил верхушки деревьев. Я вышла на маленьком полустанке и с наслаждением вдохнула аромат леса. Нет, все-таки я не приспособлена для жизни в городе. Может, зря люди изобрели автомобиль? Вдруг без машин человечество пошло бы иным путем? Занялось бы селекцией домашних животных, вывело супервыносливых лошадей или ездовых собак, и мы сейчас бы катались в повозках? Конечно, ни один конь не сумеет мчаться со скоростью сто двадцать километров в час, зато от него нету дыма, копоти и смога, один навоз, вещь крайне полезная в сельском хозяйстве.

Фатальное везение просто преследовало меня. Старушка в белом халате, восседавшая за стойкой с табличкой «Справочная», узнав, что посетительнице нужна Раиса Ивановна, мигом бросила пост и пошлепала внутрь клиники. Я села на деревянную жесткую скамейку и расслабилась.

Входная дверь хлопнула, появилась женщина, тащившая за руку девочку лет семи.

— Ты врач? — спросила она у меня.

— Нет, — ответила я.

— А где доктор? — бесцеремонно продолжала вошедшая.

Я хотела было ответить: «Извините, не знаю», но тут в холле появился мужчина, облаченный в белый халат, и тетка кинулась к нему:

— Ты врач?

Медик ощупал глазами бабенку и сурово поинтересовался:

— В чем дело?

— Во, глянь, — заорала баба, подталкивая к нему хнычущего ребенка, — зараза, блин! У всех дети как дети, с этой же вечно невесть что случается! То с крыльца сковырнется, то в пруд зимой угодит, послал мне ее господь в наказание. Стой смирно, не вертись!

Девочка, которую «добрая» мама больно дернула за руку, захныкала. Походя отвесив чаду оплеуху, тетка спросила:

— Так будешь глядеть?

— Что случилось? — ледяным тоном осведомился доктор.

— У ей ухо болит!

— Видите ли, любезная, — процедил лекарь, — здесь особая больница, для людей с нарушением психики, девочку следует отвезти в детское учреждение и показать отоларингологу.

— Кому? — бабенка отступила на шаг. — У ей ухо повредилось.

— К отоларингологу, — терпеливо повторил врач.

— Нам ушнюк нужен, — стала злиться баба.

— Отоларинголог и есть по-вашему ушнюк, — без тени улыбки ответил врач.

— Этта что? В город волочь?

— Да.

Тетка отвесила девочке затрещину.

— Вон сколько из-за тебя беды! Огород не полот, щи не сварены! Да еще деньги за билеты плати туда-обратно.

Ребенок отшатнулся и, ударившись затылком о стену, горько заплакал.

— Молчи, спиногрызка, — поддала ей еще раз мамочка.

— Не смейте бить дочь! — рявкнул врач. — Что у тебя с ухом?

Крошка вытерла нос кулаком.

— Не знаю.

Доктор присел перед ней.

— Попробуй все же объяснить. В нем звенит? — ласково продолжил врач.

— Да.

— Постоянно?

— Всякий раз, когда в школе на перемену звонок трещит!

Я прикусила губу, чтобы не рассмеяться. Каков вопрос, таков ответ.

— Дура она, — пояснила мамаша, — все с вывертом говорит, издевается. Муха к ей в ухо влетела, достать надо.

— Капните туда масло, — посоветовал врач, — потом пусть полежит пару минут, скорей всего, насекомое вылезет само и не понадобится никуда ехать.

— Лады, — кивнула тетка, — можно попробовать. Пошли, Надька!

Забыв сказать доктору «спасибо», она поволокла ноющую девочку к двери. Врач хмыкнул и двинулся было к гардеробу, но тут баба обернулась и заорала:

— Эй! Ты самого главного не сказал!

— Что именно? — удивился медик.

— А в какое ухо капать?

Понимая, что не сумею сдержаться и расхохочусь во весь голос, я встала и тут же увидела, как из коридора выруливает старушка.

— Ступайте в двенадцатый кабинет, — велела она, — Раиса Ивановна тама.

Поблагодарив милую бабусю, я дошла до нужной двери, оказалась в просторной комнате, увидела полную женщину лет пятидесяти и сказала:

— Вам привет от Александра Борисовича Ляпунова из Поливановки, восьмой отряд.

Раиса Ивановна медленно подняла голову, посадила на нос круглые очки в старомодной оправе и четко, словно учительница младших классов, произнесла:

— Понятно. Что вы хотите? Имейте в виду, о спиртном и наркотиках даже не просите.

— Если можно, разрешите поговорить с Татьяной Рыковой.

— С кем?

— Татьяной Рыковой, скажите ей, Настя Звягинцева приехала, — добавила я и внезапно испугалась: вдруг с девушкой что-то случилось?

— Ах, с Танечкой, — просветлела лицом Раиса Ивановна, — нет проблем, сейчас ее приведу. Она молодец, самая хорошая из нашего контингента, услужливая, тихая, мы ей разрешили нянечкам помогать. Таня полы моет, ну и за это мы подкармливаем ее. Очень милая девушка, хоть и убийца, конечно. Ладно, ждите тут. Кстати, давайте продукты, сразу ей в палату отнесу. Только если баночку растворимого кофе положили, то выньте, его нельзя пить нашим, пойдут вопросы: где взяла, кто принес?.. Ну, что вы сидите?

— Я не привезла еды.

— Что же вы! — укорила Раиса Ивановна. — Проведать собрались и даже ста граммов зефира не прихватили. Денег жалко?

— Нет, конечно, я просто не подумала!

— Ладно, сейчас она придет, — кивнула Раиса и удалилась.

Я тихо сидела на табуретке. Да уж, очень глупо получилось, ну почему мне не пришла в голову идея запастись хотя бы коробочкой конфет или приобрести мармелад? Даже моих скудных средств с лихвой хватило бы на простое лакомство. Значит, Ира права, я ужасная эгоистка, думающая лишь о себе. Мне нужно поговорить с Таней, и я не сообразила, что запертая в спецклинике девушка, скорей всего, плохо питается и тоскует по конфетам.

Дверь скрипнула, на пороге появилась Раиса Ивановна, за ней маячила серая тень.

— Времени вам час, — заявила медсестра, — отсюда никуда не выходите. Впрочем, дверь, уж не обижайтесь, я запру снаружи, на окошке решетка, беседуйте спокойно. Если кто стучать начнет, молчите. Поколотят немного и уйдут, ясно? Таня, входи.

Раиса Ивановна исчезла, послышался сухой звук: щелк, щелк. Нас и впрямь заперли снаружи.

— Здравствуйте, — прошелестело от двери, — а где Анастасия Петровна?

Я посмотрела на девушку. Полная, болезненно рыхлая, облачена в какую-то застиранную хламиду неопределенного цвета, на ногах, несмотря на жару, теплые темные чулки и тапки из облезшего искусственного меха. Волосы Танечки, длинные и не слишком чистые, собраны в хвост. Ничего привлекательного в ее облике не было, лицо показалось мне опухшим; курносый нос, слишком крупный рот, низкий лоб.

Таня стояла, опустив глаза в пол.

— Извините, — решительно сказала я, — я обманула вас, назвавшись Настей, меня прислала Наташа, бывшая домработница Лавсанова.

— И чего вы хотите? — по-прежнему безучастно спросила Таня.

— Всего лишь ответа на пару простых вопросов, — начала было я, но тут Таня посмотрела перед собой, и мой язык прилип к небу.

Огромные, фиалково-синие, бездонные, словно небо, глаза сияли на лице дурнушки. До сих пор я ни разу, ни у кого не видела столь прекрасных очей. Любой человек, окунувшись в их глубину, мигом забудет о том, что видит перед собой существо в ужасающем одеянии. Такой взгляд мог принадлежать лишь королеве или принцессе, волею злой судьбы превратившейся в Золушку.

— И что же вы хотите узнать?

— Э... э... я знаю все про то, как вы взяли на себя вину, прикинулись убийцей Сергея Лавсанова.

Таня молчала.

— Вам пообещали за это квартиру, деньги и то, что вы не сядете в тюрьму. Настя обманула вас?

— Нет, — прошептала Таня, — на суде был адвокат, он так дело повернул, что я оказалась тут, в клинике.

— Хорошо. А квартира?

Таня стала медленно краснеть. Я продолжала сыпать вопросами.

— Настя приезжала сюда? Навещала вас?

— Нет.

— Может, присылает передачи?

— Нет.

— Пишет письма, обещает денег, сообщила о покупке квартиры, в которую вы въедете, освободившись?

— Нет.

— Выходит, она вас бросила? Обманула, подставила, наобещала и кинула!

— Я сама согласилась, — прошептала Таня, — по доброй воле. Кто кашу заварил, тот ее и ест.

— Вот и нет! — рассердилась я. — Чужие руки крупу в воду насыпали. Тебя просто надули, как ребенка! Неужели совсем не обидно? Сидишь тут ни за что, а Настя гуляет на свободе да над тобой посмеивается!

Внезапно Таня сделала пару шагов, села на колченогую табуретку, сгорбилась, закрыла лицо руками и с невероятным, рвущим душу отчаянием воскликнула:

— Делать-то теперь нечего! Так мне и надо!

Я бросилась к Тане.

— Не плачь, я постараюсь вытащить тебя отсюда.

— И куда я пойду, — всхлипнула она, — к отцу возвращаться? Снова битой ходить? Знаешь, мне уж лучше тут. Здесь врачи хорошие, медсестры меня любят, больные уважают. А на воле что? Ну ничего хорошего меня не ждет!

На секунду я растерялась. До сих пор я абсолютно искренне считала, что неволя — это самое страшное несчастье для любого человека, но сейчас вдруг появились сомнения: а вдруг существуют люди, которым за решеткой лучше?

Глава 20

К электричке я брела в самом мрачном расположении духа. И хотя цель поездки была достигнута: я узнала, что Настя обманщица, никакого удовлетворения эта новость мне не принесла. Разговор с Таней вышел тягостным, ничего нового она мне сообщить не смогла, на все вопросы меланхолично твердила:

— Не знаю.

В конце концов я разозлилась и налетела на нее:

— Послушай, ты совершила глупость и поняла это. Лучше поздно, чем никогда.

— Да, — Татьяна внезапно перебила меня, — мне прямо сразу, еще в милиции, страшно стало, я даже пожаловалась своей соседке Зине, но потом Свин пришел...

— Свин? — подскочила я.

— Да, — кивнула Таня, — он со мной перед судом встретился и велел ничего не бояться, дескать, они с Настей временно исчезнут, но лишь для того, чтобы их не тронули, иначе кто мне квартиру купит!

— И ты опять им поверила! — возмутилась я.

— Ага.

— С ума сойти!

Таня вдруг улыбнулась:

— Да уж! Представляю, как они надо мной смеялись!

— Я добуду запись и вытащу тебя. Мы заставим Свина купить квартиру. — Я окончательно потеряла от злости голову. — Эта Настя заплатит за все, мало ей не покажется! Знаешь, где она живет?

— Нет. Вернее, да, раньше жила в поселке Никоново с Сергеем Лавсановым, только она же его женой не была, значит, особняк ей не достался.

— Я найду Звягинцеву, — кипятилась я, — и прижму к стенке. Прямо так и скажу: «Имею кассету с чудесным «сериалом», выбирай, киса: либо приобретаешь Танюше квартирку, либо переезжаешь в камеру!»

— Некрасиво шантажировать человека, — прошептала Таня.

— Согласна, но только не в этой ситуации! — стукнула я кулаком по столу.

— С какой стати ты решила мне помогать? — вдруг спросила Таня.

Я внезапно выпалила правду:

— Потому что я совершила раньше, в своей другой жизни, много ужасных поступков, а теперь хочу частично искупить вину. А еще мне тебя жаль!

— Ладно, — завела было Таня, но тут в двери заворочался ключ, появилась запыхавшаяся Раиса Ивановна.

— Время истекло, — заявила она, — хватит, пообщались.

Таня покорно пошла к выходу. Уже на пороге она вдруг повернулась и проговорила:

— Если ничего не получится, не волнуйся, мне здесь хорошо. А с тебя грех за одно желание помочь человеку снимется.

Я стиснула кулаки:

— Умру, но добьюсь своего.

Таня, сгорбившись, шмыгнула в коридор.

— Если вдруг вспомнишь что про Настю, скажи Раисе Ивановне, — крикнула я ей вслед, — я оставлю свой телефон, она мне позвонит!

Но ответа не последовало.

На обратной дороге везение покинуло меня. Электрички отчего-то перестали ходить, в кассу стояла очередь, впрочем, небольшая, всего из пяти женщин раннего пенсионного возраста.

— И чего нам делать, — налетали они на кассиршу.

— Ясным языком написано, — каркала она из окошечка, — черным по белому красными чернилами: поездов до Москвы нет!

— Нам ехать надо!

— Ща скорый пойдет, еще быстрей до столицы домчит.

— С какой стати пассажирские ездят, а электрички нет? — не успокаивались тетки.

— Вам скандалить или ехать? — не растерялась кассирша. — Покупайте билет.

— Дорого небось!

— Тогда идите пешком!

Бабы завозились в карманах, завздыхали, заохали, пересчитали мятые ассигнации, сунули их в крохотное окошечко и получили взамен длинные розовые бумажки.

— Ой, — заорала одна из них, — тринадцатое место! Поменяйте билет.

— Да какая разница, — обозлилась кассирша.

— Несчастливое число, — скуксилась тетка, — неприятности приносит, еще, не дай бог, в аварию попадем, нет другого местечка, а?

— Вот уж глупости, — пролаяла кассирша, — на тринадцатой полке беда случится! Раскинь мозгами, чучундра, если скорый с рельсов сойдет, и двенадцатому, и четырнадцатому номеру капец придет. Или, полагаешь, тебя одну вышвырнет, а остальные счастливо домой прикатят? Давай бери билет, ща поезд примчится!

Я просунулась к кассе.

— Мне один, тоже до Москвы, на этот скорый, место любое, я совершенно не суеверна.

Кассирша, пожилая матрона весом больше центнера, с губами кроваво-красного цвета, схватила деньги и выпихнула из-под решетки билет со словами: «Это хорошо, что ни в какую глупость не веришь! Накось седьмое место, говорят, самое счастливое».

Домой я приехала вовремя и первым делом спросила у Риты:

— Вроде Ваня работал еще с первой Глафирой, Настей Звягинцевой?

— Ага, — зевнула певица, — а чего?

— Да так просто, — вывернулась я, — думала, ему немного лет.

— Так он и правда молодой, — засмеялась Рита. — Настя-то недолго пела, она быстро ушла. Свин в нее вложился, раскрутил, а девка бац — и свильнула. Семен не растерялся и другую Глафиру приволок. Вот она больше работала и пела бы дольше, если бы порошком не увлеклась. Но что одному горе, то другому счастье. Лично я собираюсь использовать представившийся шанс на все сто! Пить не начну, колоться и нюхать дурь тоже, хочу славы и денег! Много! Без края!

Я хмыкнула и отправилась собирать шмотки для выступления. Слава и деньги! Это, конечно, хорошо. Вопрос: чем придется заплатить за исполнение желаний? Ничто и никому в этой жизни просто так не досталось.

Первый концерт сегодня предстоял в клубе «Рокко». На служебном входе роилась толпа охранников. Крепкие парни ощупали нас и велели открыть портпледы.

— Там костюмы, — удивилась я, — вы чего, ребята, в первый раз артистов видите?

— Ступай себе, — буркнул один из секьюрити, — нашлась Тина Тернер!

Следовало достойно ответить наглецу, но огромным усилием воли я сдержалась.

«Рокко» оказался паскудным местом, за кулисами не было ничего хорошего. Обшарпанный грязный коридор, темная, холодная гримерка. Впрочем, я уже хорошо поняла, что жизнь артиста имеет две стороны. Яркую, блестящую, феерическую, ту, что видят зрители. Перья, блестки, кружева, сияющие глаза, румянец, роскошные машины, украшения, бешеные заработки... в общем, не жизнь, а праздник. Но слава богу, что обычный зритель никогда не заглядывает за кулисы. Там все иначе. Перья, блестки и кружева костюмер спрячет в кофры. С лица звезды удалят косметику, и хорошо, что фанаты не видят своего кумира в такую минуту. Кто этот бледный до синевы, замученный бесконечными концертами человек? Вот он, обжигаясь, быстро ест из лоточка лапшу неизвестного производства, запивая ее маловкус-

ным напитком, гордо именуемым кофе. В гримерке жуткий холод, по столику бегают тараканы,
злая уборщица, наплевав на звездный статус, ко-
лотит в запертую дверь:

— Эй, долго еще ждать? Мне домой пора!

— Давай, Коля, — торопит администратор, —
у нас еще одна площадка, отпоешь — и свободен.

Звезда мрачно кивает:

— Ладно, только превратите меня в суперстар,
фанаты ждут!

Через пятнадцать минут из служебного входа
выныривает молодой человек самого роскошного
вида. Толпа с визгом бросается к кумиру.

— Дайте пройти, — мрачно цедит охрана.

— Погодите, ребята, — укоризненно останав-
ливает бодигардов певец, — это же моя публика, я
люблю ее.

Секьюрити сурово смотрят, как вверенное им
тело братается с народом. Потом один из них, решив, что объятия затянулись, выхватывает «объект»
любви и всовывает его вместе с разлохмаченными
букетами в роскошный автомобиль. Следует приказ шоферу:

— Гони, опаздываем.

Суперстар отбрасывает цветы и стонет:

— Уберите букеты, у меня аллергия началась.

Ночью уставшего, как ездовая собака после
пятидесятикилометрового перегона по льдам, певца
заносят в дом.

— Ты спи, котик, — фальшиво-ласково сове-
тует администратор, — отдыхай вволю, машина в
восемь утра придет.

— Зачем? Сейчас-то три утра уже, — пугается
кумир.

— Забыл, зайчик, — укоряет администратор, —

мы на Север летим, с гастролями. Тридцать городов за двадцать пять дней.

Едва за ним захлопывается дверь, как звезда рушится в койку. Но сна нет, желудок начинает ныть, усталые ноги гудят, спину ломит, а в голову лезут тяжелые мысли. Может, старость подкрадывается тихим шагом? Редко кто доживает на эстраде до пятидесяти. И кому ты будешь потом нужен? Уйдешь на покой — мигом забудут все. Перестанешь петь, плясать, светиться на экранах и кричать из радиоприемников — публика тут же тебя похоронит. Если потом и вспомнят и позовут лет через пять в какую-нибудь передачу типа «Наши ветераны», зрители с удивлением начнут шептаться:

— Это он? Мы думали, давно умер!

А ведь эстрадный артист зарабатывает ногами и горлом, следовательно, надо успеть до пенсии сделать все, что хочется, обеспечить свою старость. Для этого нужно работать, как вол, ездить по стране, спать в ужасных гостиницах, дрожать от холода или задыхаться от жары в каком-нибудь Энске, где о кондиционерах никто даже не слышал. Семьи, как правило, нет, мало кто способен подстроиться под график звезды. Если же находится супруга среди самых верных фанаток, то даже она не выдерживает и начинает «катить баллоны»:

— Что за жизнь! Ты одиннадцать месяцев в разъездах.

Еще хуже, если в брак вступили коллеги, ничего хорошего, как правило, из такого тандема не выходит. «За все цена одиночество, иначе не получается», — поется в одном шлягере. Но это еще не самое плохое. Отвратительно сознавать, что не можешь полностью реализоваться в творческом плане. Многих певцов подминает под себя продюсер, заставляя петь «кассовые» песни, а не те, которых просит душа. Все надеешься: вот сейчас «напоешь» денег, и можно сделать нечто этакое, нетленное. Но золотые дублоны тают, гениальные мелодии так и не появляются на свет. Кто виноват? Что делать? Вечные вопросы. А еще в душе живет страх: что будет, если придет болезнь? Пропадет голос? Или капризная публика перестанет ходить на твои концерты? Вдруг новая песня «не пойдет»? Как быть тогда?

Но наступает вечер, и ты снова во всем блеске, молодой и счастливый, на эстраде. Партер гудит, воет, топает, размахивает зажженными зажигалками или свечами. Публика хочет видеть звезду. Но и певцу необходим зал, ему до дрожи нужно слышать крики, аплодисменты, чувствовать прилив энергии, который льется на сцену. Ради этого он, в конечном счете, и взошел на нее, из-за этого терпит неудобства, по этой причине лишил себя нормальной жизни, он счастлив в свете софитов, с микрофоном в руке, больше нигде и никогда не испытать подобных чувств, ничто не заменит шквала зрительской непостоянной, но огромной любви. Спросите у певца, доживающего век в честно заработанном гастрольными поездками доме: что он готов отдать, дабы вернуться хоть на короткое время на подмостки? Девяносто актеров из ста ответят:

— Все!

И не надо осуждать обитателей кулис за пьянство и любовь к наркотикам. За стимуляторы и алкоголь тут хватаются в надежде подстегнуть угасающие силы. Запись новой песни, три концерта в день, интервью, телевидение, радио... Вот бы иметь побольше времени, не спать, тут-то и тянется рука к таблеткам и ампулам. Это шоу-биз, в нем выживает самый сильный, самый упорный, самый бешеный, готовый ради успеха пробить лбом бетонные стены, не всегда самый талантливый и умный, но всегда наиболее работоспособный. Лентяю на сцене делать нечего, тут никого не пожалеют. Вон вчера девочки из «Конго» рассказали, как к Гале Богачевой, нашей неувядаемой звезде, в тот момент, когда она собиралась выпорхнуть на сцену зала «Россия», где ей предстояло отпеть огромный сольный концерт, подошел идиот-администратор и заорал:

— Эй, Галя! Ну и горе! Только что умерла твоя мама!

За кулисами замерли все: подпевка, балет, музыканты. В головах у них одновременно мелькнула одна мысль: сейчас певица впадет в истерику, концерт, естественно, сорвется, придется платить неустойку, публика, разозлившись на кумира, проигнорирует следующие выступления — одним словом, хуже некуда.

Богачева глянула сквозь щель в занавесе в зал и громко возвестила:

— Значит, так, я ничего не слышала! О смерти мамы вы мне сообщите после концерта!

И, сверкая улыбкой, вылетела на подмостки, спела, сплясала, потом рыдала и выла в гримерной. Не знаю, правильно ли она поступила, но именно такое поведение за сценой называют «профессиональным». Наплевать, что с тобой: болезнь схватила за горло, а горе за сердце, работай, это шоу-биз, мясорубка, сцена, которая безжалостно раздавит тебя, но и даст минуты невероятного подъема, ощущение счастья и безграничной власти над тысячами людей. Эстрадные актеры — самые счастливые и самые несчастные люди на свете...

— Эй, Танька, — пнула меня Рита, — чего стоишь с открытым ртом? Живо зашей дырку на юбке, вот тут.

Вынырнув из некстати налетевших на меня философских размышлений, я привела в порядок костюм, приволокла Рите кофе и отправилась искать Ваньку. Он курил, сидя на подоконнике.

— Ну и помойка этот «Рокко», — с возмущением сказал он, увидев меня.

— Не хуже других, — хмыкнула я, устраиваясь около него.

— Тут буфета нет! Только в зале!

— Хочешь бутербродов? У меня есть, и кофе в термосе.

— Потом, — вздохнул Ваня, — если честно, больше всего я хочу спать! Один! Трое суток!

— Отоспишься когда-нибудь, — пообещала я.

— Ага, — мрачно ответил Ванька, — после дождичка в четверг, когда рак на горе станцует!

— По-моему, он там свистеть должен.

— Кто?

— Рак на горе.

— О господи! — дернул плечом Ваня и замолчал.

Я посидела некоторое время молча, а потом спросила:

— Куда деваются те, кто сходит со сцены? Чем они потом занимаются?

Ваня швырнул окурок на затоптанный пол.

— Фиг их знает. Кто-то в бизнес идет, если денег накопил. Иногда в продюсеров превращаются; если очень большим «старом», в смысле звездой, был, то могут на телик позвать или на радио передачку какую-нибудь отстойную вести. А так доживают тихонько, мужики женятся, детей заводят, бабы тоже семью сколотить пытаются.

— Ну не все же в старости сходят со сцены, — возразила я, — вот, например, Настя Звягинцева ушла в расцвете лет.

— Подгнивший с одного бока бутон, — скривился Ваня, — осетринка второй свежести.

— Но ведь она еще и не совсем плохая!

— Ну верно.

— И где она сейчас?

— Фиг знает, небось домой подалась, не москвичка же.

— Помнишь, откуда Настя прикатила?

Ваня почесал в затылке:

— А тебе зачем?

— Очень надо.

— У Свина спроси, он ее вывез.

— Я Семена боюсь, еще заорет.

— И правильно, — одобрил Ваня, — народ только крик понимает, по-хорошему никто шевелиться не станет.

— А где Настя в столице жила?

— В поселке, у любовника.

— У тебя ее телефона нет?

— Ну... имелся номерок.

— Можешь найти?

— Вот пристала, — возмутился Ванька, — отдохнуть не дала перед концертом.

— Поищи, пожалуйста, — ныла я.

Парень вытащил растрепанную донельзя записную книжку и начал осторожно перебирать листочки.

— Пиши, — заявил он, — у меня два телефона.

Глава 21

Получив заветные номера, я, трясясь от возбуждения, дождалась, пока Рита отправилась на сцену, забилась в пустую гримерку, заперлась изнутри и позвонила.

— Алло, — ответил мужской голос.

— Можно Настю?

— Кого?

— Звягинцеву.

Из трубки полетели гудки. Решив, что разговор прервался по техническим причинам, я еще раз набрала тот же номер, на этот раз ответила женщина:

— Слушаю.

— Будьте любезны, позовите Настю.

— Тебе же сказали, — зло отозвалась незнакомка, — нет тут такой! Чего трезвонишь!

— Простите, но мне дали номер...

— Выброси его!

— А он давно у вас?

— Твое какое дело? — прошипела дама, и трубка снова стала издавать гудки.

Тяжело вздохнув, я решила попытать счастья с другим номером и, набрав его, услышала тихий, робкий голосок:

— Говорите.

— Позовите Настю.

— Какую?

— Звягинцеву.

— Такой здесь нет.

Но я все же не оставляла надежды. В конце концов, Настя могла выйти замуж и сменить фамилию, я ищу Звягинцеву, а она давным-давно Иванова.

— А какая есть? Позовите ее.

— Никакой, тут я живу, Светлана.

Я топнула ногой, ну и люди! Если живет одна, зачем спрашивать: «Какую»?

— Это ваша квартира? — решила я продолжить расспросы.

— Нет, бабушкина.

— Вы тут давно живете?

— Полгода.

— А прежних жильцов знаете?

— Кого?

— Ну тех, кто до вас жил?

— Нет, — пролепетала девушка.

Я приуныла, кругом облом и полнейшее невезение, но тут собеседница совершенно неожиданно закончила:

— Это невозможно.

— Что?

— Знать тех, кто до нас тут обитал.

— Почему же, — вяло возразила я, — иногда жильцы, уезжая, оставляют своим «сменщикам» новый адрес, просят сообщить тем, кто станет их разыскивать.

— Невозможно, — безмятежно повторила девушка, — потому что тут до нас никто не жил. Бабушка получила квартиру от завода в шестьдесят первом году, как въехала, так и живет.

Я расстроилась почти до слез, но на всякий случай решила уточнить:

— И квартиру она не сдавала?

— Пускала жильцов, — невозмутимо ответила девица. — А как прожить-то? Пенсия крохотная. Работала всю жизнь честно, на одном месте, а наше государство...

— Сделайте одолжение, позовите бабушку, — перебила я ее.

— Она спит.

— А во сколько она встает?

— В шесть, — последовал короткий ответ, — как привыкла с юности, так и живет.

Будильник я завела на полседьмого и, проснувшись от его противно-настойчивого писка, мигом схватилась за телефон. Конечно, крайне неприлично звонить в такое время, но вдруг милая старушка утопает в поликлинику и застрянет там на целый день.

— Алло! — гаркнули мне в ухо.

— Вы бабушка? — от неожиданности спросила я.

— В общем, да, — засмеялась женщина, — но не ваша.

— Простите, бога ради, мне нужна Настя Звягинцева.

— Ой, хорошо, что вы позвонили, — зачирикала старушка, — приезжайте.

— Куда?

— Пишите адрес, да поторопитесь. До одиннадцати успеете, а то мне на танцы уходить?

— На танцы? — растерянно повторила я.

— Ну да, я занимаюсь в студии «Латинос», — сообщила бабуся, — так что постарайтесь побыстрей.

Скажите честно, вы любите рано утром выползать на улицу? Лично меня от такой перспективы просто перекашивает. Вначале очень трудно проснуться, потом, когда глаза все же раскрылись, я, спотыкаясь, бреду в ванную, на меня нападает крупная дрожь, ни чай, ни кофе согреться не помогают, а от осознания того, что сейчас придется выныривать на улицу, делается совсем плохо.

Откуда ни возьмись у меня возникло видение. В тяжелом, неуклюжем пальто из несгибаемого драпа, еле-еле отдирая от земли обутые в грубые сапоги ноги, я бреду по заснеженному тротуару к метро. В одной руке у меня тяжеленный портфель, а в голове полная безнадега, предстоит еще один безрадостный рабочий день. На дворе темно, с неба сыплет то ли дождь, то ли снег, под подошвами чавкает каша из соли, песка и полурастаявшего льда. Больше всего на свете хочется спать, спать, спать, но я на автомате добираюсь до подземки. В нос ударяет теплый, влажный воздух, толпа мрачных и хмурых людей вдавливается в вагон, и, о радость, меня «доносят» прямо к свободному сиденью. Шлепаюсь в узкое пространство между толстой теткой в клочкастой шубе из невинно убиенного кролика и красноносым, нестерпимо воняющим чесноком мужичком.

— Нечего толкаться, — бубнит баба, сильно пихая меня локтем, — небось не одна тут!

Мужик рыгает, «аромат», исходящий от него, становится невыносимым. Но меня, несмотря ни на что, заливает ощущение вселенской радости. Господи, как мне повезло! Нашлось место, и теперь я могу еще полчаса поспать. Пусть толстая тетка пыхтит от злобы, а дядька испускает миазмы, наплевать на них, я сижу, дремлю, кайфую. Нет, все-таки я принадлежу к касте счастливчиков, не каждому так повезет утром. Кстати, у меня же с собой есть интересный детектив. Лезу в портфель, но внутри, в объемных отделениях, нет книги, там лежат... ноты! Очень старые, пожелтевшие тетради, похоже, изданные еще в начале двадцатого века.

Картинка, моргнув, исчезла. Я, стоя в вагоне у двери, изумилась до крайности. Интересно, откуда мне, лентяйке и эгоистке, до боли знакомы ощущения женщины, вынужденной таскаться каждый день на работу? И почему у меня с собой оказались ноты? С какой стати понадобились такие старые?

Продолжая размышлять, я добралась до нужного дома и позвонила в квартиру.

— Зря я вас торопила, — заявила маленькая, седенькая, похожая на тумбочку старушка, — занятия нам отменили! Ну да ничего, все, что ни делается, — делается к лучшему.

Продолжая безостановочно говорить, она повела меня на кухню и гостеприимно принялась угощать чаем. Речь старушки лилась потоком, через десять минут я узнала о ней все. Зовут ее Клара Васильевна, лет ей столько, что говорить стыдно, но, вообще-то, восемьдесят. Работала всю жизнь на заводе кладовщицей, имеет кучу грамот, медаль «Ветеран труда», а еще, как передовик производства, получила квартиру, вот эту самую, где мы сейчас сидим. И очень хорошо, что повезло иметь собственную жилплощадь, потому как в годы лишений одну комнату Клара Васильевна сдавала. Правда, сейчас поселила у себя внучку Леночку, она студентка, но...

Понимая, что детального рассказа о недостатках девушки мне не выдержать, я попыталась направить поток болтовни бабуси в нужное русло:

— Скажите, вы помните Настю Звягинцеву?

— Старость — не радость, — всплеснула руками Клара Васильевна, — чешу себе языком, а человек по делу пришел. Сейчас, где оно?

Хозяйка принялась суетливо рыться в одном из шкафчиков.

— И куда подевалось? — бормотала она. — Положила же тут, на виду, знала, что придут. Вот растеряха. Кстати, представляете, у меня всегда все исчезает, но на работе ни разу даже ниточки не посеяла...

Клара Васильевна вновь вывалила на меня ворох мемуаров.

— Что вы ищете? — весьма невежливо поинтересовалась я.

— Так разрешение!

— Какое?

— На автомобиль. Вас же за ним Настя прислала, — бормотала Клара Васильевна, расшвыривая в разные стороны катушки, огрызки карандашей, пробки, одним словом, разнообразную лабуду, хранившуюся невесть зачем у нее на кухне.

Я постаралась скрыть недоумение. Разрешение на автомобиль? Что бабушка имеет в виду?

— Вот, — радостно воскликнула Клара Васильевна, — держите!

В моих руках оказалась пластиковая карточка с фотографией. Права автолюбителя! Со снимка сурово смотрела блондинка с длинными прямыми волосами. Густая челка полностью закрывала лоб, брови, лезла в глаза, маленький рот с тонкими, нитевидными губами, курносый нос, совсем даже не красавица и вовсе не первой свежести дама. Я внимательно прочитала все строчки. Звягинцева Анастасия Петровна, появилась на свет пятнадцатого мая, а выдали ей документ, разрешающий водить автомобиль, в Конакове Московской области.

— Сумочку у Насти выхватили, — стала прояснять ситуацию Клара Васильевна, — пришла она в слезах, деньги украли, хорошо, паспорт дома лежал. А про это разрешение она думала, что оно в кармашке хранилось и с сумочкой пропало. Очень расстраивалась...

— У нее машина была?

— Нет, — засмеялась Клара Васильевна, — откуда! Денег лишних она не имела.

— Зачем же ей тогда права, — пробормотала я, — странно.

— А когда Настя съехала, — не обращая внимания на мое удивление, неслась дальше старушка, — я небольшой ремонт затеяла. Да и пора было, обои поменять решила, так, косметически. Отодвинула буфет, глядь, за ним бумажонка лежит. Она ее небось вынула, на полку швырнула да забыла, а документик-то тонкий, в щель и провалился.

— А куда Настя от вас уехала, адрес подскажете?

— Понятия не имею, — расстроилась Клара Васильевна, — она ни словечка не сказала, да и без меня дело было. Ушла в гости, возвращаюсь, на столе записка, вежливая такая. Дескать, большое спасибо, должна срочно вас покинуть, оставляю деньги, залог возвращать не надо. Очень честная девушка. Могла бы сбежать потихоньку и не заплатить, но Настя оставила все денежки до копеечки, она вообще очень аккуратно платила, первого числа, как по часам. Хорошо, что Настя вас за документом прислала, передавайте ей привет.

Я молча взяла права. Навряд ли старость сделала Клару Васильевну такой. Скорей всего, она и в молодости не отличалась особым умом и сообразительностью. Старушка совершенно забыла, что я, позвонив, спросила не ее, а Настю. Ну с какой стати Клара Васильевна решила, что бывшая жиличка прислала меня за документом? Ведь сама пару секунд назад рассказала про то, как Настя убивалась, думая, что права остались в украденной сумке, да и нашла их Клара Васильевна случайно. Но нет, отдает мне их и радуется!

Выйдя от болтливой бабушки, я села на скамеечку вблизи большого дерева и принялась внимательно изучать случайно полученный документ. Странно, что все вокруг уверяли, будто Настя вы-

глядела молодо, на фото она отнюдь не юная, да
еще эта кретинская челка, закрывающая пол-
лица. И где теперь найти Звягинцеву? Куда она
подевалась? Отчего бросила удачно начатый шоу-
проект? Тот же Ваня говорил, что Свину удалось
раскрутить Глафиру, она стала успешно концер-
тировать, а потом раз — и скрылась! Испугалась
содеянного? Боялась, что Таня не выдержит и вы-
даст ее? Не хотела светиться на людях, предпочла
спрятаться? Отправилась на родину? Права выда-
ны в Конакове Московской области. Если я не
ошибаюсь, документ такого рода получают по месту прописки. Хотя, может, это неверно? Но Звягинцева вроде не москвичка...

Тяжело вздыхая, я пошла к метро. Ну с какой
стати Настя решила штурмовать столицу в отнюдь
не юном возрасте? Она обманула Свина, наврала,
что ей двадцать пять, а тот поверил? Встречаются
женщины, перед которыми время становится на
колени. Вот вчера, например, я видела за кулисами Ренату, ту самую, которая поет безумное количество лет. По самым слабым подсчетам, чаровни-
це за пятьдесят, и что? Она даже вблизи сходит
за тридцатилетнюю — стройная фигура, личико
без морщин. Только, думается, Рената, зарабаты-
вающая не только голосом, но и внешностью,
бросила на борьбу со старостью все имеющиеся у
нее средства. Навряд ли провинциалка Настя, невесть откуда приехавшая в Москву, знала об инъ-
екциях ботокса, скульптурном массаже, химичес-
ком пилинге, эмбриональной терапии и других
ухищрениях, к которым прибегают дамы элегант-
ного возраста, дабы не превратиться в благообраз-
ных старушек. Так где искать Настю? Порасспра-
шивать Свина? Ой нет, это очень опасно. Если
Семен поймет, что я знаю нечто, связанное с кон-

чиной Сергея Лавсанова, он просто меня придушит. Никто не хватится неизвестной особы, даже Ирина, с которой мы поругались. И как поступить?

Кусая губы, я добралась до дома, открыла дверь в подъезд и внезапно поняла, что надо позвонить Наташе, рассказать о своей поездке, взять у нее завтра кассету с компроматом, спрятать ее понадежнее, ну, допустим, в камере хранения на каком-нибудь вокзале, а Свину послать копию и потребовать от него: «Хочешь получить подлинник? Покупай Тане квартиру, иначе запись окажется в милиции». Ага, отличный план, все в нем здорово, кроме одного: у меня нет никаких документов, это раз. Два: я сама убила мужа и сбежала из психушки. Ну, впрочем, об этих фактах моей биографии Свин не знает, но все равно он не испугается. Неужели он придумал, что я Таня Рыкова, только затем, чтобы заставить меня бесплатно работать на Глафиру? Очень странно. Хотя... он такой жмот. Может, проще найти Настю и припугнуть ее? Она-то не в курсе, что у меня проблемы с памятью. Или еще раз поговорить с Наташей и предложить той самой начать пугать Свина?

— Таняша, — заорала Рита, едва я вошла в квартиру, — где тебя носит?!

— Договорились же, что до вечера я занимаюсь своими делами, — устало ответила я, — кофе очень хочется!

— Перехочется, мы опаздываем.

— Куда? До концерта полно времени.

— Запись на телике!

— Да? И в какую программу?

— Бери шмотки, и побежали, машина внизу! — выкрикнула Рита.

Я схватила портпледы, ящик с «красотой»,

сумку, термос и, ощущая себя верблюдом, таскающим по раскаленным пескам туда-сюда неподатливые мешки с солью, поплюхала вниз. Похоже, сегодня вкусный кофеек откладывается.

Наверное, всем интересно побывать в здании, откуда транслируются телепередачи, я не исключение, поэтому с огромным любопытством оглядывалась по сторонам, пока высокий, меланхоличный, зевающий во весь рот парень сопровождал нас к комнате, где Рите предстояло переодеваться.

— Что-то он не слишком любезен, — шепнула я Ваньке, — топает молча, зевает, хоть бы улыбнулся или слово какое хорошее сказал, все-таки звезда прибыла.

— Они тут почти все такие, — громко ответил Ваня, — встречаются исключения, но редко. А в основном все нос кверху дерут и дают понять, что мы, артисты, люди пятидесятого сорта. Это мы им за промоушен должны кланяться. Дескать, позвали вас в эфир, и будьте счастливы. Если бы сейчас тут депутата ждали, того, кто у пипла денег миллиард стырил, вот тогда бы вся редакция приседала и кланялась вместе с продюсером и прочим начальством. А певцы! Тьфу!

Уши сопровождавшего нас парня вспыхнули огнем.

— А еще, — не обращая на него внимания, вещал Ванька, — манера у них такая, когда на эфир приходишь, встретят у мента, хоть какого-то идиота да пришлют. Знаешь почему?

— Ну... из уважения к гостю, — предположила я. Ванька рассмеялся.

— Не, боятся, что в коридорах заплутаем и вовремя в студии не окажемся, а им передачу писать. Не о нас волнуются, а о себе. Зато потом, как закончили, летите, голуби!

— В каком смысле?

— А в прямом. Даже до свидания не скажут, и никто провожать не пойдет. Отпел, отплясал? Канай отсюда, не нужен!

Теперь у сопровождавшего нас юноши алая краска залила и шею, но мы, слава богу, уже достигли нужной двери. Парень пнул ее и буркнул:

— Маринка, гости.

— Ой, здравствуйте, — защебетала девушка в грязных джинсах и бесформенной футболке, — садитесь. Хотите кофейку?

Глава 22

Я оглядела захламленную комнатку. Надо же, ничего роскошного, красивого, шикарного. Антураж словно в дешевой провинциальной гостинице. Разномастные стулья, пара кресел, продавленный диван. В центре комнаты громоздился низкий столик, заставленный грязными одноразовыми стаканчиками и тарелками с объедками. В углу маячила длинная вешалка, тут и там были разбросаны пакеты, сумки, на диване горой высились чьи-то шмотки. Бесчисленное количество народа фланировало через помещение, никто не обращал на нас никакого внимания.

— Ставь сумку, — велел Ванька, — Ритка переодеваться будет.

— Тут? При всех?

— А где же еще? — фыркнул он.

Я вздохнула: рушится еще одна моя иллюзия, честно говоря, я полагала, что на телевидении все «пучком», как говорит Свин.

— Вам кофейку? — не успокаивалась Марина.

Я хотела было ответить:«Лучше чаю», но тут девушка, быстро сказав: «Ой, простите, вы уж тут сами разберетесь, небось не в первый раз, к нам люди пришли», бросилась к дородному мужику в светлом костюме.

— Добрый день, Иван Николаевич, что же вы сюда, в общую, пойдемте, я вас в VIP отведу.

Хмурый дядька и два охранника, сопровождаемые приседающей Мариной, исчезли.

— Видала, — хохотнул Ванька, — к ней *люди* пришли, этот боров, бочка с салом и нужным удостоверением в кармане, а мы кто?

Рита тем временем успела нацепить концертный наряд и была схвачена гримершей.

Дверь снова распахнулась и впустила внутрь стройного парня.

— Добрый день, — вежливо сказал он, — вот пришел работать.

— Илюша! — замахал руками мужик в серых слаксах. — Грим?

— Уже готов, — спокойно ответил парень.

— Задерживаемся, — бросил кто-то из толпы.

Прибывший спокойно сел на диван, вытащил из сумки книгу и мирно погрузился в чтение. Лицо его показалось мне знакомым, но спросить, кто это, было не у кого — Ванька испарился, а остальные музыканты ушли вместе с Ритой.

Снова хлопнула дверь, в комнату влетела девица, за ней бежало шестеро сопровождающих.

— Безобразие, — с порога заорала она, — где Колька? Почему сам не встретил?

— Он в студии, — пискнула девочка в малиновом свитере, — сегодня четыре программы снимаем!

Девица надулась:

— Что? Не меня одну? Да вы понимаете, с кем имеете дело? Позвали мегазвезду, где моя гримерка? VIP-обслуживание! Катя, Лена, Маша, пошли отсюда! Нет цветов! Шампанское не приготовили! Куда меня привели, а? Ваще, блин...

Дальше из накрашенного ротика полилась одна ненормативная лексика. Парень, читавший книгу, оторвал от страницы глаза, глянул на бушующую диву и снова углубился в текст. Телевизионщики попытались купировать скандал.

— Простите, мы слегка задерживаемся, может, хотите кофе?

— Предлагаете растворимую бурду? И потом, что значит, «задерживаемся»? У меня график: концерты, выступления, я нарасхват, ни минуты времени, и тут такое! С ума сойти!

— Подождите всего пятнадцать минут, у нас до вас еще одна запись.

— Кого? — налилась кровью девица, топая сверкающими босоножками. — Немедленно берите меня, этот, кто бы он ни был, подождет!

Парень отложил книгу.

— Нина, здравствуй, думаю, меня отснимут быстро.

Дива захлопнула рот, потом совсем иным тоном сказала:

— Здорово, Илюша. Как дела?

— Нормально, — улыбнулся парень.

Я невольно залюбовалась им, хотя он совсем не красавец, но какой обаятельный. Кстати, все эти накачанные парнишки с белозубыми улыбками на рекламно-мужественных лицах не вызывают у меня никаких эмоций. Фантик — он и есть фантик, у мужчины в глазах должно быть нечто, не имеющее никакого отношения к сусальной красивости. И еще, мне, похоже, нравятся талантливые и умные. Вот паренек с книгой определенно из таких, при первом взгляде на него понимаешь, что видишь неординарную личность, хоть он и не перемолвился со мной и словом, но все равно понятно: это настоящий мужчина.

— Ты тоже ждешь? — капризно надула губы Нина.

— Да, — кивнул Илья.

— Почему не позвал Кольку и не врезал ему? Илья улыбнулся:

— На работе всякое случается, я думаю, Николай никого специально обидеть не хотел.

— Это «Лисички» всех задержали, — объяснил кто-то, — сначала на полчаса позже приехали, а потом еще гримировались до усрачки.

— Ах «Лисички»! — пошла пятнами Нина. — Вот кто у нас, оказывается, звезды! Понятно!

Цокая каблуками, она подошла к дивану и, больно наступив мне на ногу, спросила:

— Чего вылупилась? Ну-ка налей кофе!

— Я не работаю здесь, — ответила я.

Нина окинула меня взглядом и воскликнула:

— Ну и где мне сесть?

— Пойдемте в VIP, — засуетилась толпа, уволакивая певичку.

Нина дошла до двери, потом обернулась:

— Илюша, а ты почему не в VIP, а тут?

— Какая разница, — усмехнулся он, — здесь потише, а там народу слишком много, сплошной звездопад.

Нина, фыркнув, убежала. Парень взял коробку со стола и повернулся ко мне:

— Не хотите чаю?

— Нет, спасибо.

— Не станете возражать, если я возьму этот пакетик, он последний?

— Ну что вы, — начала было я, и тут кто-то крикнул:

— Магутенко здесь?

— Да, — отозвался мой собеседник, спокойно встал и ушел.

Я разинула рот. Вот почему мне его внешность показалась знакомой! Илья Магутенко, создатель и солист группы «Загадочный тролль», композитор, певец, обладатель удивительного, хватающего за душу голоса. Нет, скорей всего, я ошиблась. Если эта совершенно мне незнакомая Нина, кривляка в босоножках из фольги, устроила тут истерику с визгом из-за того, что придется подождать четверть часа, то обладатель кучи премий и миллионной армии фанатов никак не мог тихо сидеть на продавленном диване, без всякой свиты, мирно читая книгу. «Не станете возражать, если возьму этот пакетик, он последний». С ума сойти! Нет, я ошибаюсь, это не тот Магутенко, просто невероятно похож на него.

— Извините, — сказала женщина с большим мешком в руке, — надо пустые стаканчики собрать.

— Вы здесь работаете? — спросила я.

— Уборщицей, — уточнила она, — двадцатый год уже. А что? В туалет хотите? По коридору налево.

— Наверное, многих знаете?

Уборщица улыбнулась:

— Да уж, насмотрелась.

— Вон там, у самой двери, группа людей стоит, а в центре парень, такой стройный, это кто?

Женщина прищурилась.

— Волосы вверх уложены?

— Да, да.

— Илюша Магутенко, очень хорошо поет.

— Не может быть!

— Почему же? — пожала плечами уборщица. —

Здесь по сто раз на дню знаменитости толкутся. Сама-то кто?

— Домработница певицы Глафиры.

— Чего же тогда удивляешься? Небось к твоей хозяйке всякие гости ходят.

Я хотела было сказать, что у эстрадной певицы есть все, кроме личной жизни, но произнесла совершенно иные слова:

— Но он совсем не растопыривал пальцы, вот Нина, та...

— Нина, — фыркнула уборщица, — знаешь, чего тебе скажу, чем меньше таланта, тем больше спеси. Споют одну песню, только-только на эстраде появятся, и все, падайте перед ними ниц, лижите пятки. А Илюша — талант и человек интеллигентный, воспитанный, нет ему необходимости визжать. Ну скажи, Нина эта распрекрасная, ты ее знаешь?

— Нет.

— Песни слышала?

— Нет, но я не особый специалист.

— Поет одну мелодию про вечную любовь, — засмеялась женщина, протирая столик тряпкой, — если она ножонками сучить не будет и на всех углах орать: «Смотрите сюда, я суперстар», кто ее узнает, кому она нужна?

— Можно новые песни исполнять...

— Так работать же надо, — сказала тетка, — пахать, а не все это могут. Илюше Магутенко не надо выделываться, его и так все знают, впрочем, он себя над людьми не возносит. Я ведь тебе уже говорила: если талантливый и на самом деле популярный, то очень часто скромный, не всегда, правда, встречаются ого-го какие кадры! По десять охранников приводят и такого тут всем выдают, но Магутенко не из этих. Тут еще утром Сема из группы «Ми-2» был, пришел, спокойно сидит, улыбается, а у меня внук от него фанатеет, ну, набралась наглости, подошла, автограф попросила. Первый раз его увидела. Думаю, если пошлет с воплем, пойду, не в первый раз. А он мило так и говорит: «Диска-то у меня с собой нет, на календарике распишусь».

Я-то, дура, бумажку ему сую, а Сема в ответ: «Ой, не надо, я специально для автографов календарики с фото своей группы ношу».

— Танька, — заорал Ваня, высовываясь из-за ширмы, отгораживающей угол комнаты, — чапай сюда!

Я поспешила на зов и очутилась в закутке, одна стена которого представляла собой зеркало. Тут же была прибита столешница, заваленная коробками с гримом.

— Живо причеши меня, — велел Ваня.

Я отступила назад.

— Я не умею управляться с волосами, вас же всех Сережа укладывает.

— И где он, по-твоему?

— Ну... не знаю. Не видела его сегодня.

— Запил Серега, — пояснил намазывающий лицо тональным кремом Костя, — теперь он на неделю из жизни выпал.

— Хватит болтать, — рявкнул Ванька, — нечего тут уметь, эка беда, феном помахать! Слушай! Берешь вон там мусс для укладки, побольше пены на голову напрыскиваешь, поднимаешь прядки, вот так, вверх, и сушишь. Элементарно.

— Но...

— Начинай, хорош кривляться, — заорал Ванька, — ща вмажу!

Испугавшись, что обозлившийся музыкант и

впрямь отвесит мне оплеуху, я бросилась к полке, уставленной баночками, бутылочками и флакончиками. Схватила аэрозольную упаковку, нажала на головку дозатора, из отверстия полезла густая белая пена. Старательно обмазав голову Ваньки, я вздыбила его не слишком густую шевелюру забором, полюбовалась пару секунд на «натюрморт» и спросила:

— Вот так? Или по-иному зафиксировать?

— Так сойдет, — ответил музыкант, — живо суши.

Я принялась размахивать феном.

— Ну и что, — спросил спустя пять минут Ваня, — зачем кривлялась? Не могу, не умею! Теперь станешь, пока Серега квасит, меня чесать, ясно?

С этими словами он отвернулся от зеркала. Я кивнула, а потом стала наблюдать за Костей, который старательно снимал с пальцев следы грима. Слава богу, что Костика не надо причесывать, у него довольно обширная лысина, по бокам которой растет лебяжий пух. Ваня со вкусом чихнул, раз, другой, третий... Костик посмотрел на него, моргнул, потом вдруг ни к селу ни к городу заявил:

— Я вот иногда в парикмахерскую хожу...

— Зачем? — хихикнул за спиной Ванька.

— Так вот, — спокойно продолжал Костик, — стригут меня, а мастера к телефону позвали, он ушел. Сижу, жду. Тут вдруг подходит ко мне маленькая девочка лет пяти-шести, дочка кого-то из клиентов, и шепчет: «Дяденька, вам, наверное, не видно, но мастер, который вас причесывает, плохой!»

Я, естественно, удивился и спрашиваю: «Почему ты так решила?» — «А он вам на голове всю макушку выбрил, — сообщил ребенок, — ни одной волосиночки не оставил». Смешно, да?

Я улыбнулась:

— Детская непосредственность.

— Твоя манера выдавать без всяких видимых поводов кретинские истории просто поражает, — сообщил Ванька.

— Повод есть, — возразил Костя.

— Какой?

— Ты на себя в зеркало глянь.

Я повернулась на стуле, Ваня в этот момент уставился в посеребренное стекло, поэтому вопль «мама!» вырвался из наших глоток одновременно.

— Это что? — визжал Ванька, ощупывая совершенно лысую голову. — Где мои волосы, а?

— На полу, — без всяких эмоций сообщил Костя.

— Как они там оказались? — орал Ваня.

— Ты чихнул, — по-прежнему равнодушно ответил Костик, — а «ирокез» и отвалился.

Ванька неожиданно замолчал, я, парализованная от ужаса, рассматривала музыканта.

— И чего теперь делать? — неожиданно нормальным голосом поинтересовался Ваня.

— Череп побрить, — хмыкнул Костя, — шевелюра как-то неровно отпала, кустиками, где проплешина, где «ежик».

— Ребята, — заглянул за ширму один из администраторов, — вы идете через пять минут. Ой, Ваньк! Чегой-то с тобой?

— Он заразу подцепил, — с непроницаемым лицом пояснил Костя, — власожорка называется, чихнешь, и все! Лысый, как коленка. Очень прилипчивая штука. Видишь, и у меня начинается. Вот ты к нам заглянул, теперь все, считай, потерял кудри.

— Мама, — прошептал парень, — и что, противоядия нет?

— Если немедленно вымоешь шевелюру бензином, то она уцелеет, — сообщил Костя, наблюдая, как Ванька дрожащими руками ощупывает «стерню».

Голова парня исчезла.

— Юрка, — полетел из комнаты его вопль, — у тебя вроде канистра в багажнике есть, налей мне чуток бензина! У нас здесь инфекция!

— Почему волосы все разом выпали, — бубнил Ванька, — я заболел, да?

— Небось опять вчера девчонку в кафе подцепил?

— Ага.

— Вот и расплата, — скривился Костик, — безудержное кобелирование приводит к алопеции.

— К чему? — простонал Ванька.

— Алопеция — это лысина по-научному, — растолковал Костик, — врачи — люди деликатные, специально непонятное слово придумали, дабы нас, плешивых, не обидеть. Неприятно ведь слышать: «Лысый, лысый», а так очень красиво звучит: «У него алопеция», что-то типа «компьютеризация», «интеграция», «дегенерация», загадочно...

— И что делать? — тупо повторял Ваня.

— Хочешь, парик нацепи, — посоветовал Костик, — возьми у кого-нибудь из подтанцовки, у них этого добра полно.

Ванька вылетел из закутка. Костик упал лицом в колени и принялся стонать от смеха. Я, еле-еле придя в себя, с ужасом спросила:

— А что, эта власожорка и впрямь так заразна? Мне тоже голову бензином мыть?

— Ой, не могу, — простонал Костя, вытирая выступившие на глазах слезы, — сейчас умру! Навсегда! Власожорка! Ты посмотри на баллончик, из которого пену на Ваньку давила!

Я схватила аэрозоль.

— И что?

— Читай инструкцию!

— Не владею английским.

— Переверни, там по-русски с другой стороны написано.

Я покрутила баллон. «Мусс для мгновенного удаления волос. Способ употребления: встряхнуть упаковку, выдавить малое количество средства и распределить на необходимой для освобождения от растительности поверхности. Действует моментально как на коротких, так и на длинных волосах. При регулярном применении обволосение снижается».

Аэрозоль упал на пол.

— Ванька меня убьет! — прошептала я.

— Ага, — кивнул Костя, — когда поймет, в чем дело, то точно придавит. Впрочем, не переживай, может, и не дотумкает. Ваняша у нас мальчик горячий, на все, что шевелится, кидается, я его давно всякими болячками пугал, вот теперь он и решил, что власожоркой от очередной обожэ заразился. Ой, не могу, ну и дурак!

— Костенька, — взмолилась я, — не выдавай меня.

Парень встал, подтянул джинсы и заявил:

— На тебя-то мне плевать, но Ванька меня постоянно дразнит, потому что по бабам не бегаю. Вот пусть теперь и помучается.

Глава 23

Пока Рита записывалась в студии, я опять взяла ее телефон, вышла в коридор и позвонила в Алискино.

— Алло, — ответила какая-то девушка.

— Извините, пожалуйста, нельзя ли позвать Наташу?

— Домработницу?

— Да.

— А кто ее спрашивает?

— Э... э... подруга, очень близкая. Скажите, Таня беспокоит.

— Не звоните сюда больше, ее здесь нет и не будет! — сердито откликнулась девица.

— Уволилась, да? Сделайте одолжение, подскажите, где ее найти можно? Пожалуйста, мне очень нужна Наташа, прямо до смерти.

— Прямо до смерти, — эхом повторила девушка, — звучит в сложившейся ситуации ужасно. Наташа умерла.

— Как, — заорала я, ударяясь головой о стену, — почему?! Она же молодая, здоровая...

— Под машину попала на шоссе, — нехотя объяснила девица, — никаких подробностей сообщить не могу, знаю лишь, что она куда-то поехать решила, вышла на дорогу и под автомобиль угодила. Шофер ее сшиб и укатил.

Я с трудом приходила в себя.

— Ужасно!

— И не говорите, — подхватила девушка, — нальются по самые брови, гонят по магистралям, самим ничего, а людям беда.

Известие о неожиданной кончине Наташи подействовало на меня так, что сил реагировать на другие раздражители уже не осталось. Вид Ваньки, нацепившего на лысину кудрявый парик одной из балетных, совершенно меня не развеселил, ругань музыкантов, потерявших какие-то детали от инструментов, не испугала.

После телевидения мы покатили по концертам, домой заявились около трех утра, как всегда, в полуобморочном состоянии.

— Жизнь человека-праздника порой похожа на ужас, — сказала, трясясь от озноба, Рита.

Меня отчего-то тоже била дрожь. Не сговариваясь, мы ринулись к холодильнику и начали вытаскивать из него харчи.

— Умираю от голода, — простонала Рита, впиваясь зубами в батон колбасы.

— Не ешь «Докторскую», — с набитым ртом посоветовала я, — в ней полно холестерина!

— На себя посмотри, — хмыкнула Рита, старательно жуя огромный кусок, — сама что хомяка ешь?

— Мне можно, а ты растолстеешь.

Рита опустилась на стул.

— Господи, сил никаких. А с едой просто беда! До концерта ни есть, ни пить не могу.

— Почему? — поинтересовалась я, вываливая в чашку полбанки замечательно вкусного клюквенного варенья.

— А как ты себе представляешь, — протянула Рита, хватая упаковку с готовым салатом, — удобно ли с набитым желудком по сцене скакать? Один раз, еще когда в подпевках стояла, не удержалась и сожрала сосиску с булкой. Так, прикинь, она у меня во время концерта восемь раз во рту оказывалась. Проглочу, подпрыгну, здрассти вам, опять жую, глотаю, прыгаю, жую, глотаю, прыгаю, прямо офигела вся, зареклась хоть крошечку перед выступлением в пасть совать. А поскольку работа с двух дня до двух ночи, то брожу голодная. У наших вообще со жрачкой вечная беда, сплошная сухомятка и фаст фуд. У всех гастриты или чего похуже вроде язвы. Впрочем, ты права, колбасой не стоит напихиваться, меня живо в стороны несет, и майонез нельзя, и сахар, и сливки...

Тяжело вздыхая, Рита пошла в ванную. Я без всяких угрызений совести слопала колбасу, проглотила пару кусков хлеба, выпила чай пополам с вареньем, сунула в рот шоколадную конфету и упала в кровать. Раздеваться и умываться было лень, снять хотя бы джинсы показалось невозможным, тело отказывалось подчиняться приказам мозга, вся кровь от обалдевшей головы прилила к наконец-то наполненному желудку. Нет, чем больше я работаю за кулисами, тем лучше понимаю: какое счастье, что сцена никогда не манила меня к себе, иначе бы я обязательно стала добиваться успеха. А похоже, наверх в шоу-бизнес добираются люди с несгибаемой волей, невероятной работоспособностью, сильным характером и желудком из нержавеющей стали. Я не обладаю подобными качествами, я всего лишь ленивая курица, просидевшая всю жизнь за спиной у сестры. Никогда мне не помочь Тане, Наташа-то погибла.

Внезапно по спине пробежал холодок, и я села. Ленивая особа, эгоистичная капризница? Что-то этот наряд жмет в боках, не нравится мне сия одежда. С какой стати я начала ныть? Еще не вечер, рано складывать лапки. Я просто обязана вытащить Татьяну из беды, может, тогда начну уважать себя. Хватит лить сопли. Завтра же поеду в Конаково, найду отделение ГАИ и не мытьем, так катаньем заставлю сотрудников показать мне учетную карточку Насти, там должен стоять ее домашний адрес. Человек не может пропасть бесследно, где-то же Звягинцева живет, покупает продукты, причесывается, ходит в кино, может, имеет любовника, подруг. Я обязательно отыщу мерзавку и запугаю. Чем? Записи-то нет, и после смерти Наташи мне уже не узнать, где хранится пленка.

Я легла и завернулась в тонкое одеяло. Ну и что? Настя-то небось ничего не знает о смерти Наташи, значит, я стану блефовать. Блеф — великое дело, он позволяет выиграть тогда, когда у вас на руках ерундовые карты, мне случалось победить соперников в покер, имея лишь простую пару. Постойте, я умею играть в покер?!

— Опять проигралась, — прозвучал в голове голос, — подчистую, в ноль! С ума сойти! Как жить станем...

Голос стих, я мгновенно вспотела. Господи, мне что, теперь так и собирать до конца дней осколки непонятных воспоминаний? Однако, похоже, я малоприятная личность: самозабвенная эгоистка, убийца, любительница детективов Арины Виоловой, теперь еще и картежница. Впрочем, все не так плохо. Ведь я имею музыкальное образование и люблю животных.

Конаково оказалось крохотным городишком, вернее, деревенькой. Местная власть была тут представлена здоровенной потной теткой, облаченной в ярко-красный сарафан с ядовито-зелеными пуговицами.

— Отделение ГАИ? — пробасила она. — Не, у нас такого нет, в Маркове оно, там наши машины регистрируют. Садитесь на автобус и ехайте.

— Вы уверены, что автоинспекция в Маркове? — осторожно уточнила я.

— Где ж еще, — пожала толстыми плечами тетка, — и больница тама, и школа. Мы слишком мелкие, чтобы тут огород городить, на все Конаково с десяток автомобилей найдется.

— Понимаете, — я принялась самозабвенно врать, — моя сестра, Настя Звягинцева, получила права в Конакове, а потом потеряла их. В Москве ей и сказали: «Езжайте по месту выдачи, там заменят». Настя человек занятой, вот я и явилась вместо нее.

Выпалив это, я замолчала. Честно говоря, я совершенно не знаю, как надо действовать в случае утери водительского удостоверения, но, похоже, глава администрации тоже не слишком сведуща в данной проблеме.

— Конаково, — растерянно повторила она, — вы уверены?

— Стопроцентно.

— Но у нас тута ГАИ нет.

— Однако в документе четко было написано название именно вашего городка!

— Ну и ну... Хотя постойте! Поняла! Отчего же вы сразу не сказали, что она сидела?

— Кто?

— Сестра ваша, — объяснила начальница, — вам к Митричу надо, он на зоне автодело ведет, небось все про права знает.

— Извините, я не понимаю.

— Ладно тебе стесняться, — по-свойски ободрила меня толстуха, — дело житейское, особенно в России. У нас полстраны сидит, а вторая половина первую стережет. Хватит прикидываться.

— Но...

— Ладно, — кивнула баба, — ежели охота выпендриваться, можешь продолжать. Только в Конакове зона есть, ИТК, исправительно-трудовая колония общего режима для женщин. Народу в ней немного, в основном за ерунду парятся, впрочем, точно не знаю, только из нашего поселка народ там служит весь, и мужики и бабы. Считай, эта зона нас кормит. Если твоей сестрице документы в Конакове выдали, то только за колючкой, больше негде. Понимаю, что ты стесняешься про отсидку рассказывать, на мой взгляд, это полная ерунда, но люди разные. Ступай к Митричу, он прямо за углом живет, дом четыре, иди ему пожалуйся, должон помочь.

В легком обалдении я дошла до нужной избы и постучалась в покосившуюся дверь. Богиня удачи распростерла надо мною свое крыло. Митрич сидел дома.

— Меня к вам отправили из сельсовета, — мгновенно заявила я, увидав мужика.

Митрич шыгнул носом и закашлялся.

— Вот дрянь приключилась, — сказал он, справившись с приступом, — тепло кругом, а я простыл, воды холодной нахлебался да обвесился соплями. Ну и где беда?

— Какая? — растерялась я.

— Машина твоя, — снова закхекал Митрич, — в каком месте застряла? Небось прямо у Светки под окном. Она, ежели кто сломается, мигом ко мне присылает.

Я улыбнулась:

— У меня другое дело, но оно тоже связано с автомобилями. Может, впустите? Все быстро объясню.

— Так входи, — посторонился Митрич, — не пугайся только, неприбрано у нас.

Узнав суть проблемы, Митрич завздыхал.

— На зоне, — сказал он, — автошкола есть, давно работает, обучаем этих басурманок хорошему делу.

— Зачем женщинам водительское ремесло? — удивилась я. — На мой взгляд, лучше дать им профессию швеи или вязальщицы.

Митрич поскреб в затылке.

— Начальству видней, оно так решило. Впрочем, раньше у нас две зоны было. Справа от оврага мужики, слева бабы. В советское время тут школа имелась, десятилетка, цеха рабочие. Парни мебель делали, хорошего качества и дешево. Мы сами у них диваны брали, кресла. А девки бельишко шили, распашонки для новорожденных. Ну и автошкола существовала. Выпускали зэков в свободную жизнь с ремеслом, с рабочим разрядом и правами. Кто хотел честно трудиться, все возможности имел. Желаешь с мебелью работать? Нет проблем, иди на завод или в мастерскую по ремонту, неохота столярничать, садись за руль. Ну а после перестройки десятилетка закрылась, цеха без материала встали, чистая разруха. Потом мужиков отсюда убрали, одни бабы остались и автошкола моя. Уж на чем учу! Слезы горькие! Таратайка убогая, но едет. Одно хорошо, начальником в нашем ГАИ Иван Семенович сидит, душа человек. Когда тут все лопаться начало, я к нему сбегал и давай просить: «Уж оставьте автодело и права нам по-прежнему давайте, не отнимайте у людей шанс, хоть чему бабы научатся».

Ну, он вошел в мое положение, и теперь тем, кто хорошо курс прошел, прямо в колонии бумаги выдают. Единственная беда, что в Маркове, где ГАИ расположена, свои курсы есть, и ихний главный, Витька, все под меня копает, злобится, за конкурента считает. Хотя, ну с какого бока я ему мешаю? Ведь его клиенты ко мне на зону не поедут, и мои сиделицы к Витьке не пойдут, прям смешно. Но только он землю носом продырявил, в ГАИ всем уши прострекотал, дескать, нехорошо, что у «зонских» в правах стоит: «Выдано в Маркове». Якобы тут он один обучает, не дай бог что случится, с него спросится. Во глупость. Пришлось снова перед Иваном Семеновичем шапку ломать. Эх, отличный он мужик, нашел этот, как его... консерв... кон... кос...

— Консенсус, — подсказала я.

— Точно, — кивнул Митрич, — его самый и нашел, стали писать в правах «Конаково». Пришлось Витьке поражение засчитывать, он-то думал...

— Вы Анастасию Звягинцеву помните? — перебила я не в меру разболтавшегося Митрича.

— Нет, — ответил тот.

— Она у вас училась.

— Эх, их столько было! Разве всех упомнить. В каком году дело-то случилось?

Я вытащила права.

— Вот смотрите.

Митрич уставился на документ.

— Стеша-гипноз! — воскликнул он.

— Кто? — удивилась я.

— Ну, ее все звали Стеша, — пояснил Митрич, — а «гипноз» прозвище такое, за то, что мужики за ней словно завороженные шли. Вот ведь баба! Ни красоты, ни фигуры, вообще ничего, а аферисткой работала.

— Вы не могли бы о ней поподробней рассказать? — попросила я.

— Так я не знаю ничего, — хмыкнул Митрич, — кроме того, что ее за брачный аферизм посадили. Знакомилась с парнями, прикидывалась влюбленной, заявление в загс подавали, а уж дальше как получалось: либо она его до свадьбы чистила, либо после ухитрялась денежки утырить. Говорят, у нее паспортов штук десять было. Да зачем тебе про Стешку знать?

Я улыбнулась:

— Мне просто очень надо выяснить, где она сейчас живет.

Митрич прищурился:

— А с какой целью ее разыскиваешь?

Я замялась. Что придумать? Но Митрич сам пришел мне на помощь:

— Мужа она у тебя увела? Угадал?

— Да, — кивнула я, — вы просто волшебник, сразу суть дела ухватили.

— Так опыт не пропьешь, — заулыбался Митрич, — эта Стеша ну просто оторва! Тут на нее многие глаз клали, только она умная была, от мелких нос воротила, ей хозяин зоны приглянулся, Сергей Павлович. И ведь охомутала она его, как только получилось! С виду Стеша ну совсем неинтересная, только глаза у нее... такие... в общем, «поди сюда». Ну и попался Сергей Павлович. Жена его чернее тучи ходила, они здесь жили неподалеку, дом хороший имели, хозяйство. Сергей Павлович мужик крепкий был. И огород держал, и корову, и кролей. Зинаида Михайловна, супруга его, зимой в шубе гуляла, ей тут все кланялись, а как же, начальница! Только потом Стеша Сергея Павловича в когти схватила, и он обо всем позабыл, прямо помолодел! Глаза горят! Конечно, слухи побежали, только кто ж хозяину указ? Он на зоне царь и бог. Зинаида Михайловна терпела, терпела, потом плюнула и уехала, а начальник Стеше УДО выбил.

— Что? — не поняла я.

— Условно-досрочное освобождение, — пояснил Митрич, — укатила Стеша прочь. Только зря

Сергей Павлович надеялся, больше она сюда не вернулась. Да...

Митрич принялся кашлять, хватаясь за грудь.

— Во скрутило, — покачал он головой, — пополам сложило. Пить Сергей Павлович начал, он и раньше, как все, приложиться любил, а как Стешка смылась — в запой ушел и умер. Ну и баба! Только ее за ворота выпустили, машина подкатила, за рулем мужик большой такой, на кабана похож. Она внутрь села, потом из окошка выглянула и конвойному, который ее выводил, крикнула: «Прощай, Макс, чтоб этой зоне сгореть, а вам всем сдохнуть!» Вот уж попрощалась так попрощалась. Хочешь мой совет? Не ищи ее, мужа не вернешь. Стешка чистая отрава, кто отхлебнул, тот помер.

— Мне очень надо узнать хотя бы ее прежний адрес, — вздохнула я, — ну где она прописана была, когда ее арестовывали. Наверное, эти сведения сохраняются. Вдруг она на старое место вернулась!

Митрич поковырял в правом ухе.

— Глупость ты придумала.

— Это моя последняя надежда! — с жаром воскликнула я.

— Дура баба, — покачал головой Митрич, — другого заведи. Мужики как трамвай. Один ушел, следующий придет.

Я схватила его за руку:

— Неужели никто не способен мне помочь?

— Ну, — прокряхтел Митрич, — за двести долларов, думаю, Анька все сделает, она может.

— У меня нет таких денег! — с отчаянием воскликнула я.

— А сколько имеешь? — деловито осведомился мужик.

Я раскрыла кошелек.

— Вот.

Мой собеседник скривился:

— Негусто. Чего бы с тебя получить! Где работаешь?

Я окончательно приуныла.

— В таком месте, что вам ни к чему, — служу домработницей у певицы Глафиры.

— Не слыхал про такую, — начал было Митрич, но вдруг осекся. — Ну-ка подожди тут!

Я покорно осталась сидеть на захламленной веранде. Минут через пять Митрич вернулся, но не один, с ним пришла девочка, лет тринадцати по виду. Голова ее была выкрашена в зеленый цвет.

— Вы у Глафиры служите? — бесцеремонно спросила она.

Я кивнула:

— Точно.

— Небось много кого знаете из артистов?

— Встречаемся за кулисами, — осторожно подтвердила я, не понимая, что задумал Митрич.

— Про «Баблз» слыхали?

— Конечно.

— И че? Видите их?

— Иногда попадаем в один концерт.

— Супер, — подскочила девочка, — меня Катя зовут.

— Очень приятно, Таня.

— Значит, так, — деловито сказала Катя, — вам чего-то от деда надо? Правильно я поняла?

— Да.

— Привезите мне постер с ихними подписями, и дедушка вам все сделает.

— Ладно, — кивнула я, — договорились, считай, плакат у тебя есть, как увижу «Баблз», так и выполню поручение.

— Вот и славно, — засуетился Митрич, — как привезешь, так и сведу тебя с Анькой.

— Но мне адрес сегодня нужен.

— Тогда гони в Москву за автографами.

— Не успею, мне вечером на работу.

— Нет плаката, нет и моей помощи, — не дрогнул Митрич.

— Но я же пообещала привезти постер.

— Обманешь. Я все тебе сделаю, а Катька ничего не получит.

— Сначала автограф, потом дед в лепешку расшибется, — сказала внучка.

Ситуация стала патовой, и тут мне в голову пришла замечательная мысль:

— У вас есть телефон?

— Ага, — кивнула Катя, — на кухне.

— Давай сделаем так, — воодушевилась я, — сейчас я позвоню... Кто тебе больше из «Баблз» нравится?

— Олег, — слегка покраснела Катя, — он жутко красивый.

— Ну и хорошо. Я тебя с ним соединю, задашь своему кумиру пару вопросов, такое не каждой фанатке удастся. А потом приедешь в Москву, о дне договоримся, за кулисы я тебя проведу, сама постер у «Баблз» подпишешь, а еще на память снимешься с ребятами. Твои подружки от зависти умрут.

— Правда? — задохнулась Катя. — Олег со мной поговорит?

— Веди к телефону.

Взяв трубку, я набрала домашний номер и сказала Рите:

— Извини, если разбудила, но без твоей помощи не обойтись. Соединись с Олегом из «Баблз»...

Катя внимательно слушала разговор, наконец, сделав еще один звонок, я протянула ей трубку.

— На, говори. Олег ждет, его Глафира предупредила о твоем звонке, она же дала мне номер его мобильного.

Катя стала похожа на переспевшую свеклу.

— Алло, — прошептала она.

Я молча наблюдала за девочкой. Спасибо Рите, которая не стала верещать: «Зачем? С какой стати мне дергать парня из «Баблз», и огромное спасибо Олегу, согласившемуся пообщаться с фанаткой.

Катя осторожно положила трубку на рычаг.

— Он сказал, — прошептала она, — чтобы я через неделю приезжала в клуб «Смех», к девяти вечера. Вроде и вы там будете.

— Напиши свой телефон, — кивнула я, — встречу тебя и отведу к Олегу.

Катя бросилась в комнату за бумагой и ручкой. Я повернулась к Митричу:

— Выполнила поставленное условие, теперь ваша очередь.

Он кивнул:

— Я никогда никого не обманываю.

Глава 24

Митрич не соврал, не прошло и получаса, как он сообщил мне адрес, который был указан в деле Насти. Странное дело, Звягинцева оказалась москвичкой, жила почти в самом центре. Оставалось лишь удивляться, отчего все, кого я спрашивала про Настю, считали ее провинциалкой.

Дойдя до станции, я села на скамейку и вздохнула. Электричка должна была подойти вот-вот. Липкая жара вымела из моей головы все мысли, даже за городом было нечем дышать, представляю, какой ад сейчас в Москве, где по магистралям несется несметное количество воняющих бензином машин.

Из-под лавки послышался писк. Я нагнулась и увидела полуторалитровую банку, плотно закрытую крышкой. В ней было проткнуто несколько дырок, а внутри стеклянной тюрьмы сидела большая бежево-серая мышь, вернее, крыса.

— Чего там роешься, — спросил хриплый голос, — ну-ка покажи руки! Иначе сейчас милицию позову.

Я выпрямилась и сказала стоявшей передо мной уборщице:

— Я ничего плохого не делала. Там кто-то из пассажиров своего домашнего любимца поставил, в тенек убрал, от солнцепека. Наверное, за билетом пошел.

— Ты про крысу? — усмехнулась она.

Я кивнула.

— Так она тут уже неделю стоит, то ли бросили ее, то ли забыли.

Я снова наклонилась под лавку. Серо-бежевый комочек глянул на меня маленькими печальными глазами. Мое сердце внезапно защемило. Вот бедный грызун. Ему, наверное, жутко страшно. Мимо с грохотом носятся поезда, на скамейку то и дело садятся люди. И потом, в стеклянной банке очень неудобно, жестко, душно...

— Подохнет скоро, — спокойно констатировала уборщица, — прям интересно, ну сколько они без еды и воды прожить могут? Эта уже семь дней держится.

— Ее не кормят и не поят? — ужаснулась я.

— А зафигом она нужна, — ответила баба и пошла, размахивая метлой, вдоль платформы.

Тут к перрону с грохотом подлетел поезд. Я машинально встала, сделала шаг к электричке... Крыса снова пискнула, жалобно, тихо, безнадежно. «Это всего лишь грызун, — попыталась я успокоить себя, — он ничего не понимает и не ощущает». Но тут же нагнулась, схватила банку и побежала к тревожно гудящему поезду.

В Москве на привокзальной площади я увидела вывеску «Все для животных», вошла в небольшое, заставленное мешками с кормом помещение и, показав банку продавщице, получила полную консультацию по уходу за найденышем.

— Вы ему купите домик, — посоветовала девушка, — крысы их страсть как любят, вон стоит, трехэтажный!

Я посмотрела на табличку с ценой.

— Да, хорош дворец, только у меня с деньгами беда.

— Если заводите животное, то придется раскошелиться, — сердито заявила продавщица, — его кормить надо, поить, любить. Ишь, запихнула несчастного в банку и довольна. Сама там посиди в жару!

— Я нашла его на платформе...

В процессе моего рассказа продавщица ахала, потом вытащила из ящика палочку, спрессованную из зерен, и запихнула в «дом». Крыса схватила угощенье и быстро-быстро стала грызть его. Шерстка на тощей спинке поднялась дыбом, усы дрожали, хвост трясся.

— Ну, бедолага, — протянула девушка, — погоди тут секундочку.

С этими словами она нырнула в подсобку, я стала разглядывать содержимое полок. Шоколадные конфеты для собак, искусственные мыши, предназначенные кошкам, игрушки, грызальные косточки, мягкие матрасики... Да уж, жизнь несправедлива. Один спит на диване, лакомится сырными чипсами, а другой, такой же, ничуть не хуже ни по характеру, ни по внешнему виду, умирает от голода на вокзале.

— Держи, — девчонка выскочила из служебного помещения, — подарок от нас.

Я уставилась на роскошный замок для крысы.

— Сказала же, у меня нет денег.

— Это бесплатно.

— Я не побираюсь. Вот заработаю и сама куплю.

Девочка хмыкнула:

— Не тебе дарю, а крысе. И потом, видишь, тут поддон треснут, брак считается. Нам все равно не продать домик, бери, бери. Купишь лоток потом и заменишь. Я от души даю.

У меня отчего-то защипало в носу.

— Спасибо, такой шикарный. Только мне неприятно вот так... без денег забирать.

— Ну ты и зануда, — возмутилась продавщица, — хорошо, считай, что в долг берешь, разбогатеешь — заплатишь.

— Ладно, — согласилась я, беря клетку, — только боюсь, не скоро на меня золотой дождик прольется.

— Может, и раньше, чем ты думаешь, — усмехнулась девушка, — говорят, если кого счастливым сделаешь, то к себе удачу приманишь.

Дома я вытряхнула крысу в домик. Бежевый комочек сначала вздрогнул, а потом бросился в укрытие. Пока найденыш устраивался в спальне, на матрасе, я принесла блюдечко с молоком.

Узкая мордочка высунулась наружу, понюхала воздух и потом припала к жидкости. Когда блюдце опустело, я вытащила кусочек сыра и, просунув руку в домик, сказала:

— Попробуй, это жутко вкусно.

Грызун осторожно, почти ползком приблизился и начал обнюхивать лакомство.

— Бери, бери, — ободрила я его, — не бойся.

Крыс сел, потом передними лапками неожиданно взял не протянутый ломтик сыра, а мою ладонь. Я немного испугалась — вдруг он решил укусить новую хозяйку? Но крохотные пальчики нежно-розового цвета очень осторожно касались кожи, потом крыс вдруг присел и положил мордочку мне в руку. Весь его вид говорил: спасибо, я счастлив.

Из моих глаз полились слезы, я выхватила нежно-бежевое тельце из домика и прижала к груди. Крыс ловко взобрался по футболке вверх, сел на плече около шеи и начал тыкаться мне в ухо, тихо пофыркивая, потом осторожно принялся перебирать лапками мои волосы.

— Тань, — закричала Рита, — опаздываем!

Я положила крыса в клетку.

— Извини, поспи пока, я скоро вернусь.

Найденыш, увидав, что я ухожу, запищал, занервничал, затрясся. Я растерялась, крыс явно боялся остаться один. Пришлось посадить его в сумку. Собираясь закрыть замок, я сказала:

— Хорошо, будь по-твоему, возьму тебя с собой. И вообще, не бойся, я тебя никогда не брошу. Знаешь, до сегодняшнего дня я была одинокой, а теперь мы с тобой семья.

Словно поняв мою речь, крыс спокойно улегся спать в носовом платке. Я осторожно погладила его по нежной шубке. Каждому живому существу надо знать, что его любят, даже крысе.

На следующее утро я, снова прихватив с собой

найденыша, отправилась по адресу, добытому Митричем. Ехать оказалось недалеко, вернее, идти пешком, дом Звягинцевой находился буквально за поворотом, в двух шагах от квартиры Глафиры. Подпрыгивая от нетерпения, я подошла к подъезду и уткнулась в домофон. Все правильно, кто же сейчас держит двери нараспашку, в особенности если обитаешь в шумном центре. Пальцы потыкали в стертые кнопочки.

— Вам кого? — прохрипело из динамика.

— Здравствуйте, мне в двадцать первую квартиру.

Запищал гудок, я дернула дверь и попала внутрь. Несмотря на то, что в доме имелся лифт, мне захотелось пойти наверх пешком. Подъемник тут был допотопный, деревянная кабина скользила внутри проволочной шахты, открывать и закрывать двери следовало самой, и я просто-напросто испугалась.

В квартиру Насти вела совершенно шикарная дверь с позолоченной ручкой. Не успела я поднести палец к звонку, как створка сама собой распахнулась.

— Вы к кому? — спросила миловидная женщина лет сорока.

— Мне нужна Настя Звягинцева, — улыбнулась я.

— Здесь такая не живет.

Конечно, я ожидала услышать в ответ нечто подобное, но все равно от горького разочарования перехватило горло.

— Вы уверены? — глупо спросила я.

Женщина рассмеялась:

— Вот уж хороший вопрос. Абсолютно точно знаю, что никакой Звягинцевой у нас нет.

— Понимаете, этот адрес мне дали в справочном бюро, — соврала я, — вроде Настя проживала тут.

— Когда? — прищурилась незнакомка.

— Ну, некоторое время назад.

— Мы с мужем расселили эту коммуналку, — объяснила хозяйка, — здесь жило две семьи. Мы купили им квартиры.

— Значит, вы знаете, куда Звягинцева выехала! — обрадовалась я.

Женщина перестала улыбаться.

— Ой, у вас сумка шевелится! — воскликнула она.

— Не бойтесь, — быстро сказала я, — это мой крыс, он тоскует в одиночестве, поэтому я взяла его с собой, смотрите, какой симпатичный!

— Надо же, — расцвела хозяйка, — у меня тоже крыса живет, Манюня.

Имя ударило в уши. Манюня! Очень знакомое, даже любимое. Я когда-то знала кого-то...

— А вашу как зовут? — поинтересовалась тетка.

— Э... Оскар, — вырвалось у меня.

— Красиво, — одобрила дама, — ладно, постойте тут, я пороюсь в бумажках. Крысолюб крысолюбу должен помогать.

Я осталась одна и уставилась на крыса.

— Извини, дорогой, Оскар — не самое плохое имя.

Крыс дернул носом.

— А ласкательно можно звать тебя Ося, — быстро добавила я, — станешь Оскаром Татьяновичем, очень даже мило, хотя полагаю, что в прежней жизни хозяева звали тебя по-другому, но ты же не можешь сообщить как...

Крыс чихнул.

— Отлично, — кивнула я, — значит, ты согласен. Знаешь, мы с тобой очень похожи. И у тебя, и у меня была какая-то другая жизнь, но ни ты, ни я не способны ничего рассказать о ней.

Дверь распахнулась.

— Звягинцева Ариадна Николаевна, — сообщила женщина, держа в руках белую крысу, — была тут такая, она уехала в спальный район, хотела поближе к природе, вот адрес. А это моя девочка. Красавица, да?

Похвалив Манюню, я побежала к метро. Хорошо, что сегодня мне надо быть дома не раньше восьми, успею смотаться туда-сюда, хотя путь предстоит неблизкий.

Перед тем как влезть в вагон, я купила газету и углубилась в ее содержание. Боясь потерять ваше уважение, скажу, что с чтением у меня большая проблема. Серьезные издания брать в руки не хочется, на их страницах в основном печатают слишком мрачные сведения. Мне не доставляет удовольствия знать о том, что через пару лет Россия погибнет от финансового кризиса, а население Земли вымрет от атипичной пневмонии, СПИДа и птичьего гриппа. Может, оно и так, но думать о предстоящих глобальных бедствиях мне совершенно не хочется. Читать же глянцевые журналы с советами «Как выйти замуж» или «Сто способов удержать любимого» мне скучно. И потом, зачем же сто уловок? Хватит одной, но не о ней речь. Поэтому, окинув взглядом лоток, я предпочла газету «Кулисы». Вот в ней точно не будет страшных экономических прогнозов, одни сплетни.

Забившись в угол вагона, я стала читать первую полосу. «Солисты шоу трансвеститов Лулу, Коко и Нана подрались с певицей Инессой. Наша дива имеет собачку, весьма противного пуделя, которого «Кулисы» терпеть не могут за вздорный нрав и привычку писать в чужие сумки. Но на этот раз собачонка превзошла самое себя. Пока ничего не подозревающие трансвеститы пили кофе, пудель пролез в их гримерку, испортил дорогой костюм, вытащил из него накладную грудь...»

Я засмеялась: бедный, бедный кобелек, значит, ему одному досталось за наши с Ритой проделки. Хотя доля правды-то в сообщении имеется, хвостатый проказник на самом деле упер фальшивый бюст. Ладно, что там на второй странице?

«Немедленно в номер. Срочное сообщение. Страшная зараза начинает расползаться среди наших звезд. Называется она власожоркой, передается при бытовом контакте. К счастью, особого урона здоровью инфекция не наносит, заболевший попросту лысеет, что, согласитесь, тоже неприятно. Пока подобная беда случилась с Иваном Ермолаевым, музыкантом, работающим у Глафиры. Кстати, от напасти есть лекарство: если на вас чихнул больной, нужно как можно быстрее вымыть голову бензином. На всякий случай рекомендуем иметь канистру дома и обрабатывать волосы после разговора с любым лысым человеком, бог знает, вдруг он болен власожоркой».

Газета выпала у меня из рук. Можно я не стану комментировать прочитанное? Интересно, какое количество подписчиков «Кулис» рвануло после прочтения данной заметки на бензозаправки с пустыми емкостями? Вот, значит, как подаются сенсации! «Авторами» этой можно считать меня и Костю.

Ариадна Николаевна открыла дверь без всяких вопросов. Худая, не по-старушечьи высокая, она сначала впустила меня в темную, пахнущую пылью прихожую и только потом догадалась спросить:

— Вы к кому?

— К Ариадне Николаевне.

— Слушаю.

— Вообще-то, мне нужна Настя, — сказала я. Внезапно хозяйка сильно побледнела.

— Зря приехали.

— Ее дома нет? — разочарованно спросила я.

— Это не ее дом, — отрезала Ариадна Николаевна.

— Но мне дали этот адрес...

— И что? — нахмурилась дама.

— Понимаете, мне очень надо поговорить с Настей.

— Она умерла.

Я привалилась к стене.

— Не может быть!

— Почему же, — хмыкнула Ариадна Николаевна, — случается с людьми порой такое: жил, жил — и конец. Все там будем, и о смерти следует помнить, дабы меньше грешить. Спросится с нас потом, у входа в царствие божье, да, непременно! Воздастся каждому по заслугам. Анастасия в аду!

— А вы ей кто? — машинально спросила я.

— Мать, — последовал сухой ответ.

Я растерялась окончательно. Вот уж не предполагала, что об умершей дочери можно говорить с таким выражением лица.

— Простите, — прошептала я, — извините за беспокойство. А когда скончалась Настя?

— Много лет назад, — последовал по-прежнему равнодушный ответ.

Я подпрыгнула от неожиданности.

— Не может быть!

— Почему?

— Но еще не так давно она пела на эстраде.

— Вранье, Настя скончалась, много воды утекло с тех пор...

— Невероятно! Пару лет назад она была на зоне, собственно говоря, ваш адрес, тот, старый, мне подсказали в месте ее заключения.

Ариадна Николаевна стала еще прямее.

— Милостивая государыня, — отчеканила она, — ступайте прочь!

— Посмотрите, видите, права, — я принялась суетливо совать пластиковую карточку неприветливой старухе, — взгляните, сделайте одолжение, это ваша Настя? Может, какая-то аферистка назвалась именем давно умершего человека?

Я ожидала в ответ на свою просьбу чего угодно. Интереса, негодующего ответа: «Моя дочь ничуть не похожа на это фото», возмущенного вопроса: «Откуда у вас документ Насти?», но реакция Ариадны Николаевны оказалась непредсказуемой. Твердой, очень сильной рукой она схватила меня за плечо, быстро распахнула дверь и что есть силы пнула непрошеную гостью. Я, не удержавшись на ногах, пролетела через узкую лестничную площадку, больно ударилась всем телом о расположенную напротив закрытую дверь и шлепнулась на пол.

— Кто там безобразничает? — донеслось из-за створки.

Ариадна Николаевна исчезла, дверь в ее квартиру закрылась, зато отворилась другая, та, о которую я треснулась со всего размаха.

— Не стыдно ли? — укорила меня старушка, полная противоположность Ариадне Николаевне: кругленькая, полненькая, не бледная жердь, а румяный пончик.

— Такая молодая, а хулиганите, — покачала головой бабуся.

— Наверное, лучше плохо себя вести в первой половине жизни, чем в старости, — прокряхтела я, вставая.

— Всегда следует быть воспитанной.

— Это надо Ариадне Николаевне посоветовать, — хмыкнула я и стала отряхивать джинсы.

— А что случилось? — мигом проявил любопытство «пончик».

— Я спросила у вашей соседки сущую ерунду, — пожаловалась я, чувствуя, как в голове вспыхивает боль, — а Ариадна Николаевна меня так толкнула! Вот я и влетела в вашу дверь.

— Что же вы у нее узнать решили? — изумилась бабуся. — Ариадна мухи не обидит.

— Значит, посчитала меня менее значительным насекомым, я всего-то хотела узнать, кто на этом фото — Настя или аферистка, прикидывающаяся ею, — вздохнула я.

— Дайте сюда, — велела старушка и выхватила у меня права.

Некоторое время она молча смотрела на снимок, потом цокнула языком:

— Теперь понятно.

— Что? — насторожилась я.

— Меня зовут Анна Львовна.

— Очень приятно, Таня.

— Входи, — приказала Анна Львовна, — не на лестнице же болтать.

Глава 25

— Вы хорошо знаете Ариадну Николаевну? — спросила я, войдя в маленькую кухню.

Анна Львовна кивнула:

— Всю жизнь вместе прожили в коммуналке. А потом нас один богатей расселил, купил квартиры отдельные, очень ему наши апартаменты приглянулись. Центр, но тихо, вот он и польстился.

Но богатые люди не зря много денег имеют, расчетливый нувориш живо смекнул, что если приобрести нищете из коммуналок отдельную жилплощадь в новом доме, в одном подъезде, то риелторская фирма сделает большую скидку. Именно по этой причине Анна Львовна и Ариадна Николаевна очутились вновь в соседях, правда, квартиры у них оказались разные. Анна Львовна живет вместе с взрослым сыном и невесткой, поэтому ей обломилась большая двушка, превратившаяся после ремонта в трешку, а Ариадна Николаевна сама по себе, вот и кукует сейчас в однокомнатной.

— Как же так вышло, — забормотала я, — куда же Настя подевалась? Кстати, гляньте, это она?

Анна Львовна вытянула подальше руку с правами и протянула:

— Ну, вроде похожа, хотя сказать сложно. Я ее помню короткостриженой, более полной. Губы такие же и нос, а там кто знает. Похожа и не похожа! Потом, здесь день выдачи пропуска стоит, — продолжала Анна Львовна, не понявшая, что сжимает в руке права автолюбителя, — Настя-то, по словам Ариадны, умерла раньше...

— Вы точно знаете?

Анна Львовна поджала губы:

— Да уж! Сколько она мне горя принесла, даже говорить трудно.

Я схватила ее за теплую, мягкую ладонь.

— Ну, пожалуйста, умоляю.

— С какой стати мне перед вами откровенничать? — удивилась старушка. — И вообще, кто вы такая?

Я сгорбилась на табуретке.

— Меня зовут Таня, а ищу я Настю вот по какой причине...

Анна Львовна оказалась замечательной слушательницей, она ни разу не прервала меня, а когда я замолчала, бабуся вдруг встала и вышла. Не понимая, как реагировать на ее поведение, я осталась сидеть на месте, надеясь, что меня все-таки не вышвырнут опять на лестницу.

— Вот смотрите, — сказала Анна Львовна, вернувшись. — Это фото было сделано пять лет назад. Слева мой старший сын Миша, справа младший, Леня.

— Симпатичные юноши, — кивнула я, не понимая, с какой стати старушка демонстрирует снимок.

— Миша высоко взлетел, — комментировала Анна Львовна, — ну, по нашим меркам, конечно. Открыл свой автосервис, маленький. Клиенты к нему пошли. Мишенька банкам не доверял, накопленные деньги хранил в укромном месте, хотел дело расширять, планировал нам квартиру купить. Он уж очень Леню любил, Леонид у нас кандидат наук, талант. Вот Мишенька всегда и говорил: «Выбьюсь наверх и Леньку вытащу, пусть о средствах не думает, книжки свои строчит». Только вот беда... — Анна Львовна перевернула фото оборотной стороной. — Умер Миша.

— Ужасно, — прошептала я, — как же так, вроде молодой.

— Он покончил с собой, — коротко ответила Анна Львовна, — а причиной была Настя, я постараюсь вам помочь ее отыскать. Так я и думала, что Ариадна врет. Ну с какой стати Анастасии на тот свет отправляться? Такие дряни не умирают быстро.

— Может, она тоже счеты с жизнью свела...

— Анастасия? — мрачно улыбнулась Анна Львовна. — У нее ни совести, ни чести, несмотря на благородное происхождение. Впрочем, случается и в дворянских семьях генетический мусор. Ладно, давайте все по порядку расскажу.

Ариадна Николаевна никогда не скрывала своего происхождения. Высокая, худая, с идеально прямой спиной, она выделялась в любой толпе холодно-равнодушным выражением глаз. Незнакомые люди, столкнувшись с дамой, робели, продавщицы в магазинах цепенели.

Муж у Ариадны был ей под стать — скрипач, пиликал в каком-то оркестре, называл жену на «вы» и вел себя тихо-тихо. Правда, он рано умер, так же тихо и незаметно, как жил. Ариадна одна воспитывала дочку Настю. Девочке она с ранних лет давала уроки благородного поведения. Если крошечная Настя начинала бегать с Мишей по коридорам, Ариадна молча уводила дочь. Один раз Анна Львовна, находясь в туалете, услышала, как соседка, стоя в ванной, ругает девочку:

— Ты опять играла с Михаилом! Он нам не ровня, имей в виду, не со всеми дружить можно. Мы люди благородного происхождения, нас осталось мало, всех истребили. Ты обязана помнить, что имеешь голубую кровь, тебе все позволено, а Михаил смерд, его удел прислуживать, только со слугами не дружат, им отдают распоряжения.

Анна Львовна страшно возмутилась и сказала потом старшему сыну:

— Не смей приближаться к Насте.

В общем, почти Монтекки и Капулетти. Но особой дружбы между детьми, к обоюдной радости матерей, не было, Настю отдали в какую-то престижную школу, Ариадна возила ее через весь город, а Миша ходил в самую затрапезную, общеобразовательную, находившуюся в двух шагах от дома.

Училась Настя великолепно, на одни пятерки, знала два иностранных языка, бегала в музыкальную школу, играла на рояле, пела в хоре. У нее был маленький голосок, но хороший слух. Никаких скандалов между соседями никогда не возникало. Ариадна считала ниже своего достоинства выяснять отношения с плебеями, Настя тоже ходила, гордо задрав голову. Она не была красавицей, но в глазах у нее сверкал иногда такой огонек, мелькало в них что-то нехорошее. Жили, в общем, тихо. Но потом начались скандалы.

Первый приключился, когда Настя, закончив школу с золотой медалью, решила пойти учиться... на эстрадную певицу. Вот тут Ариадна Николаевна орала так, что Анна Львовна даже приготовилась вызывать «Скорую». Чопорную дворянку мог разбить инсульт.

— Через мой труп, — летело по коридору, — в лицедейки, в вертихвостки, в кривляки! Нет, нет и нет! Да твои предки в склепах перевернутся! Звягинцева на сцене, полуголая! Скачет! Поет! Позор!!!

Пришлось Насте уступить, она подалась в МГУ на филологический. Мама считала, что изучение литературы — наиболее подходящее занятие для благородной девицы.

Следующий скандал случился через год. Теперь уже бушевала Настя.

— Купи мне одежду, — вопила она, — перед студентами стыдно.

— Красота девушки в ее чистоте, — ответила мать.

И тут началось! Ариадна и Настя визжали до полуночи, до тех пор, пока Анна Львовна не набралась храбрости и не постучала к ним в дверь со словами:

— На часы взгляньте, не одни живете.

После этой бури жизнь в коммуналке резко изменилась. Теперь разборки у Звягинцевых случались часто. Настя перестала ночевать дома, могла отсутствовать по пять-семь дней, у нее появились деньги, девушка стала шикарно одеваться. Теперь она щеголяла в шубке, в ушах покачивались золотые сережки, на пальцах сверкали колечки. Ариадна делалась все мрачней.

Однажды Анна Львовна в неурочный час, около двух ночи, вышла на кухню, ей захотелось попить. Она щелкнула выключателем и воскликнула:

— Ой!

В углу за столом сидела Ариадна, было понятно, что соседка ждет дочь.

Анне Львовне стало жаль гордячку. Вот как поворачивается иногда судьба. Ее сыновья выросли хорошими юношами. Миша отслужил в армии, потом пошел учиться, а Леня сразу попал в институт. А ведь бегали в обычную школу и ни одного иностранного языка не выучили.

— Вы не расстраивайтесь, — сказала Анна Львовна, — с детьми вечные проблемы.

Внезапно Ариадна расплакалась, а потом, стыдясь своего поведения, убежала в комнату. Анна Львовна только покачала головой. Да уж, не зря говорят: маленькие дети спать не дают, от больших сам не уснешь!

На следующий день Анна Львовна столкнулась с Настей в коридоре и не выдержала.

— Как тебе не стыдно, — воскликнула она, — мать ночей не спит, плачет!

Настя вытаращила умело подкрашенные глаза.

— Вы не имеете никакого права делать мне замечания, знайте свое место.

— Ты как со мной разговариваешь? — оторопела Анна Львовна.

— Как вы заслужили, — отрезала Настя.

— В твоем возрасте другие девушки...

— Другие — может быть, — перебила Анну Львовну Настя, — простому человеку и впрямь следует идти по жизни сгорбившись. Я же не такая, как все. Мне все позволено!

Анна Львовна заморгала. Да уж, посеянные Ариадной семена дали диковинные всходы, вздорная девица поверила в собственную безнаказанность и исключительность. Ей-богу, стоит пожалеть Ариадну, хоть она сама виновата, не надо слишком задирать нос.

Ну а затем мать и дочь поругались окончательно, и Настя исчезла незнамо куда. Ариадна старательно держала лицо, ходила с абсолютно равнодушным видом, но глаза ее совершенно потухли, они напоминали две кучки золы, и еще она теперь всегда первой кидалась к телефону или ко входной двери, если в квартире звенел звонок. Анна Львовна пару раз попыталась поговорить с гордячкой, но та разговор не поддержала, жила одна, подруг не имела и не собиралась никому открывать душу.

Анна Львовна уже начала забывать Настю, когда та неожиданно объявилась дома, причем в самом роскошном виде. Наткнувшись в кухне на беглянку, Анна удивилась безмерно, и было чему. Во-первых, Настя внешне выглядела так, словно прошедших лет не было, более того, она похудела и смотрелась моложе, чем раньше. Во-вторых, увидев пожилую соседку, Настя обняла ее, поцеловала и очень ласково воскликнула:

— Ой, тетя Аня, как хорошо вернуться домой!

Анна Львовна изумилась настолько, что ляпнула:

— Что с тобой приключилось? Отчего такая вежливая стала?

Настя улыбнулась:

— Да уж! Была я выдающейся хамкой, хорошо, жизнь меня научила! Теперь я совсем другая.

— Добро, кабы так, — недоверчиво пробормотала Анна Львовна.

Прошло около трех месяцев. Настя исправно ходила на службу. Правда, Анна Львовна не знала, где работает соседка. Скандалов больше не было, но Ариадна становилась все мрачнее и мрачнее, просто почернела вся. А затем Настя опять пропала.

Через две недели после ее исчезновения Миша, старший сын Анны Львовны, покончил с собой. На столе он оставил короткую записку: «В моей смерти прошу никого не винить». Но когда ослепшая от слез Анна Львовна отрыдала девять дней, по почте ей пришло письмо от Миши.

«Мама, — писал он, — если ты читаешь эти строки, значит, меня нет в живых. Не надо плакать, ей-богу, в могиле будет лучше, потому что жизнь моя все равно закончилась...»

Глаза Анны Львовны бежали по строчкам, и ей делалось все хуже и хуже. Оказывается, Миша давно любил Настю, предлагал ей стать его женой, но девушка категорически отказывалась, говоря:

— Наши мамы ненавидят друг друга, ничего хорошего у нас не получится. Жить-то нам всем в одной квартире.

Миша пообещал приобрести собственную жилплощадь, но Настя не стала ждать, пока парень разбогатеет, и ушла из дома.

— Только из-за тебя покидаю родные пенаты, — сообщила она ухажеру, — нам лучше друг друга не видеть.

Хлопнула дверь, и Настя как в воду канула. Встретились они случайно, спустя много времени. Миша заскочил в кафе перекусить и увидел там Настю. Его чувства вспыхнули с новой силой, Настя тоже была рада встрече. Поговорив друг с другом, они решили пожениться. Именно поэтому Настя вернулась домой, хотела, чтобы свадьба состоялась по-людски, вместе с мамами. Пара собиралась подать заявление в загс, а потом рассказать о своих планах Анне и Ариадне. У Миши не было секретов от любимой, он в конце концов рассказал ей, где лежат накопленные деньги. Сумма была большой, чуть-чуть не хватало для покупки трехкомнатной квартиры. Счастье казалось парню безоблачным, но за пару дней до похода в загс Настя ушла из дома, оставив Мише обрывок бумажки с одной фразой: «Полюбила другого, ищи себе новую невесту». Михаил сначала подумал, что Настя глупо пошутила, потом он решил положить в заначку очередную порцию денег, открыл тайник и обнаружил, что тот пуст.

Владельцу автосервиса сразу стало понятно, кто ограбил его. Только Настя знала, в каком месте спрятаны доллары.

Анна Львовна снова перевернула фотографию лицом вверх.

— Вот этого удара Миша пережить не смог. Поймите, ему не было жаль накопленного. Попроси Настя денег, сын отдал бы ей их с радостью. Он даже мог бы понять, что Настя влюбилась в другого человека... Но когда сообразил, что она и не думала о создании семьи с ним, когда понял, что негодяйка просто хотела разведать, где спрятаны тысячи долларов, чтобы украсть их... Когда до Мишеньки дошло, какую мерзавку он обожал, вот тут его нервы не выдержали...

— И как вы поступили, узнав правду? — пролепетала я.

Анна Львовна тяжело вздохнула:

— Пошла к Ариадне и положила перед ней письмо. Та прочитала...

— Ну и?

— Она ничего мне не сказала.

— Как?!

— Так. Молча отдала бумажку назад и ледяным тоном заявила: «Более никогда не входите на мою половину без приглашения».

— А вы?

— Что я?

— Просто так и ушли?

— Странный вопрос.

— Вовсе нет, я бы побежала в милицию.

Анна Львовна кивнула:

— Леня, младший сын, именно так и поступил. Но что толку? Ему там живо объяснили, что дела заводить не станут. Миша в письме негодяйку по имени не называл, указал лишь одну первую букву Н, да и деньги ведь не задекларированы в налоговой были... Так и продолжали жить вместе, молчком. Невестка моя, жена Лени, правда, все порывалась гадость Ариадне сделать, сунула ей один раз кусок мыла в суп, но я узнала об этом и запретила безобразничать. Мы последние годы не разговаривали — ни здрасте, ни до свидания. Она делала вид, что нас не замечает, а мы ее стороной обходили. Один лишь раз она в молчанку играть перестала.

Дело было зимой, прямо в Рождество. Анна Львовна вышла на кухню, увидела, что Ариадна стоит около плиты, и, развернувшись, хотела уйти, но тут услышала:

— Погодите!

Вне себя от изумления Анна воскликнула:

— Вы мне?!

— Да, — последовал сухой ответ, — я хочу сообщить, что моя дочь умерла.

— Настя? — шарахнулась Анна. — Отчего же? Она болела?

— Какая вам разница, — равнодушно сказала Ариадна, — ее господь за грехи наказал. Радуйтесь.

— Хоть ваша дочь и принесла нашей семье огромное горе, — тихо ответила Анна Львовна, — сейчас, узнав о ее кончине, я прощаю Настю. Человек, попавший в царствие божье, неподвластен суду людей.

Ариадна ничего не ответила, молча взяла кастрюльку с кашей и ушла в свою комнату. Больше она не перемолвилась с Анной ни словом, ни разу, до самого переезда на новую квартиру.

— Только я последнее время стала подозревать, что она мне соврала, — завершила рассказ Анна Львовна. — Да еще Ася, невестка моя... Она девушка горячая, конечно, нехорошо поступила...

— А что она сделала?

— Налетела как-то перед разъездом на Ариадну в ванной и заорала: «Ага, ходите тут, улыбаетесь, а Миша лежит в могиле, дочь ваша, воровка, на награбленные денежки хорошо пожила. Ладно, милиция ничего делать не стала, вроде все забыли, дело давнее, но я не пожалею долларов и киллера найму. Пусть пристрелит Настьку, тогда и посмотрим, как выть станете. Думаете, я ничего не помню? Сейчас уедем, и все? Ну уж нет! До смерти вам не прощу».

Ариадна выслушала Асю и ушла, а спустя несколько дней сделала заявление о кончине дочери.

— Она великолепно знает, где Настя, поэтому и придумала про ее смерть, моей глупой Аськи побоялась, — вздыхала Анна Львовна, — теперь мне ясно стало.

Глава 26

Выйдя от старушки, я, полная злости, снова позвонила в дверь к Ариадне Николаевне. Опять мне открыли без каких-либо вопросов. Прямая жердь замаячила на пороге, я быстро сунула ногу в щель между косяком и дверью.

— Советую впустить меня.

— С какой стати? — холодно обронила Ариадна.

— Вы всю жизнь изображали из себя герцогиню, — заорала я, — чванились, нос задирали! А какое право на это имели? Вы что, лично титул заслужили? Он вам от предков достался? Имейте в виду, я всем расскажу, какая ваша Настя дрянь и что она в тюрьме сидела! Пусть вас стыд съест! Да не за то, что дочь осудили, а за то, что вы ее умершей объявили. А еще верующим человеком считаетесь. Знаете, какой страшный грех живого хоронить!

— А ну иди сюда, — прошипела Ариадна и втянула меня в прихожую. — Ты кто такая?

— Таня.

— Вижу, что не Ваня, — огрызнулась хозяйка. — Зачем сюда явилась?

Я прислонилась к стене и начала выплескивать на Ариадну все, что мне известно. Глаза ее ввалились, а смуглые щеки стали бледно-серыми.

— Так я и знала, — прошептала она, опускаясь на маленький пуфик около ботиночницы, — все думала, думала, но...

По щекам женщины потоком хлынули слезы. Я молчала. Ариадна прижала кулаки к груди.

— За что? За что? — монотонно повторяла она. — За что? Я была не самой плохой матерью. Почему? Дефектный набор генов? Или Насте достался характер моей бабки, та такое творила! Любовников меняла, каждого разоряла, никакого удержу не знала... О господи!

— Может, вам воды принести? — участливо спросила я.

— Воды, воды, воды, — забубнила Ариадна, — верная идея! Утопилась бы, да грех, ой грех! А жить еще грешнее.

Я занервничала, похоже, у дамы непорядок с головой.

— У вас есть валерьянка?

— Валерьянка, валерьянка, валерьянка...

— Сейчас сбегаю, куплю.

— Куплю, куплю, куплю...

Испугавшись еще больше, я шагнула было к двери.

— Нет! — закричала Ариадна. — Постойте, послушайте, сядьте... я... да... виновата, очень, но... я...

Она заговорила бессвязно, лоб ее вспотел, цепочка мелких капелек заблестела и над верхней губой, неровные красные пятна поползли от шеи на щеки. Руки Ариадны, по-прежнему сжатые в кулаки и притиснутые к груди, тряслись, ноги дрожали, все тело, нервно вытянутое в струнку, покачивалось из стороны в сторону, в глазах металось безумие.

Поняв, что оставить ее одну в таком состоянии нельзя, я села на пол около пуфика и стала слушать малосвязную речь. Через некоторое время фразы стали более понятными, я начала вникать в суть.

Все неприятности у Ариадны с Настей начались, когда мать запретила дочери стать певицей. Дочь вроде подчинилась, поступила на филфак, но потом Ариадна заметила, что Настя слишком поздно приходит домой. Мать попыталась узнать, где пропадает дочь... В общем, не стану тут вдаваться в подробности, оказалось, что Анастасия стала участницей студенческой самодеятельности, примкнула к какому-то ансамблю и поет в группе. Ничего плохого, скажете вы? Многие учащиеся играют в любительских спектаклях и выступают с песнями. Да, но только они при этом еще и посещают лекции. А Настя перестала ходить на занятия, таскалась с джаз-бандом по ресторанам, развлекала пьяную публику.

Поняв, что дочурка перехитрила ее, вроде подчинилась, а на самом деле поступила по-своему, Ариадна рассвирепела и заорала:

— Вон из моего дома! Ты опозорила нашу фамилию.

— Пожалуйста, — фыркнула Настя и ушла.

Через час Ариадна пожалела о своей несдержанности, но особенно не волновалась. Насте было некуда деваться, пообижается и явится назад с повинной. Но дочь не собиралась возвращаться. Она словно в воду канула — не звонила, не приезжала. Перепуганная Ариадна съездила в МГУ и узнала, что Настя давно там не показывается. С большим трудом мать отыскала руководителя ансамбля и услышала от длинноволосого парня раздраженное:

— Ваша Настя — воровка, стырила все деньги, на которые мы собрались новые инструменты купить, и смылась. Я о ней больше слышать не хочу.

Ариадна вернулась домой и призадумалась. Только сейчас до нее дошло, что она ничего не знает о дочери: ни имен ее подруг, ни того, к кому могла отправиться. Пойти в милицию и заявить о пропаже дочери Ариадна побоялась, она вообще предпочитала не иметь дела с представителями закона. Целый год мать ничего не знала о дочери. Но потом завеса тайны приподнялась.

В канун Нового года, когда весь народ собрался резать салат «Оливье», в дверь к Ариадне постучала женщина интеллигентного вида.

— Анастасия Звягинцева тут прописана? — спросила она.

— Да, — осторожно ответила Ариадна и, не желая, чтобы соседи услышали дальнейший разговор, быстро предупредила: — У нас квартира коммунальная, проходите в комнату.

Незваная гостья села на стул и тихо сказала:

— Я мать Коли.

— Кого? — удивилась Ариадна.

— Вашего зятя, разрешите представиться, Людмила, свекровь Насти.

Ничего не понимающая Ариадна воскликнула:

— Свекровь?!

— Ну да, — кивнула Людмила, — я догадываюсь, конечно, что вам про меня рассказывали: дескать, выгнала молодых из дома, но они сами виноваты. Вот приехала мириться, Новый год все же.

— Откуда вы адрес узнали? — Ариадна от неожиданности задала идиотский вопрос.

— Паспорт у Насти тайком посмотрела, когда она у нас поселилась, — призналась Людмила, — думала, она обманывает, москвичкой прикидывается, а на самом деле из провинции, хочет Колю окрутить. Некрасиво, конечно, но вы меня, думается, понимаете. Приходит сын, приводит неизвестно кого и заявляет: «Это моя невеста, она с нами жить станет». Вот я и отреагировала неадекватно. Тащу парня одна, мужа нет, лишних денег тоже, а теперь еще один рот прибавляется. Да такая хитрая девушка, на все вопросы невразумительно блеет.

Людмила поинтересовалась:

— Ты откуда?

— Из Москвы.

— Учишься?

— В МГУ.

— Папа, мама кто?

— Они умерли.

— А квартира есть?

— Нету.

— Почему?

Последовало молчание.

— Где же ты живешь?

— Снимаю комнату.

— А на какие средства?

— Стипендию получаю.

— И никаких родственников?

— Нет.

— Ты совсем одна?

— Да.

Тут Коля налетел на маму:

— Оставь Настю в покое.

Людмила примолкла, потом улучила момент, пошарила в сумке у девчонки и, обнаружив паспорт с московской пропиской, слегка успокоилась. Значит, оборванка про это не наврала.

Стали жить вместе. Людмила — учительница в школе, поэтому привыкла постоянно всем делать замечания. Настю она пилила безостановочно, попрекала неумением готовить, стирать и гладить, постоянно твердила Николаю:

— Твоя жена — что, считает себя царевной? Ничего по дому не делает, денег не приносит, а ест хорошо. Откуда у нее новое пальто взялось, а? На стипенцию купила?

— Да, — буркал Коля.

— Здорово выходит, — не успокаивалась Людмила, — я, значит, должна репетиторствовать, а она...

В общем, очень знакомые во многих семьях разговоры. К сожалению, есть люди, постоянно живущие в фазе скандала. Только Коля и Настя не захотели существовать подобным образом.

Как-то раз, вернувшись с работы, Людмила нашла на столе записку от сына:

«Ты нас достала, прощай. Не ищи, не найдешь».

Людмила промаялась некоторое время от неизвестности, потом наступило тридцать первое декабря, и учительница решила, что в этот день лучше всего помириться с сыном и противной невесткой.

— Сделайте одолжение, позовите их, — попросила она Ариадну. — Вы, кстати, Насте кто?

— Мать, — ответила Звягинцева.

— Да ну, — всплеснула руками Людмила, — вот это новость! Так где же наши?

— Кто? — спросила Ариадна.

— Николаша и Настя.

— Отчего вы решили, будто они тут?

— Куда же им идти? Только по месту прописки Анастасии, — наивно ответила Людмила.

— Их тут не было, — пояснила Ариадна.

Вот так она узнала, что дочь стала замужней женщиной, но местонахождение Насти осталось неизвестно.

Полетели годы, Ариадна поняла, что Настя не собирается возвращаться в родной дом, она вычеркнула мать из своей жизни, мстит ей непонятно за что. Представьте теперь удивление пожилой дамы, когда однажды в комнату вошла беглянка собственной персоной и как ни в чем не бывало заявила:

— Я приехала.

Ариадна кинулась, рыдая, к дочери. Потом, уняв поток слёз, принялась задавать вопросы:

— Где ты живёшь? Как муж? Есть ли дети? Кем работаешь?

Настя отвечала коротко:

— С супругом развелась, детей господь мне не дал, служу в школе преподавателем литературы. — Потом она помолчала и добавила: — Правда, сейчас мне жить негде, не могу делить с мужем его жилплощадь, совесть не позволяет. Можно, пока тут перекантуюсь?

Естественно, Ариадна с радостью приняла Настю. Но через пару недель, когда острота счастья от встречи со вновь обретённой дочерью слегка притупилась, мать стала замечать некоторые странности.

Настя спала до полудня, потом часа два-три слонялась по квартире, затем быстро приводила себя в порядок и убегала. Странный распорядок жизни для учительницы, не так ли?

— Ты в вечерней школе работаешь? — сообразила Ариадна.

— Да, — ответила дочь, — в экстернате.

И еще, Настя не нуждалась. У нее была красивая, модная одежда, изящные драгоценности, хорошая косметика, французские духи...

Исчезла Настя так же внезапно, как и появилась. Один раз Ариадна ушла в консерваторию, она очень любила симфоническую музыку и старалась раз в неделю ходить на концерт. Так вот, вернувшись домой, мать не нашла дочери, исчезли и все ее вещи, Настя прихватила еще и серебряную сахарницу, доставшуюся семье от прабабки, и небольшую сумму денег, собранную Ариадной «на смерть». Ну а потом Миша покончил с собой, и Ариадна окончательно растерялась. Она старательно держала перед Анной Львовной лицо, не реагировала на соседку, но в душе у нее бушевал ураган. Господи, что с Настей? Неужели она и впрямь утащила чужие деньги? Женщина, в чьих жилах течет благородная кровь Звягинцевых, элементарная воровка?

Отказываясь этому верить, Ариадна снова стала жить одна, но, как говорится, пришла беда, вынимай паспорта.

Утром шестого июня, число Ариадна запомнила на всю жизнь, ей позвонили из районного отделения милиции.

— Следователь Епифанцев, — представился незнакомый мужчина, — жду вас сегодня у себя.

— С какой стати? — возмутилась Ариадна. —

Я порядочный человек с московской пропиской и непросроченным паспортом!

— Речь идет о вашей дочери Анастасии, — пояснил Епифанцев.

Ариадна понеслась на зов, забыв переобуть домашние тапки.

— Дочь убили?! — закричала она с порога.

— Анастасия жива, — успокоил ее Епифанцев.

— Слава богу, — прошептала мать, обваливаясь на стул.

Следователь налил из графина в стакан воды, пододвинул его к посетительнице и без всякой улыбки сказал:

— Уж не знаю, как вам понравится мое сообщение.

— Говорите, — махнула она рукой, — главное, Настя цела и невредима.

— Да? — усмехнулся Епифанцев. — Тут у меня вчера дама была, у нее тоже дочь посадили, так та кричала: «Лучше бы она умерла, чем мне позор терпеть».

— Тоже посадили, — эхом повторила Ариадна. — Вы о чем?

Следователь принялся вводить посетительницу в курс дела. Чем дольше он говорил, тем хуже становилось несчастной матери.

Настя не работала учительницей, она вообще нигде не служила. Долгие годы подряд она занималась мошенничеством. Охмуряла обеспеченных мужчин, а потом грабила их. Иногда ей хватало месяца, чтобы узнать, где жертва прячет накопленное. Иногда требовалось более длительное время. В погоне за «куском сыра» Настя не выбирала средств. У нее имелось несколько паспортов на разные фамилии. Следствие установило, что аферистка многократно вступала в брак, а какие тайны от любимой жены?

Объект для махинаций подбирался искусно. Это были обычно люди, которые скрывали свои доходы от соответствующих органов. Поэтому подавляющая часть ограбленных предпочитала молчать и не распространялась о том, что лишилась «нычки»! Точное число потерпевших не было известно, скорей всего, Настю и не поймали бы, но ей просто не повезло, попался на пути любовник, который застал ее в момент похищения денег из тайника и озверел.

— У нее явно имеется сообщник, — говорил Епифанцев, — потому что ваша Настя не рассказывает, где жила. Врет, будто снимала квартиру, и даже адрес дала, но мы побывали на месте и поняли: это отмазка, она там не ночует, даже постельного белья нет и вещей никаких. Значит, в другой берлоге обитает. И потом, по нашим скромным подсчетам, она занималась своим «бизнесом» не один год, но ничего не приобрела! Ни собственной квартиры, ни машины, ни дачи, ни счета в банке. Следовательно, имеется подельник, а может, подельница, на которую все оформлено. Не знаете, кто он? Или она?

Поняв, в чем подозревает ее следователь, Ариадна встала.

— Можете изучить меня вдоль и поперек, мне скрывать нечего. Храню жалкие гроши, «смертные», в тумбочке, потому что не доверяю Сбербанку, он уже один раз вкладчиков обманул, присвоил все мои денежки себе. Хотите посмотреть, как я живу? Пойдемте.

Епифанцев начал вертеть в руках карандаш.

— А насчет Насти... Моя дочь умерла, — сообщила Ариадна, — та, о ком вы тут рассказываете, это не она.

Наверное, лучше остаться бездетной, чем пережить то, что довелось испытать Ариадне. Домой она вернулась ни жива ни мертва и, проведя ночь без сна, поняла: фраза, вылетевшая из глубины ее души в милиции, чистая правда. Настя скончалась, аферистка Звягинцева не имеет ничего общего с дочерью Ариадны.

Очевидно, Настя совершенно потеряла совесть, потому что с зоны от нее пришло письмо. Она сообщала, будто ее оклеветали, осудили неправильно, посадили за другого человека.

«Так часто менты поступают, — читала Ариадна, — им надо раскрываемость повышать, вот и хватают невинных людей. Кстати, даже суд не сумел на меня много повесить, дали всего ничего, скоро я выйду».

Ариадна разорвала письмо. Она очень хорошо поняла, почему Настя получила крохотный срок. Просто человек, поймавший воровку у тайника, не сказал, сколько там было денег, побоялся, небось назвал копеечную сумму, и Настя заработала «легкую» статью.

Верны ли ее догадки, Ариадна разбираться не стала. На послание она не ответила, а потом, слава богу, появился нувориш и переселил ее в новую квартиру.

Закончив рассказ, Ариадна опустила прижатые к груди руки.

— Спасибо, что выслушали, — тихо вымолвила она, — сил не хватило больше в себе это носить... Я ни в чем перед Анной Львовной не виновата, мы с ней в одном положении находимся: у нее сын погиб, у меня дочь.

— Настя жива, — сказала я, — и продолжает подличать. Мне надо во что бы то ни стало найти ее.

Ариадна пожала плечами:

— Я вам тут не помощница, ничего о ней не знаю давно.

— Совсем?

— Абсолютно.

— Даже не предполагаете, где она может быть?

— Нет.

— Но на фото хоть она?

Ариадна взяла права.

— Вроде похожа. Только поймите, я давно ее не видела. Волосы не Настины, она никогда не была блондинкой, не носила челку и стриглась коротко, мне назло. В детстве я ей косы заплетала, ну а потом для нее Оля Капова авторитетом стала.

— Это кто? — навострила я уши.

— Оля Капова... — со злостью повторила Ариадна. — Я совершенно уверена, что это она мою девочку с толку сбила! Отвратительная особа! Уж как я против этой дружбы была, но нет! Стоило, бывало, на работу уйти, Настя к Ольге в квартиру шмыгала. Медом ей там намазано было.

— Это кто? — повторила я.

— Капова, соседка, жила с нами в одном доме, на этаж выше, в отдельной квартире, у них семья большая, — процедила Ариадна, — она старше Насти, имела на нее очень большое влияние и использовала его крайне непорядочно. Это она виновата во всем, что случилось потом. Мерзейшая особа! Она всему Настю научила и на скользкий путь толкнула.

Я постаралась не выдать своего отношения к ситуации. Да уж, если человек не захочет, никто и ничто не заставит его идти по кривой дорожке. Почти всегда тот, кто преступил закон, сделал это по собственной воле. Но читать тут мораль Ариадне не стану, ей, как и многим родителям, легче думать, что дитятко просто было уведено за руку в криминальные заросли нечестным человеком.

— Ольга Капова живет на прежнем месте? — поинтересовалась я.

Лицо Ариадны словно прихватило морозом.

— Любезнейшая, — каменным голосом ответила она, — мне не пристало общаться с подобной особой.

Я улыбнулась. Понятно теперь, почему у Ариадны нет никаких подруг. Вот сейчас она, не вынеся тяжелого груза на душе, спонтанно поделилась с незнакомой женщиной своим горем. Кстати, правду легче рассказать тому, кого не знаешь, и очень часто после подобной беседы люди начинают дружить, но только не Ариадна. Поняв, что проявила слабость, она моментально возненавидела меня.

Глава 27

Вечер катился по наезженной колее, первый концерт был в каком-то затрапезном клубе — корпоративная вечеринка, посвященная дню рождения некоего предприятия. Потом предстояло петь в казино.

До этого я, похоже, никогда не бывала в месте, где люди играют с фортуной, поэтому очень захотелось посмотреть на антураж. Пока Рита ждала своего выхода, я прошла в зал и удивилась. Большинство посетителей выглядело затрапезно, ни вечерних туалетов, ни шикарных костюмов. Мужчины и женщины одеты буднично, кое-кто в мятых джинсах и футболках. Хотя с чего это я взяла, что возле рулетки следует сидеть при полном параде? Может, когда-то смотрела кино, посвященное казино? Вот внешний вид обслуживающего персонала был безупречен. Крупье в элегантных пиджачных парах, секьюрити, коих тут было больше, чем посетителей, тоже носили строгие костюмы, девочки-официантки щеголяли в коротеньких юбочках и сильно открытых кофточках. Похоже, работодатель устроил жесткий кастинг. Все девицы походили на манекенщиц: высокие, стройные, белокурые, лет по двадцать, никак не старше.

Полюбовавшись на красивые ковры и постояв возле стола, где несколько вспотевших мужчин, лиц, так сказать, кавказской национальности, пытались сорвать большой куш, я вернулась назад. Честно говоря, казино меня разочаровало. Я ожидала чего-то этакого от гнезда разврата, сама не знаю чего... Но уж, во всяком случае, не спокойно-деловых крупье с приклеенными к лицу улыбками. Может, и впрямь в свое время я насмотрелась не того кино: голые танцовщицы, горы золотых монет на зеленом сукне, отчаянный вопль: «Я проигрался!», выстрел из пистолета, красотка, срывающая с шеи бриллиантовое ожерелье и швыряющая его кассиру... А тут! Все чинно, спокойно, тихо, просто трапеза в женском монастыре, а не вечер с рулеткой.

Единственно, что меня удивило, — это пингвины. Да, да, в казино, в специальном отсеке на первом этаже был оборудован бассейн и каменистый пляж, где обитало несколько пар этих симпатичных животных. Судя по всему, им там было очень хорошо. Один самозабвенно со страшной скоростью плавал по «реке», двое других ворковали около большого валуна, остальные мирно спали.

Полюбовавшись на бело-черные создания, я, вспомнив о профессиональных обязанностях, пошла за кулисы. Чтобы попасть в гримерную, следовало пройти довольно большое расстояние за сценой.

Очевидно, Рита выступала последней, потому что, кроме меня, за кулисами никого не было, к тому же там царила полнейшая темнота. Проклиная экономных хозяев, которые зажгли в игровом зале тысячу лампочек, но выключили свет бедным актерам, я поползла, вытянув руки вперед.

Через секунду глаза привыкли к мраку и стали различать очертания предметов. Вон какой-то ящик, дальше вроде стол.

— Тань, ты? — прошелестело впереди.

— Я.

— Иди сюда.

— Это кто?

— Не узнала?

— Не-а.

— Ща увидишь, — хихикнул хриплый то ли мужской, то ли женский голос.

— Ваня?

— Давай шевелись, — велел неопознанный объект, — у меня для тебя сюрприз.

— Иду.

— Быстрее.

— Как могу, так и иду, ничего не вижу.

— Тут нефиг смотреть, пол ровный.

— Куда торопиться? — бормотала я.

— Так растает!

— Что?

— Сюрприз!

— Вань! Ты принес мне мороженое! — обрадовалась я, ускоряя шаг.

— Догадливая слишком, — хрипел голос, — не скажу!

Внезапно мне до судорог захотелось пломбира, три шарика, белых-белых, с легким желтым оттенком, сверху шоколадная глазурь, мелконарезанные орешки... Да я ведь сегодня ничего не ела!

Глотая слюну, я почти побежала на зов.

— Левее бери, — скомандовал голос, — ага, сюда, шагай живо!

В этот момент небольшая серая тень, громко лая, шмыгнула у меня между ног. Я остановилась. Ричи! Гадкий пудель Инессы! Опять он тут.

— А ну, ступай прочь! — рассердилась я. — Иди к хозяйке. Вообще-то, я люблю животных, но ты слишком невоспитан и непослушен.

Собачка, громко лая, стала крутиться под моими ногами. Я шагнула вперед, пуделек тоже.

— Сделай одолжение, уйди, — рассердилась я, — мне хочется побыстрей получить свое мороженое.

Но Ричи не собирался повиноваться. Я попыталась пройти дальше, но тут кобелек взвыл и... исчез, внезапно пропал, словно его не было.

— Эй, — оторопела я, — ты куда делся?

Откуда-то снизу, глубоко из-под земли, понесся отчаянный плач пуделя. Совершенно не понимая, что случилось, я машинально наклонилась и похолодела.

Для тех, кто никогда в своей жизни не был за сценой, поясню. В закулисье, скрытом от зрительного зала, на самом деле таится много опасностей. По полу змеится огромное количество проводов, тут и там натыканы всякие ящики, инвентарь, декорации. Еще имеются так называемые колосники и люки, которые очень часто открывают для самых разных технических целей. Случается, что рабочие сцены забывают их потом закрыть. За кулисами ходит множество страшных рассказов об актерах, которые, не заметив зияющей пустоты под ногами, шагнули в нее и сломали кто руку, кто ногу, а кто и шею. И вот сейчас я оказалась на краю такой разверстой ямы. Пуделек Инессы, крутившийся у меня под ногами, не удержался и рухнул вниз.

Я упала на колени и закричала в люк:

— Милый, ты жив?

Пуделек отчаянно завизжал.

Мне стало совсем плохо, похоже, несчастная собака сильно ушиблась. Потом в голову пришла мысль: вдруг Ричи не безобразничал, а пытался предупредить меня об опасности? Люк казался очень глубоким, свались я туда, дело могло бы закончиться в лучшем случае больницей, а в худшем...

— Сейчас вытащу тебя, — постаралась я утешить псинку.

— Чего орешь? — спросил за спиной Ванька.

Я повернулась к нему.

— И зачем ты торопил меня, а? Смотри, я чуть туда не упала.

— Я? Тебя? — изумился музыкант.

— А кто же! Ты кричал: «Иди скорей, я мороженое принес!»

— Ну обалдеть, — покрутил головой Ванька, — мы ж на сцене играли, только-только закончили. Как я тебя звать мог!

— Не знаю, — растерянно ответила я.

— Офигеть, — подхватил музыкант, — ты меня с кем-то спутала.

Я попыталась вспомнить тот хриплый голос.

Действительно, с какой стати я решила, что общаюсь с музыкантом?

Ванька глянул вниз, в страшную дыру, и присвистнул:

— Мама родная! Ну и не хрена себе! Вот раззявы! Закрыть забыли. Упадешь — костей не собрать.

— Ау-у-у, — неслось из пустоты.

— Кто это? — отшатнулся Ванька.

На дрожащих ногах я отошла чуть в сторону.

— Пудель Инессы, он меня спас. Надеюсь, бедняга не расшибся насмерть.

Ванька вздрогнул.

— Так, сейчас надо срочно найти администратора и вломить ему по первое число. Пусть выплачивают тебе компенсацию за моральный ущерб. Так и инфаркт заработать можно!

— Денег не надо, — дрожащим голосом пролепетала я, — пусть несчастное животное достанет.

— Ступай в гримерку, — велел Ванька, — вытащи у Костика из сумки фляжку с коньяком и приложись к ней как следует.

Я поплелась по указанному адресу и плюхнулась на диван. Из коридора стали доноситься пронзительные вопли Инессы:

— Ричик! Мое счастье! Он умер? Нет!

Мне стало совсем плохо. Несчастный пес, кабы не он, это меня бы сейчас вытаскивали из люка.

— Ты как? — спросила Рита, вбегая в гримерку. — Ну козлы! Бесполезняк метаться, объясняй этим уродам про люки, не объясняй, всегда найдется кретин, который забудет о них.

— Что с Ричи? — тихо спросила я.

— А ничего, — ответила Рита, — он легкий,

ушибся просто да перепачкался. Повезло ему, там, на дне, валялись какие-то острые железки, так он мимо них свалился, небось у пса ангел-хранитель есть.

— Острые железки...

— Ага, такие, как пики! — щебетала Рита. — Купи пуделю килограмм вырезки, ты бы изуродовалась насмерть. Да с этих козлов надо компенсацию потребовать.

— Почему Инесса так кричит, если собачка жива?

— Истеричка она и дура, — приложила ее Рита, — голоса только на сцене нет, а в жизни она очень даже громкая. Знаешь, как над ней тут недавно подшутили?

— Нет, — тихо ответила я, слыша, как вопли Инессы сменяются ее же кликушескими рыданиями.

— О, — захохотала Рита, — вот это история! Весь народ прямо умер, когда узнал. Слушай. Ехала Инесса по шоссе, она сама водит машину, между нами говоря, делает это так же отвратительно, как поет.

Я, стараясь унять бешено бьющееся сердце, слушала пытавшуюся отвлечь меня от происшествий Риту.

Певица катила в левом крайнем ряду со скоростью беременной черепахи. В конце концов машине, следовавшей за ее «мерсом», это надоело, и шофер принялся давить на крякалку и мигать фарами. Инесса подалась вправо и чуть не врезалась в полуживую «шестерку», мирно плюхавшую в потоке. Как водитель «Жигулей» сумел увернуться, непонятно, но тем не менее маневр ему удался. Инесса остановилась, «шестерка» тоже притормозила, из нее вылетел разъяренный парень и набросился на певичку. Можете себе представить, что он ей сказал. Инесса, естественно, не осталась в долгу, и минут пять парочка самозабвенно орала друг на друга, мешая движению. В конце концов шофер «шестерки» утих. Инесса, поняв, что одержала победу, с гордо поднятой головой села в «мерс», проехала немного, услышала гудки и увидела в зеркало, что водитель «Жигулей», размахивая руками, бежит за ней.

— Что тебе надо? — спросила девица.

— Хоть ты и дрянь, — ответил парень, — да совесть не позволяет так тебя отпустить.

— Никак денег захотел? — стала набирать обороты певица. — Да я тебя, да ты...

— Заткнись, — рявкнул юноша, — вон смотри, какая хреновина из твоего «мерина» вывалилась!

Инесса снова вышла из машины и увидела на дороге большую железяку непонятного предназначения.

— Это что? — изумилась она.

— Ускоритель, — ответил водитель, — у всех иномарок имеется, чтобы быстрее ехали. Он у тебя отвалился.

— Делать-то чего? — испугалась Инесса.

— В сервис двигай, — с самым заботливым видом посоветовал шофер, — только очень и очень осторожно, не более двадцати километров в час.

— Почему?

— Так ускоритель с тормозом совмещен, раз он упал, то и педаль, которой ты машину останавливаешь, скоро отвалится. Бери потерянное и дуй в ремонт.

— Зачем мне эта грязная дура! — возмутилась Инесса. — Там новую поставят.

— Хозяин — барин, — пожал плечами юноша, — только, боюсь, ты не слишком в курсе дела... Сколько твой «мерс» стоит?

— Много! — рявкнула Инесса.

— Ага, — кивнул парень, — имей в виду, эта ржавая дура, как ты выразилась, тянет ровнехонько на сорок тысяч баксов, это сердце машины. Если подберешь, тебе его вновь впихнут, а бросишь тут... Впрочем, коли денег девать некуда, тогда конечно.

Делать нечего, пришлось Инессе идти к железке. Сначала она сама попыталась тоненькими, наманикюренными пальчиками поднять отвратительную конструкцию, но потерпела неудачу. Тогда певица бросилась к проходившему мимо мужику.

— Живо положи эту дребедень в багажник, — велела она, — заплачу за работу.

— Зачем она вам? — искренне удивился прохожий.

— Не твое дело, — разъярилась и без того злая Инесса, — не хочешь за ерунду бабки получить, другого попрошу!

Усмехаясь, дядька поднатужился и завалил железку в «Мерседес». Помня о том, что тормоза могут вот-вот отказать, Инесса поползла в сервис. Тут уместно сказать, что на заднем сиденье машины притаилась ее костюмерша Лизка, сопровождавшая свою хозяйку в походах по магазинам. Лизка очень хорошо знает, каким капризным характером обладает Инесса, поэтому во время всех вышеописанных событий сидела набрав в рот воды, боясь попасть под горячую руку певице.

Потратив три с лишним часа, Инесса доплюхала до места, где обычно чинят ее машину, и налетела на мастера:

— Немедленно прицепите на место ускоритель.

— Что? — не понял специалист.

И тут у Инески окончательно снесло башню, топая ножками, обутыми в эксклюзивные туфельки, и размахивая ручками, на которых сверкали кольца и звенели браслеты, она заорала:

— Да вы знаете, с кем имеете дело? Я — звезда, суперстар! Захочу и сровняю ваш дурацкий сервис с землей! Ко мне такие люди на концерты приходят! Я вас...

И в таком духе примерно на четверть часа. Чем громче орала Инеска, тем больше собиралось народу вокруг «Мерседеса». Когда в конце концов у девицы иссякли силы, мастер спокойно ответил:

— Уважаемая мадам! Даже учитывая ваш звездный статус, я не способен мгновенно выполнить просьбу. Для нас желание клиента закон, поэтому, если оставите «мерина», мы попытаемся каким-то образом, правда, пока не знаю, каким именно, приварить к «Мерседесу» останки этой стиральной машины. Только зачем это вам? Убей бог, не пойму.

Инесса заморгала.

— Стиральной машины?

— Ну да, — кивнул автослесарь, — то, что вы приволокли, крайне допотопный агрегат для стирки белья, лично я такой в последний раз видел в детстве, году этак в шестьдесят пятом. Ну зачем вам гибрид «Мерседеса» с «прачкой», а?

Собравшиеся заржали.

— Это не ускоритель? Он не стоит сорок тысяч баксов? — громко завозмущалась Инесса, чем только усилила общее веселье.

Серьезным остался лишь мастер.

— Ну чего потешаетесь, — укоризненно покачал он головой, — видите же, перед вами звезда, суперстар, откуда ей про механизмы знать?

Естественно, костюмерша Лизка тут же растрепала всему закулисью о произошедшем.

— Ой, не могу, — стонала она от смеха, — это ей тот парень с «шестерки» за хамство отомстил. Небось вез на свалку труп стиральной машины и подсунул его Инеске. Нет бы ей догадаться, что такой здоровой дуре неоткуда вывалиться!

После этого случая к Инессе навсегда прилипла кличка «Большая стирка»; впрочем, побаиваясь непарламентских действий со стороны певицы, в лицо ее никто так не называл.

Не успела Рита договорить, как дверь в гримерку распахнулась и на пороге возникла девушка, одетая в платьице из тюля. Под ним не было ни чехла, ни нижнего белья. Светло-каштановые волосы нежданной гостьи в беспорядке падали на плечи, на ногах сверкали ярко-розовые босоножки на умопомрачительной платформе.

Окинув нас взглядом, прелестница ткнула в мою сторону пальчиком, украшенным полутораметровым ногтем.

— Это ты стояла у люка, куда свалился Ричик? — взвизгнула она.

— Гав, гав, гав, — заорал абсолютно невредимый пудель, врываясь в комнату.

— Да, — растерянно ответила я, — ей-богу, не стоит меня благодарить, я очень люблю животных и поэтому позвала людей спасти собачку.

— Неплохо бы и поздороваться, Инесса, — процедила Рита.

— С какой стати тебе спасибо говорить, — заверещала певица, полностью проигнорировав замечание Риты, — дрянь! Столкнула Ричика! Сволочь! Гадина! Нет бы самой упасть!

Выставив вперед острые когти, она ринулась на меня. Я, ожидавшая чего угодно, но не пощечин, быстро юркнула за диван. Рита ухватила Инессу за подол.

— С какой стати делаешь замечания моей прислуге?

— Отвянь, пакость.

— Ах ты, дура!

— Сволочь!

— Кошка визгливая!

— Тля помойная!

От слов дамы перешли к делу. Инесса схватила большую коробку с рассыпной пудрой и швырнула в Риту, та не осталась в долгу и кинула в обидчицу пузырьком с жидкими румянами. Красные капли усеяли платье, сшитое, похоже, из пришедшей в негодность занавески.

— Мерзавка! Эта шмотка десять тысяч баксов стоит! — понесся по комнате визг.

Я чуть не упала замертво. Сколько? Да она врет! Пока девицы, тяжело дыша, смотрели друг на друга, Ричи не стал медлить, он кинулся к Рите и, задрав ногу, пописал ей на туфли.

— Ах ты, гад! — обозлилась Рита и шлепнула собаку свернутой газетой.

— Мой мальчик! — взвилась Инесса.

И тут началось! В воздухе стали летать коробки с гримом, парики, туфли, расчески, сумки... Потом Рита схватила баллончик с лаком, а Инесса аэрозольную упаковку с дезодорантом. Пару секунд противостоящие стороны самозабвенно опрыскивали друг друга, потом вновь принялись швыряться предметами. Я сидела за диваном, прижимая к себе с одной стороны сумочку с мирно спящим Осей, а с другой перепуганного насмерть Ричи. Девицы теперь переключились на мебель, но в тот самый момент, когда Инесса, подняв над головой табуретку, ринулась на Риту, в гримерку ворвались музыканты и растащили отчаянно матерящихся солисток.

— Кто к нам с дерьмом придет, тот от дерьма и погибнет! — проорала вслед сопернице Рита.

Инесса попыталась ответить, но один из гитаристов, обхватив звезду поперек талии, поволок ее по коридору.

— Хорош бузить, — сказал Ванька, — нашли повод для базара.

— Она первая начала, — хором ответили мы с Ритой.

— Гав, — робко подтвердил оживший Ричи.

Костя схватил пуделя, выпихнул его в коридор и задумчиво протянул:

— Говорят, Алиска из «Куколок» купила себе крокодила и таскается с ним повсюду. Кстати, она завтра с нами в одном концерте выступает. Ты, Танька, поосторожней, если увидишь, что эта зверюга в люк сиганула, отползай молча в гримерку. Сделай одолжение, не занимайся больше спасательными операциями. Тоже мне, Герасим!

Я попыталась дрожащими руками отряхнуть запачканные во время баталии джинсы.

— Во-первых, все наоборот, это Ричи меня спас, кабы не он, валяться бы мне в яме. Во-вторых, Герасим никому не помогал, он утопил несчастную Муму, это дед Мазай оказался хорошим, зайцев в лодку посадил.

— Небось потом шапок из них понаделал, — зевнул Ванька, — не верю я в человеческую доброту. Собирай, Танька, барахло — и по домам. Сил больше никаких нет.

Глава 28

Очень хорошо понимая, что вероятность застать Ольгу Капову около полудня дома практически равна нулю, я, наплевав на все правила приличия, заявилась к ней в полвосьмого утра. Прислонившись к двери в нужную квартиру, я слышала, как дребезжит звонок, но хозяйка не спешила в прихожую, похоже, ее просто не было на месте. Я приуныла, Ольга могла оказаться где угодно: уехать на дачу или в отпуск. Следует уходить, нечего тут топтаться. Но не успела я сделать шаг в сторону лестницы, как дверь распахнулась и стройная черноволосая девушка сердито рявкнула:

— Ну, какого черта ломитесь! На часы смотрели? Ночь почти!

— Извините, бога ради, — взмолилась я, — разбудила вас.

— Зафигом мне ваши извинения, — злилась девица, — только прилетела из командировки, в пять утра спать легла! Вы кто такая и зачем приперлись?

— Ищу Ольгу Капову.

— Это я.

От неожиданности я сначала закашлялась, а потом выпалила:

— Не может быть.

— Умереть — не встать, — изящными руками девушка шлепнула себя по стройным бедрам, — приперлись по моему адресу, а теперь идиотничаете. Я Ольга Капова.

И тут до меня дошло. Бывают семьи, где мать и дочь носят одно имя.

— Собственно говоря, ищу вашу маму, Ольгу Капову!

Девушка вдруг широко улыбнулась. Блеснули белые, ровные зубы. До сих пор я считала, что идеальные челюсти, которые демонстрируются во время рекламных роликов, на самом деле компьютерная уловка, ну не может нормальный человек обладать подобной красотой. И вот — пожалуйста, вижу воочию такой рот.

— Для начала могу сообщить, — прищурилась хозяйка, — что мою маму зовут Верой. Вам придется смириться с мыслью, что вы видите перед собой госпожу Ольгу Капову.

— Извините, вы дружили с Настей Звягинцевой? — осторожно поинтересовалась я.

Ольга прислонилась к косяку.

— Имелась у меня такая знакомая, но наши пути-дороги разошлись.

— Не может быть, — снова изумилась я.

— Послушайте, — обозлилась Капова, — извольте немедленно объяснить суть дела.

— Настя Звягинцева уже немолода, — забубнила я, — Ариадна Николаевна говорила, что вы старше ее дочери, но по виду вам двадцати пяти не дашь!

Ольга рассмеялась, звонко, весело.

— Можете считать, что заслужили прощение, отвесив комплимент. Молодость — моя профессия.

— В каком смысле? — окончательно растерялась я.

— Ну-ка вползайте, — велела Ольга, — только уж не обессудьте, я пару часов назад из командировки вернулась, никаких гостей не ждала, немного не в форме.

Отчаянно зевая, Капова провела меня в большую комнату, усадила на диван и спросила:

— Ариадна жива?

— Более чем, выглядит совсем здоровой.

— Сухое дерево долго стоит, — резюмировала Ольга, — насколько я понимаю, вы разыскиваете Настю и думаете, что я сумею подсказать, где она?

— Угадали.

— И сколько?

— Что?

— Сколько она у вас украла?

— Ни копейки.

— Ясненько. Мужа увела? Богатого? Не переживайте, парни долго со Звягинцевой не живут, вернется ваше сокровище назад, правда, слегка общипанное.

— Речь не о муже.

— О ком тогда?

Я вздохнула и изложила историю Тани Рыковой. Ольга вынула сигареты и улыбнулась.

— Может, кто-то и не поверил бы вам, но я слишком хорошо знаю Настю. Мы дружили, она часто ходила сюда. У Насти была мечта, ей хотелось стать эстрадной певицей, но Ариадна категорически запретила дочери думать о сцене. Очень глупое поведение, тем более что таланты у Насти имелись, и весьма разнообразные.

— Какие, например?

Ольга хмыкнула:

— Она могла обмануть кого угодно. Фантазия у нее работала бесперебойно, такие истории загибала, заслушаешься, но делала это не из любви к искусству, она извлекала из вранья деньги. Еще ее господь одарил потрясающим, необъяснимым талантом. Понимаете, она никогда, даже в юные годы, не была красавицей, так, более чем средненькая внешность, заурядная, но... Стоило ей захотеть, как все мужчины натурально падали к ногам Звягинцевой. Честно говоря, я совершенно не понимала, в чем дело, это походило на колдовство. Причем чары действовали даже тогда, когда Настя не собиралась уводить кавалера. Глянет пару раз на парня, и готово, он бежит за ней, словно крыса, услыхавшая звук дудочки.

По этой причине у Насти совсем не было подруг. Вы бы захотели общаться с девушкой, к которой мигом перебегут ваши кавалеры? То-то и оно!

Настя часто жаловалась Ольге на свою не слишком счастливую судьбу. Да, мужчины мигом ею увлекались, но... время влюбленности отчего-то не превышало пары месяцев.

Вполне вероятно, что парни, тесно пообщавшись с Настей, теряли голову, но потом начинали потихоньку приходить в себя, и тут-то они понимали: их возлюбленная эгоистична, капризна, большая лгунья и думает лишь о деньгах. Поэтому все Настины романы завершались крахом.

Ну а потом Звягинцева, поругавшись с мамой, исчезла из жизни Ольги, чему последняя оказалась очень рада. Капова собралась замуж, а знакомить Настю со своим женихом ей очень и очень не хотелось, думаю, не следует объяснять, по какой причине.

Ольга и Настя не виделись довольно долго. За эти годы Капова стала уникальным специалистом по омоложению и, как только это стало возможно, открыла в Москве собственную клинику. Клиенты просто ломятся к Ольге. Тут следует сказать, что она и впрямь может сделать из сорокалетней матроны пятьдесят четвертого размера юную девушку, похожую на тростиночку.

— И как вам это удается, — заинтересовалась я, — пластическими операциями?

Ольга улыбнулась:

— Ну, всех секретов, естественно, я не открою, курс занимает примерно полгода. Начинаем мы с приведения зубов в порядок, затем диета, массаж, фитнес, визажист, стилист... Вам трудно представить, до какой степени можно измениться, просто поменяв прическу, цвет волос и заведя новый гардероб.

— Так просто?

Ольга кивнула:

— Не совсем. Есть еще курсы инъекций, не гормоны, это наше ноу-хау. Вот захотите обрести молодость, приходите. Если провести один курс уколов, стойкий эффект длится несколько лет. Хотя, думается, вам клеточная омолаживающая терапия будет не по карману.

— Так дорого?

— Очень, широкой массе людей это недоступно.

— Ну почему в этом мире все хорошее для богатых!

— Жизнь несправедлива, — отрезала Ольга, — но не будем сейчас спорить на темы добра и зла, речь не о философских проблемах.

Пару лет назад к Ольге обратилась женщина и сообщила, что хочет раскручиваться, стать звездой, но является, так сказать, продуктом не первой свежести. Она очень яркая, талантливая, просто ей не повезло попасть на сцену вовремя.

Ольга пригласила «объект» в кабинет. Когда женщина вошла, Капова чуть не вскрикнула — перед ней стояла Настя.

— Естественно, я сделала все, что смогла, — вздохнула Капова. — Звягинцева сохранила фигуру, поэтому время, отведенное для омоложения, сократилось, и результата мы достигли просто потрясающего — Настя стала выглядеть моложе некуда. Кстати, она меня обманула.

— В чем?

— Денег не заплатила.

— Совсем?

Ольга кивнула:

— Мы почти договорились, что сначала она внесет небольшую сумму, а остальное погасит после того, как подзаработает в качестве певицы.

— Вы практикуете такое?

— Нет, никогда.

— Почему же для нее сделали исключение?

Ольга пожала плечам:

— В первую встречу я ничего не говорю об оплате. Сначала осматриваю пациента, а потом уже начинаю всяческие беседы, ведь каждому человеку требуется свое. Одному нужно сбрасывать вес, другому нет... Ну а когда я Настю увидела...

Капова закурила сигарету.

— Во-первых, я уже говорила вам о способности Насти очаровывать людей, это действовало на всех: на мужчин, женщин, детей. Просто последние категории не входили в сферу интересов Анастасии, ее волновали лишь богатые мужчины, но, коли ей требовалось получить что-то от дамы, успех достигался так же легко. В результате все, к кому обращалась Настя, кидались ей помогать. Лично я тоже попалась на эту удочку.

Ольга сердито потыкала окурком в пепельницу.

— Передо мной было разыграно представление на тему «Последний шанс». Настя рыдала, говоря: «Понимаешь, может сбыться мечта всей моей жизни! Сцена! Только на подмостках любят молодых!»

И Ольга поверила. Она ведь была знакома со Звягинцевой не первый день и знала, что разговоры о сценической карьере Настя ведет очень и очень давно. Потом, все-таки они были довольно долгое время подругами... Ну и дрогнуло сердце Ольги. Капова провела курс специальных инъекций, Настя помолодела и стала делать карьеру. Только никаких денег Ольге не досталось. Она сначала ждала, потом принялась теребить начинающую певицу, но у той каждый раз находилась веская причина, объяснявшая невозможность возвращения долга. Она сняла клип, купила новые костюмы, приобрела у известного композитора сразу несколько песен... В общем, извините, долг принесу завтра.

В конце концов Ольга сурово заявила:

— Еду на две недели отдыхать в Таиланд, когда приеду назад, вернешь долг. С тебя, как с подруги, беру немного, лишь за расходный материал, мои услуги и твое пребывание в клинике в стоимость не включены. Имей совесть, мне что, самой оплачивать ампулы? Верни деньги.

— Конечно, конечно, — заверила начинающая звезда.

— Не вздумай меня обмануть.

— Что ты! Непременно все отдам.

Но Капова уже перестала верить Звягинцевой, потому сказала:

— Кстати, омолаживающая терапия имеет одну особенность, о которой я, девушка честная, обычно предупреждаю клиентов. Но вот тебе сказать забыла!

Настя насторожилась:

— Ты о чем?

— Уколы дают великолепный эффект, — спокойно ответила Ольга, — но, увы, не навсегда. Спустя энное количество времени — у всех оно разное — действие лекарства прекращается и лицо «разваливается».

Настя выхватила из сумочки зеркальце, оглядела идеально ровную, без признаков каких-либо морщин мордочку и воскликнула:

— Врешь!

— Нет, — ехидно улыбнулась Ольга, — причем эффект старения мгновенный. Легла спать девушкой, проснулась бабушкой. И еще, ты станешь выглядеть лет на пятнадцать старше своего биологического возраста, превратишься в печеное яблочко, какая уж тут карьера на сцене!

В этот момент дверь в комнату, где мы сидели с Ольгой, приотворилась и появилась старушка самого благообразного вида. Платье цвета кофе с молоком, старомодная укладка, сделанная при помощи бигуди, нить жемчуга на бесстрашно открытой шее и удобные туфли-лодочки на полных ногах. Вошедшая напоминала английскую королеву Елизавету. Сходству со всевластной монархиней мешал поднос, заставленный чашками, вазочками и коробками, который бабушка держала в руках.

— У нас гости, — радостно воскликнула она, — а я вам, девочки, кофейку принесла!

— Поставь, — процедила сквозь зубы Ольга.

— Не сердись, душенька, — заморгала круглыми глазами старушка, — я от души ведь!

— Хорошо, спасибо, мама.

— Познакомь меня со своей подругой, — стала настаивать бабушка, освобождая поднос.

— Нам некогда, — прошипела Ольга, — и потом, ты, кажется, в поликлинику собиралась? Вот и ступай, иначе талончика не достанется.

На лице заботливой мамы появилось самое разнесчастное выражение.

— Таня, — быстро представилась я.

— Вера Петровна, — обрадованно закивала дама, — вы, наверное, танцуете? Очень уж худенькая. Хотите, дам замечательный совет, как набрать вес? Знаете, я сама в молодости походила на расческу, конечно, сейчас, глядя на меня, трудно поверить в такое. Очень уж я переживала тогда, хотелось иметь красивую фигуру. Но потом узнала чудодейственный рецепт. Берете килограмм зеленых яблок...

— Мама! — рявкнула Ольга.

— Молчу, молчу, — испугалась Вера Петровна.

— Ступай к себе.

— Только кофе выпью.

— Наслаждайся им в своей спальне.

— Можно здесь?

— Нет, уходи.

— Я тихонечко.

— Леся! — заорала Ольга.

В гостиной появилась женщина, отдаленно похожая на Капову.

— Убери маму, — велела хозяйка, — плохо следишь за ней. Не видишь, у меня человек сидит.

— Пойдем, мамуля, — попыталась увести старушку Леся, но та уперлась:

— Хочу тут попить кофе. С какой стати мне уходить?

— Вика! — закричала Капова.

И в гостиную вошла еще одна женщина. Я попыталась скрыть свое удивление. Однако эта квартира похожа на теремок — с виду пустая, а на поверку в ней обитает куча народа.

Когда Веру Петровну наконец увели, Ольга сердито сказала:

— Простите. Семейный уют в интерьере.

— Старость — не радость, — улыбнулась я, — еще неизвестно, в кого мы сами превратимся в преклонном возрасте.

— Лучше застрелиться! — воскликнула Капова. — И потом, мама всю жизнь была такая, ни дня не работала, жила в свое удовольствие, ее папа донельзя избаловал, вечно угождал ей, лишь бы не капризничала. Сестрицы мои в нее пошли, на службу ходить не желают, больными прикидываются, но едят как здоровые: много и вкусно. В нашей семье одна ломовая лошадь — я, пашу без остановки, но все на унитаз. У сестричек еще мужья есть, бездельники, дети-спиногрызы... Да вам сие неинтересно!.. Значит, мы о Насте!

Узнав, что курс инъекций следует обязательно повторять, Звягинцева замела хвостом.

— Олечка, не волнуйся, денежки к моменту твоего возвращения появятся.

— Я вовсе не переживаю, — засмеялась Ольга, — тебе от меня некуда деться. Собираешься делать карьеру на эстраде — должна выглядеть молодо, а я единственный врач в России, способный дать тебе средство Макропулоса. Так что, хочешь ты этого или нет, но со мной дело иметь придется. А следующий курс ни за что не стану делать бесплатно, даже не думай о том, как обмануть меня. Слишком хорошо тебя знаю и снова на те же грабли не наступлю.

Капова повертела в руках чайную ложечку и вдруг спросила:

— Знаете, чем дело кончилось?

— Она испугалась и заплатила.

— Нет.

— Вы опять пожалели ее и сделали следующий курс бесплатно.

— Я похожа на идиотку? — возмутилась Ольга. — Естественно, нет. Настя попросту исчезла.

— Как?

— Испарилась. Покинула сцену и исчезла в неизвестном направлении.

— И вам такое поведение не показалось странным?

— Нет.

— А я бы удивилась! Звягинцева так мечтала о славе! Сделала все, чтобы получить ее, и вдруг бросает удачно начатую карьеру.

Капова закашлялась:

— Скорей всего, она в очередной раз сперла у кого-то деньги, небось большую сумму у крутого человека, вот и пришлось смазывать пятки салом.

— Вы не в курсе, где она?

— Понятия не имею, чему очень рада.

— А где Настя жила, когда обратилась к вам за помощью?

— Квартиру снимала.

— Адрес можете назвать?

— Нет, конечно, он мне ни к чему был, в гости к ней я не собиралась, — фыркнула Ольга.

Глава 29

Оборвалась еще одна ниточка, которая могла привести меня к Насте. Я, глубоко разочарованная, вышла во двор. Влажная духота окутала тело. Гроза собирается уже который день подряд, но все никак не разразится.

Медленно, нога за ногу, я потащилась к арке, которая вела из двора на улицу.

— Эй, погодите, — крикнул кто-то сбоку, — женщина, девушка, стойте!

Я обернулась, по двору бежала Леся, сестра Ольги.

— Вы из газеты? — задыхаясь, спросила она.

— Да, — я машинально кивнула. Но в ту же секунду я спохватилась: — Нет...

Однако Леся не дала мне договорить.

— Пришли материал об Ольге собирать, — злобно выпалила она, — про сестричку сейчас много пишут, а какие заголовки! «Победившая старость», «Возраст отступает», «Вечная молодость». Только это все ложь. Хотите правду расскажу?

Я окинула взглядом расплывшуюся фигуру Леси, отметила сетку морщин вокруг ее глаз, вертикальные борозды между бровями, горизонтальные на лбу.

Все понятно. Леся отчаянно завидует Ольге, сумевшей не только реализоваться в выбранной профессии, но и сохранить изумительный внешний вид. Кое-кто из милых дам готов разорвать своих родственниц вместе с подружками, если те более удачливы и симпатичны.

— Денег у меня нет, — быстро сказала я, — заплатить вам за информацию нечем.

— Не надо, — отмахнулась Леся, — вы только правду напишите. «Красотин» — обман.

— «Красотин»?

— Ну да, так эти уколы называются, которые наша шарлатанка людям делает. Они не помогают, идите сюда.

Леся вцепилась потной, липкой лапкой в мое

плечо и потащила за собой. Мы пробежали сквозь арку, свернули налево, направо, пересекли два двора и наконец добрались до совершенно пустой детской площадки. Леся села на скамейку и с жаром произнесла:

— Ну полная лабуда! А какие деньги Олька получает! Вы должны открыть правду людям.

— Зачем? — пожала я плечами.

— Как? — возмутилась Леся. — Пусть народ знает: Капова шарлатанка, нечего к ней ходить.

— Вы работаете? — перебила я бабу.

— Сейчас нет, болею, пенсию получаю.

— Большую?

— Несколько сотен.

— А вот туфли у вас хорошие, — вздохнула я, — сразу видно — дорогие. Где купили?

— К чему тут болтовня об обуви, — удивилась Леся, — не знаю, их мне Ольга принесла.

— Если клиенты Каповой перестанут ее посещать, вам не доведется щеголять в элегантной обуви. Денег в семье не станет, вас не пугает нищета? На мой взгляд, вам следует вести себя по-другому, всячески нахваливать «Красотин», чтобы не лишиться материального благополучия.

— Не могу видеть, как обманывают людей!

— Ольга, наверное, и себе уколы делает?

— Конечно.

— Она шикарно выглядит, просто юная девушка.

— Да, — заорала Леся, — именно так, я около нее — потрепанная кошелка! И ведь сколько раз просила, ну кольни и меня, так нет!

Я подавила вздох. Вот в чем дело. Желание Леси вывести сестричку на чистую воду теперь понятно.

— Только сейчас я ни за что ни на какие инъекции не соглашусь, — Леся летела верхом на метле злобы, — потому как это наркотик.

— «Красотин»? В его составе героин?

— Из чего сия дрянь состоит, не знаю и знать не хочу, — отмахнулась Леся, — но она вызывает привыкание. Сначала раз в три года надо колоться, потом через двенадцать месяцев, следом спустя шесть, затем через тридцать дней, неделю... Ольга уже давно каждый день — каждый! — начинает со шприца. Человек, подсевший на «Красотин», вынужден постоянно сидеть на игле. А никаких исследований на тему, как его длительное применение влияет на здоровье, нет.

— По-вашему, Ольга сама себя губит?

— Куда ж ей деваться? — скривилась Леся. — Морда у врача — визитная карточка. Только видела я тех, кто с «Красотина» соскочил, уж поверьте, лучше не начинать омолаживаться. Ольга своим клиентам сразу правду не открывает, истина потом на свет выползает. А я не хочу участвовать в обмане. Ольга слишком много врет. Вот вы про Настю спрашивали. Так ни слова правды не услышали. Только не подумайте, будто я под дверью стояла, вы громко говорили, прямо на всю квартиру.

Я навострила уши и, сохраняя на лице делано-спокойное выражение, равнодушно спросила:

— Что вы имеете в виду?

— А все! — залихватски выкрикнула Леся. — Они из-за Самуила поругались, это тот еще тип.

— Кто такой Самуил?

Леся противно усмехнулась:

— Ольга-то у мужиков успехом не пользовалась. Мы с Викой замуж удачно вышли, а сестричка наша в лаборатории сидела, над пробирками чахла. А какие в науке мужчины? Смех один, кузнечики сушеные. То ли дело мой супруг — красавец, поэт, все при нем — и рост, и лицо.

Я хотела сказать: «Каждому свое. Одной нравится содержание, другой пустые красивые упаковки», но ехидное замечание пришлось проглотить.

— А Настя, — вещала Леся, — та, наоборот, всех парней строила. Ну и случилась у них с Ольгой незадача.

Я привалилась спиной к жесткой лавочке. Надо внимательно выслушать Лесю, вдруг она подскажет, где Настя?

— Настька ваще мужиков ни в грош не ставила, — выплескивала на меня сведения Леся, — и правильно делала. Покрутит, повертит парнем, разведет его на подарочки — и адью, нового найдет. Липли к ней любовники, словно осы к варенью, а Ольга злилась, ей-то никто даже цветов не дарил.

Но потом откуда ни возьмись появился мужчина с архаичным именем Самуил. Где его Ольга раздобыла, Леся не знала, но только одно ей стало понятно сразу: Самуил не ученый, не медицинский работник, похоже, он вообще не имел высшего образования.

Он начал бывать у Каповой каждый день. Сначала мать Ольги резко возражала против визитов неотесанного кавалера. Едва за ним захлопывалась дверь, Вера Петровна принималась точить зубы о неразумную дочь.

— Боже! Откуда он выполз! Не умеет пользоваться ножом! А это кольцо! Он что, женат?

— Нет, — сквозь зубы отвечала Оля, — Самуил свободен.

— Почему же носит знак обручения? — не успокаивалась Вера Петровна.

— Это всего лишь перстень.

— Фу, как вульгарно!

Ольга краснела, но молчала. Леся же попыталась образумить родительницу и один раз, когда мать снова завела речь об ужасном воспитании и отвратительных манерах ухажера старшей дочери, сказала:

— Знаешь, оставь его в покое. У Ольги хвост из поклонников не змеится, пусть лучше такой мужичонка будет, чем вообще старой девой останется.

Решила избавить сестру от занудных причитаний маменьки и мгновенно пожалела о содеянном, потому что на Лесю обиделись обе стороны: и Оля, и Вера Петровна.

Впрочем, мама, похоже, сделала выводы, потому что замолкла. Самуила она более не обсуждала, была с ним холодно-приветлива. Леся решила, что проблема устаканилась, но через месяц после беседы грянул гром.

Однажды Вера Петровна вернулась домой, неся в руках какой-то пакет.

— Ну-ка, идите все сюда! — крикнула она домашним. — Немедленно!

Дочери явились на зов.

— Вот! — заявила Вера Петровна, вытаскивая из пакета бумажку. — Спасибо, остались еще друзья, помогли! Скажи, Ольга, что тебе известно про Самуила?

— Только все хорошее, — напряглась дочь, — мама, если ты опять собралась говорить про него гадости, лучше не начинай.

— Делаю в своем доме что хочу! — взвизгнула Вера Петровна.

— Тогда я пойду отсюда, не имею никакого желания участвовать в подобной беседе! — Оля повернулась спиной к ней.

— Стой! — воскликнула мать. — Вот, читайте!

Леся выхватила из рук Веры Петровны листок и растерянно протянула:

— Ну не может быть.

— Что там еще? — обернулась Ольга и тоже уставилась на бумажку.

Повисло молчание.

— Ясно теперь? — торжествующе заявила мать. — Твой ненаглядный Самуил на самом деле вульгарный уголовник, отсидел срок за аферу. Обманул сразу двух дурочек, сначала и той и другой в любви признавался, а затем у них из дома золотишко вынес.

Ольга положила листок на стол.

— Я об этом знаю.

— Откуда? — удивилась Вера Петровна.

— Самуил рассказал. Да, он совершил ошибку, по глупости, но теперь давно ведет нормальный образ жизни.

Сестры с матерью накинулись на Ольгу:

— Чтобы ноги его в нашем доме не было!

— Позор!

— Гнать вон мерзавца!

— Пусть попробует сюда явиться!

— Милицию вызовем.

— Его из Москвы выгонят.

Ольга спокойно выждала, пока стихнет хор разъяренных голосов, и заявила:

— Самуил станет бывать тут, более того, он скоро сюда вообще переселится, потому что является моим законным мужем.

— Прекрати нести чушь, — взвилась Вера Петровна, — никто тебе не разрешит расписаться с этим субъектом!

Ольга улыбнулась:

— Ошибочка вышла. Я давно совершеннолетняя и вопрос о вступлении в брак решила абсолютно самостоятельно, вот.

Увидев свидетельство, подтверждающее слова старшей дочурки, Вера Петровна схватилась за сердце, а Леся завопила:

— С ума сойти! Вы поженились! И когда только успели?

— Взгляни на дату. Неделю назад.

— Почему ты ничего нам не сообщила?

Ольга дернула плечом:

— Не хотела конфронтации, предполагала, что вы привыкнете к Самуилу, он очень хороший.

— Он уголовник!

— Каждый может оступиться, — парировала Ольга, — кстати, наш дедушка тоже сидел в Бутырской тюрьме.

— Да как ты смеешь, — завозмущалась Вера Петровна, — моего отца посадили в тридцатые годы как врага народа, он пострадал от Сталина.

— Но был осужден! — стояла на своем Ольга.

— Совершенно безвинно, вследствие клеветы!

— Самуил тоже, — рявкнула Оля, — он просто запутался в женщинах, полюбил обеих, страдал, потом решил расстаться с ними, а те захотели ему отомстить и наврали про кражу! Он теперь мой муж, хотите вы этого или нет!

Закончив монолог, Ольга ушла, оставив потрясенных родственниц.

— Вот видите, какая история, — воскликнула Леся, глядя на меня, — совершенно отвратительная!

Я пожала плечами:

— Ничего необычного в сей ситуации не нахожу. Можно назвать много примеров, когда люди, оказавшись по глупости в юности на зоне, потом, повзрослев, взялись за ум и превратились в нормальных граждан. Вот, например, очень известный продюсер N, сейчас богатый человек, его имя в мире шоу-бизнеса имеет огромный вес. В советские годы он отсидел более десяти лет за спекуляцию, или, как тогда говорили, фарцовку. Кстати, многие бывшие фарцовщики теперь ворочают бизнесом, имеют миллионы, кое у кого из них отсидка за плечами. Если потом начал жить честно, незачем стесняться ошибок молодости.

— Может, это у актеров так положено, — скривилась Леся, — там и мужик с мужиком спокойно вместе живет, но у простых людей, таких, как мы, уголовники никакого сочувствия не вызывают.

— Ладно, — согласилась я, — это личное дело вашей семьи, Ольга Капова не настолько известна, чтобы подробности ее личной жизни мусолили газеты. И потом, при чем здесь Настя?

Леся наморщила нос:

— Так она нас всех спасла!

— Вы о чем?

Леся расправила взлохмаченные волосы.

— Через месяц после той нашей ссоры Самуил ушел от Ольги к Насте. Звягинцева отбила его у подруги. Вот какая она оказалась! Настоящий человек.

Я возмутилась до глубины души:

— Однако оригинальное у вас понимание дружбы. Лично мне кажется, что Анастасия совершила подлость, похитив мужа у Ольги. Знала ведь: Капова любит супруга, и не постеснялась начать охоту в чужом лесу.

Леся кивнула:

— Согласна, на первый взгляд все так и выглядит. Но вы не знаете основного. Это мама попросила Настю о помощи. Та сказала, что очень любит Олю и хочет помочь подруге вылезти из нехорошей ситуации. Ну и пустила в ход свои чары, Настя умела обходиться с парнями. Самуил ушел, больше он, слава богу, никогда к нам не возвращался, позор был похоронен, семья сохранила доброе имя, а все благодаря Насте.

— Ваша сестра потом вышла замуж? — тихо спросила я.

— Нет, — покачала головой Леся, — кукует одна, но ей никто не нужен, кроме пациентов. Наша Олечка решила заработать все имеющиеся на этой земле денежки. А вы напишите правду про «Красотин» и про то, что у нее муж уголовник был!

Злобность Леси ставила меня в тупик.

— Насколько я понимаю, — стараясь сохранить ровный тон, протянула я, — вы боялись запачкать свою родословную связью с человеком из криминального мира и вдруг просите обнародовать порочащие вас сведения.

— Я ничего плохого не сделала!

— Употребив словечко «вас», я имела в виду семью Каповых.

— Я давно ношу фамилию Селиванова.

— Но все же тень упадет и на вас, как на сестру, и, повторюсь, сама Ольга потеряет заработок, а ее домашние лишатся источника доходов.

Леся кусала губы. Было видно, что в ее душе идет тяжелая борьба, наконец она решительно произнесла:

— Нет, напишите все-таки правду. А то люди Олькой слишком восхищаться начали, она все получила, и деньги, и славу, щелкните ее по носу побольней. Ей это на пользу пойдет, а то очень важная стала. Вчера я сказала: «Нам на даче надо ремонт сделать, вагонкой комнаты обшить, газовую колонку поменять. Не так уж много требуется — тысяч двадцать всего. В долларах».

— Совсем малость, — усмехнулась я, — не стоит даже и обсуждать такие копейки.

— Верно, — не заметила моей иронии Леся, — для Оли подобная сумма ерунда, отстегнет и не заметит.

Но Ольга, вместо того чтобы по-свойски, по-родственному к проблеме отнестись, предложить сестре средства, нагло заявила:

— На дачу я не езжу, мне отдыхать некогда, там вы с мужьями и детьми время проводите, вот и ищите тугрики на ремонт.

— Ты забыла, наверное, про мою инвалидность, — напомнила ей Леся.

Ольга засмеялась:

— Только мне о болезнях не рассказывай. Великолепно можешь работать. Впрочем, коли хочется, сиди дома, есть Игорь, ему и крутиться.

— Мой муж поэт, — попыталась оправдать супруга Леся, — он никак не может книгу издать, да и заплатят ему копейки.

— Можно наняться на службу, — не дрогнула Ольга.

— Игорь слаб здоровьем.

— Нет денег, нет ремонта.

— Вот ты какая! Небось захочешь летом шашлычок пожарить! Не надейся тогда на даче оказаться! — воскликнула Леся.

— Мне и в голову не придет в твой сарай ехать, — отбрила ее сестра, — если уж на природу потянет, построю себе дом. Я-то, в отличие от вас всех, совершенно здорова и работаю, сама зарабатываю деньги на свои прихоти, у других не клянчу.

— Вот ее истинное лицо. Пусть получит по заслугам! — закончила рассказ Леся.

Мне стало очень грустно. Надо же, как получается в жизни. Рожаешь ребенка, потом, боясь, что он после твоей смерти окажется один-одинешенек на белом свете, без родной души, решаешься произвести еще одного отпрыска в надежде, что сестры или братья станут дружить. Только в действительности слишком часто получается не так, как мечталось. Сестры завидуют друг другу, братья дерутся, начинаются свары из-за наследства, щитовой домик на шести сотках или изба под Рязанью являются яблоком раздора на долгие годы. И вообще, родственниками не рождаются, ими делаются по жизни, кое-кому подруга, настоящая, верная, готовая пойти за тебя в огонь и в воду, становится подлинной сестрой. А родной по крови человек трансформируется в злобного недруга. Думаете, подруг, преданных, честных и любящих, не бывает в жизни? Это неправда. Вот у меня она есть, совершенно точно! Третье плечо, мое второе сердце, ее зовут... Господи, как же ее зовут? И была ли у Тани Кротовой, эгоистки и убийцы, такая подруга?

Глава 30

Добравшись до дома, я влезла в ванну. Налила воды, натрясла туда всяких ароматических кристаллов, которые покупает в невероятном количестве Рита, и попыталась разложить факты по полочкам. Итак, что я узнала? Да ничего. Кроме того, что Настя была не слишком ординарной личностью, умевшей ловко жонглировать мужчинами. Еще она имела срок за плечами и попытку стать эстрадной звездой. Но карьере на сцене помешало убийство очередного любовника и спонсора стареющей Насти, Сергея Лавсанова. Пришлось Звягинцевой, обманув доверчивую и наивную Таню Рыкову, бежать. Куда? Сие мне неизвестно.

Теперь посмотрим еще на одну проблему, уже лично мою. Как я ни стараюсь, память не возвращается. Иногда вдруг откуда ни возьмись возникают некие туманные картинки, обрывки воспоминаний без начала и конца. Если попытаться сложить их, то получается странное панно, пазл, в котором не хватает основных частей. Что я могу сказать о себе? Я люблю детективы, в частности, Арины Виоловой, жаль только, что она очень редко пишет. У меня вроде есть музыкальное образование и, похоже, дома имелись домашние животные, я их любила. Пару дней назад Олег из «Баблз» пожаловался нашему Ваньке, что выкупал своего спаниеля и теперь у собаки болят уши. Я не пойму, отчего мигом вмешалась в чужой разговор.

— Ты ей в уши ватные тампоны перед мытьем вставлял?

— Нет, — удивился Олег, — а надо?

— Конечно, — кивнула я, — вату еще хорошо немного смочить в каком-нибудь масле, да хоть в подсолнечном, тогда вода точно туда не попадет.

Ну откуда мне знать подобные подробности про собак? Еще в моей жизни имелся мужчина по имени Аркадий, очень уж родным кажется мне это имя. Имя Игорь, а так звали убиенного мною мужа, напротив, не вызывает никаких эмоций. Может, я все-таки не Таня Кротова, а другая женщина?

Нет! Меня опознала родная сестра, Ирина. Более того, я сама вспомнила, где у нас лежали вещи. Есть моя свадебная фотография, я помню деревянный домик в провинции, в котором жила с Ирой до отъезда в Москву, нам еще часто отключали воду. Нет, я — Таня Кротова, эгоистичная лентяйка, существовавшая за счет деятельной сестры... Женщина, никогда никому не сделавшая ничего хорошего...

Слезы побежали по лицу, я нырнула в воду, потом вылезла и схватила полотенце. Ладно, пусть так. Первую часть своей жизни я прожила не самым лучшим образом, но еще есть время исправиться. Похоже, до сих пор от меня были сплошные неприятности. И неужели я отравила мужа?! Значит, следует искупить вину. Ох, не зря говорят, что ничего не случается просто так, каждому человеку, без исключения, представляется шанс изменить судьбу, только не все его видят, кое-кто проходит мимо, а потом ноет: «Ну почему у меня все так плохо?»

Мне же крупно повезло, я потеряла память и теперь могу начать жизнь заново в полном смысле этого слова, с белого листа. И судьба, испытывая Таню Кротову, привела ее, словно сказочного героя, на распутье. Помните небось, как он подходит к камню и видит надпись: «Направо пойдешь — голову сложишь, налево — коня потеряешь...» Вот и я стою перед подобным валуном. В одну сторону поверну — быть мне прежней Таней, никчемной, неумелой, эгоистичной, в другую — превращусь в нормального человека, может, не самого хорошего, но и не окончательно бесполезного. Маленькое условие: для того чтобы вырваться из прежнего обличья, надо помочь бедной

Тане Рыковой и вызволить ее из психиатрической лечебницы, лишь тогда я начну уважать себя. Все дело теперь упирается в один вопрос: где Настя Звягинцева? Как найти ее?

Я надела джинсы, футболку и стала расчесывать почти высохшие волосы. Пожалуй, насчет одного вопроса я погорячилась. Нет, на самом деле их целая куча. Кто убил Сергея Лавсанова? Настя или Свин? Домработница Наташа не видела сам момент убийства, стояла, зажмурившись от ужаса. А когда открыла глаза, хозяин уже лежал на полу. Что за вещь украла парочка у Лавсанова? Что такое этот «орел»? Почему Настя скрылась, а продюсер спокойно продолжает работать? Откуда у Свина столько денег? И куда подевалась Настя, где она живет? Поняв, что побежала по кругу, я вздохнула и вышла из ванной.

— Я решила, что ты утонула, — фыркнула Рита, — уже стала подумывать, как поступить с трупом?

Последняя фраза упала мне на шею, словно лезвие гильотины. Труп! Вот почему никто не знает, куда подевалась Настя! Свин попросту убил ее, а тело спрятал. Это очень легко, небось вывез его за город и утопил, не поленился, наверное, сгонять куда-нибудь подальше, в район Шатуры. Там полно болот, останки никогда не отыскать. А Настю никто искать не собирался. Ариадна объявила дочь умершей, других родственников у Звягинцевой нет. Вот оно что! Ну как я не додумалась раньше, ведь это на поверхности лежало. Поэтому Свин и работает себе спокойно, ему попросту некого и нечего бояться!

— Танька, — ткнула меня в бок Рита, — немедленно прекрати!

— А? Ты о чем? — вынырнула я из мыслей.

— Стоишь с таким жутким видом!

— Прости, я задумалась.

— Интересно, о какой проблеме можно размышлять с таким лицом? Ну-ка отвечай.

Сами понимаете, что говорить Рите правду мне пока совершенно не хотелось.

— Видишь ли, — забубнила я, — меня заинтересовал вопрос: есть ли судьба? Что такое карма? Ну вот, Илья Муромец стоит у камня...

Рита молча выслушала мою речь, потом хихикнула:

— Слышала анекдот? Подъезжает богатырь к валуну, ну, соответственно, за ним три дороги в разные стороны расходятся. Видит камень и читает выбитые на нем слова. Угадай, какие?

— Ну... направо поедешь, налево...

— Не-а, — засмеялась Рита, — там всего два слова: «Без вариантов». Ухохотаться, да?

Я вздохнула:

— Ну, мне столь безнадежная ситуация вовсе не кажется веселой. А потом, я полагаю, что всегда имеются как минимум два решения любой проблемы, у человека есть выбор, все в конце концов зависит от личности, попавшей в беду. Одна сложит лапки и утонет, другая собъет ножками кусочек масла и выскочит. Это как в шоу-бизнесе: честолюбие — путь к успеху, но главное средство движения к вершине — трудолюбие и упорство.

— По-моему, тебе не следует читать Конфуция на ночь, — ехидно заявила Рита, — кстати, у нас совсем нет хлеба, а я бы съела тостик.

— Сейчас схожу в булочную.

— Вот-вот, — закивала Рита, — лучший способ избавиться от ненужных размышлений — это начать работать.

Я вышла в прихожую и уставилась на обувь. Да, мы каждый день встаем перед выбором, причем очень часто он является не глобальной проблемой, приходится решать и мелкие, бытовые вопросы. Ну вот сейчас, например, что надеть на ноги? Кроссовки или босоножки? В спортивных тапочках намного удобней, можно быстро сгонять туда-сюда, но в них жарко, и, потом, я без каблуков выгляжу словно такса, от пола не видно. Босоножки же сделают меня выше, но на каблуках я пойду медленно, боясь упасть. Зато в них прохладно. Да, оно, конечно, так, но на тротуарах полно грязи, пальцы ног станут черными, еще подцеплю какую-нибудь заразу. Значит, кроссовки? Но они неэлегантны, и я определенно запарюсь в них!

— Еще не ушла, — возмутилась Рита, — да что с тобой сегодня?

— Сама не знаю, — пожала я плечами.

— Может, тормозной жидкости хлебнула?

— Вовсе нет, просто вновь задумалась, что такое выбор. Обуть кроссовки или босоножки? Как повлияет на мою дальнейшую судьбу принятое сейчас решение?

Рита повертела указательным пальцем у виска:

— По-моему, ты, дорогая, того! Ну-ну! Жара на мозг повлияла.

— Может, и так, — согласилась я, — а ты чем руководствуешься, когда обувь выбираешь?

— Да тем же, что и все, — рявкнула Рита, — смотрю на свою одежду и думаю о педикюре! Согласись, незачем демонстрировать некрасивые ногти!

Я машинально посмотрела вниз. Педикюр! Похоже, я делала его не так давно, во всяком случае, сейчас ногти на ногах сверкают розово-коричневым лаком.

Чтобы не упасть, я уцепилась за косяк. Очень хорошо помню: за все время работы с Глафирами я ни разу не брала в руки пузырек с лаком, следовательно, педикюрша поработала надо мной еще в той, забытой жизни. Но я же сидела в психушке! Навряд ли там есть салон красоты или парикмахерская. Значит... что это значит? Выбор...

— На, — сунула мне кроссовки Рита, — сгоняй за батоном. Пожрем — и на выступления, мы сегодня в зале «Юбилей» поем. Там сборный концерт, посвященный дню рождения какого-то телевизионного канала. Куча журналистов, камеры, в общем, разряжаемся в пух и перья!

Машинально завязав шнурки, я вышла во двор, потом на улицу, пересекла шумное шоссе, вошла в магазин и уставилась на булки. Какую взять? Опять выбор! Как изменится моя судьба, если я прихвачу вон ту, щедро посыпанную тмином?

— Девушка, — поторопила меня продавщица, — если еще не определились с выбором, подвиньтесь, пожалуйста, в сторону, чтобы другие могли хлеб купить.

— Дайте с тмином, — решительно сказала я, обозлившись на себя.

Ну что со мной сегодня происходит, а?

Сунув батон в пакет, я поторопилась опять перейти дорогу. Внимательно посмотрев по сторонам и не обнаружив ни одного автомобиля, я ступила на проезжую часть. Около меня ковыляла девица в мини-юбке, обутая в элегантные босоножки на тонюсенькой шпильке. Шагая рядом, будто пара послушных школьниц, мы оказались на середине дороги, и тут, словно привидение, материализовавшись ниоткуда, возникла машина. Я даже не могу сказать вам, какого цвета она была, просто поняла, что летящий автомобиль, за рулем которого небось восседает совершенно пьяный человек, сейчас собьет меня.

Дальнейшее происходило словно в американском боевике. Только будто у телевизора, демонстрировавшего ленту, кто-то выключил звук. В полной тишине я увидела надвигающуюся махину, почувствовала идущий от разогретого мотора жар и в полном ужасе бросилась в сторону. Девушка, шагавшая около меня, тоже ощутила опасность. Прижимая к груди пакет с хлебом, я шарахнулась влево, потом понеслась вперед, отчего-то петляя, словно заяц. Ноги работали на автопилоте, голова совершенно не участвовала в процессе...

Вдруг включился звук. В уши полетели визг, вопли:

— Сбили!

— Номер запишите.

— Уехал, сволочь!

Тяжело дыша, я навалилась на какого-то потного мужика в желтой футболке.

— Тише, тише, — бормотал он, обнимая меня.

— Я жива?

— Да, тебе повезло, — начал успокаивать меня незнакомец, — бегаешь быстро, и хорошо, что не выпендриваешься.

— Ты о чем? — еле дыша от пережитого стресса, поинтересовалась я.

— Бабы — дуры, — в сердцах воскликнул мужик, — напялят на ноги ходули, и каюк! Ты-то в кроссовках драпанула сайгаком, а та попыталась побежать, да споткнулась. И вон чего вышло.

Я машинально оглянулась. На проезжей части, вывернув самым диким образом обнаженные руки, лежала девушка. Первое, что бросилось мне в глаза, были ее изящные голые ступни. Босоножки, модные, элегантные, состоящие из пары ремешков и шпилек, были разбросаны по мостовой. Из-под спутанных белокурых волос несчастной растекалось темно-бордовое пятно.

— Зацепилась каблуком о выбоину, — без остановки говорил тип в желтой футболке, — упала, а этот урод по ней проехал. Надела бы туфли попроще или кроссовки, как ты, и спаслась!

Мои ноги начали медленно подгибаться в коленях, в памяти всплыла картина: вот стою в прихожей и мучаюсь, что нацепить на ноги... От какой ерунды иногда зависит жизнь человека!

— Ты не уходи, — велел мужчина, — ща милиция приедет, свидетелем будешь.

Мой мозг мигом осознал опасность. Нет уж, женщине без паспорта, сбежавшей из психушки, нельзя встречаться с представителями власти.

— Эй, куда, — заорал мужчина, — постой!

— В аптеку загляну, — спокойно ответила я, — куплю себе валерьянки.

— Давай тебя провожу, — не успокаивался зануда.

— Спасибо, не надо, — быстро ответила я и метнулась во двор.

Рассказать о произошедшем Рите я не успела. Едва вошла в квартиру, как певица налетела на меня.

— Давай собирайся, опаздываем.

— А поесть?

— Некогда, ты два часа ходила!

— Понимаешь, такое случилось...

— Потом потрепемся, — перебила меня Рита, — черепаха! Бери хлеб с собой, перед концертом погрызем, хоть я и не могу на полный желудок работать, но ведь не помирать же с голоду.

Спустя час мы оказались за кулисами, и началась обычная круговерть. Кто за кем выступает, звук, свет, грим... Надо сказать, что к сегодняшнему дню все обитатели кулис давно поняли, что роль Глафиры исполняет Рита, все заглядывавшие в нашу раздевалку называли певицу настоящим именем. Но никого такое положение вещей не смутило. Свин свято верил в то, что глупая публика ни в чем не разобралась, хотя он ввел в репертуар Глафиры новые песни, спетые Ритой. Надо сказать, что моя нынешняя хозяйка — явно талантливый человек. Она обладает хорошим голосом и обязательно пробьется на вершину.

— Так, — озабоченно воскликнул Свин, входя в комнату, — ты готова?!

— Угу, — кивнула Рита и схватила батон. — Жрать хочу!

— Помаду слижешь, — заботливо предупредила я.

— Ну и фиг бы с ней, заново покрашусь, — ответила певица и запихнула в рот огромный кусок булки. — Боже, как вкусно. Чем она посыпана?

— Тмином.

— Восхитительно!

— Неужели никогда его не пробовала?

— Нет, — покачивала головой Рита, — не приходилось.

— Она слаще морковки ничего не жрала, — заржал Ванька, — дай мне!

— Нет, сама съем.

— Весь батон?

— И чего?

— Во дает, — восхитился Ванька, — просто прорва!

— Да иди ты, — огрызнулась Рита, жадно жуя хлеб, — я перекусить не успела.

— Пойду с распорядителем побалакаю, — прокряхтел Свин и испарился.

— А почему его с нами давно не было? — спросила я, имея в виду продюсера.

— Зафигом ему с актерами таскаться, — пожал плечами Костик, — Свинушка сейчас новый проект запускает, гениальный.

— Точняк, — подхватил Ванька, — три мальчика, здорово сделано.

— Хорошо поют? — поинтересовалась я.

— А как все, — махнул рукой Ванька, — два притопа, три взвизга: «Я пришел, ты ушла, я любил, а ты нет... ля... ля... ля... у... у... у...»

— Что же тут гениального?

— Все, — захихикал Ванька. — Сколько раз я тебе объяснял: не в песнях дело! Мальчишек Свин потрясно подобрал. Один беленький, курносенький, голубоглазенький, другой брюнет, смуглый, третий ни то ни се, русый. На любой вкус. Девки визжать будут, им такие пряники нравятся.

— Идешь после «Лисичек», — сообщил Свин, возвращаясь, — собирайся потихоньку. Ой, что с тобой?

Я обернулась. Лицо Риты было покрыто красными пятнами.

— Что случилось? — напрягся Ванька.

— Э... э... — закашлялась Рита, потом просипела. — У меня голос пропал, кашель налетел и сопли текут... мне плохо!

С этими словами она закрыла глаза и затряслась в ознобе.

Я бросилась к певице.

— Кажется, у нее температура поднимается.

Ванька вскочил.

— Тут Василий выступать должен, я видел его в коридоре, он же врачом на «Скорой» работал.

— Зови Васю сюда! — нервно воскликнул Свин.

— На приступ аллергии похоже, — озабоченно сказал Василий, осмотрев Риту, — вот на бумажке я написал название, гоните живо в аптеку, а вообще-то, «Скорую» зовите, может отек Квинке начаться. Она что ела или пила?

— Ничего, — ответил Свин, — хлеб просто.

— Марку сигарет, может, сменила или духи другие приобрела?

Свин посмотрел на меня.

— Вроде нет, — промямлила я и вдруг сообразила: — Тмин! Батон был им щедро обсыпан. Рита никогда до сего момента эту пряность не пробовала. От тмина может аллергия начаться?

— От чего угодно золотуха бывает, — сказал Василий.

— Вот, — влетел в гримерку запыхавшийся Ванька, — хорошо, ларек у входа стоит, а в аптеке провизорша фанатка, так бы не дала.

Вася ловко сделал укол, Рита, закрыв глаза, лежала на диване.

— Ну, ну, — захлопотал Свин, — ща получшеет. Споешь — и домой, баиньки.

— Глупость не пори, — перебил его Василий, — ее прямо сейчас в клинику везти надо.

— А выступление?

— Офигел? Ей не встать, и голос пропал, один сип.

— Так под фонограмму же, — пытался добиться своего Свин, — надо просто попрыгать, рот поразевать.

— Ты долдон, — вышел из себя Вася, — идиот! Девка загнется, ее к врачу тащить нужно, вызывайте медиков. Впрочем, я сам позвоню.

Высказавшись, он ушел. Свин в растерянности глянул на Риту.

— Кисонька, — непривычно ласковым голосом произнес он, — совсем не можешь работать? Попробуй, вдруг получится.

Рита не отвечала, лежала, тяжело дыша.

— Отвянь от нее! — рявкнул Ванька и схватил мобильный: — Алло, «Скорая». У нас тут женщине плохо.

— Ужасно, ужасно! — заметался по гримерке Свин.

Я решила утешить его:

— Ничего, Глафира выздоровеет, не переживай так.

— Да куда она денется! — заорал Свин. — А вот что с концертом будет! Такой нечасто бывает. День рождения одного из самых рейтинговых телеканалов! Журналистов пруд пруди, камер и магнитофонов море, запись идет. Потом передачу станут безостановочно крутить. Такой пиар! Бесплатный! Все есть! А Глафиры не будет. Катастрофа, жуть, мрак...

— Нацепи на себя парик, — гаркнул Костик, — и прикинься Глафирой, все равно фонограмма пойдет. Попрыгай, потряси окороками, авось сойдешь за звезду!

Свин замер. Его маленькие злые глазки стали невозможно большими, потом они начали медленно вываливаться из орбит. Я испугалась, что обозленный продюсер сейчас растопчет не в добрый час пошутившего музыканта, и сказала:

— Свин, хочешь чаю? Хорошо успокаивает.

Глава 31

Издав вопль раненого носорога, Семен кинулся на меня. Я хотела юркнуть за дверь, но не успела. Короткие толстые пальцы продюсера вцепились в мою майку, потянули ее вверх.

— Немедленно раздевайся!

— Ой, не хочу! Да и с какой стати?

— Живо, — бесновался Свин, сдирая с меня джинсы. — Дайте ей Глафирин комбинезон. Так, натягивай, дура.

— Зачем?

Потная ладонь хлестнула меня по щеке.

— Молчать! Одевайся!

Испугавшись, я в мгновение ока нацепила одно из концертных одеяний певицы.

— Теперь парик, здорово! Намажьте ей морду, погуще, — командовал Свин, — ресницы наклейте, губы, губы поярче, классно. Значит, слушай, киса, пойдешь вместо Глафиры.

Я отшатнулась.

— Свин! У тебя воспаление мозга началось? Я совершенно петь не умею!

Продюсер вцепился в мою шею:

— Молчи, котя, и запоминай. Петь тебя никто не просит, пойдет фонограмма. Твоя задача попрыгать, поскакать, помнишь, как это Глафира делает?

— В общем, да.

— И ничего трудного, — влез Ванька, — она не Плисецкая, и тут не Большой театр, никто Кармен-сюиту не ждет. Улыбочка до ушей. Главное, не забудь, когда появишься на сцене, громко крикнуть в микрофон: «Добрый вечер! Глафира с вами!»

— Но голос-то у меня другой, — слабо сопротивлялась я.

— А никто не заметит, — рявкнул Свин, — наши завсегда одним поют, другим разговаривают! Слова песни «Прощание» знаешь?

— Да, сто раз их слышала.

— Супер, будешь просто пасть под фоно разевать, не бойся, никто не заметит.

— Я не актриса...

И тут Свин со всего размаха толкнул меня на стену.

— Больно! — взвизгнула я.

— Будет еще хуже, — зловеще пообещал продюсер, — вот узнают менты про тебя правду... Выручишь нас — один разговор, получишь много всего хорошего, заерепенишься — пеняй на себя, котя!

И что мне делать?

Я кивнула:

— Хорошо.

— Молодец! — воскликнул Свин. — Теперь курс молодого бойца. Ничего не бойся, в зал не смотри, все равно, кроме VIP-ряда, никого не увидишь, ни на что не реагируй, разевай рот. Еще имей в виду, рука, которой держишь микрофон, должна двигаться одновременно с головой. Смотри не забудь, иначе глупо выйдет, усилитель звука слева, морда справа. Живо, накладывайте грим до конца, густо!

Легкие, холодные пальцы стилиста Сергея забегали по моему лицу. Я невольно позавидовала юноше, он постоянно работает с Глафирой, приводит в нужный вид лица участников группы, но ни разу, никогда я не слышала от парня ни словечка, словно он немой. Сергей живет в своем мире, в этом он только зарабатывает себе на хлеб.

— А вдруг зрители поймут, что перед ними подмена? — внезапно испугалась я.

— Никто ничего не заметит, — сказал Костя.

И тут в гримерку вошли врачи: мужчина и две девушки. Одна девица открыла железный ящик с лекарствами, доктор присел около хрипло дышащей Риты, вторая же медичка, с виду совсем девочка, разинув рот, стала наблюдать за действиями Сергея. Наконец гример похлопал меня по плечу.

Я встала.

— Ой, — отмерла фельдшерица, — вы Глафира?

— Естественно, — быстро сказал Свин, — кто ж еще?

— Пожалуйста, дайте автограф, сейчас бумажку найду, — занервничала девочка, — я прямо тащусь от вас!

Ванька хохотнул и вытащил из сумки диск.

— На. Совсем свежий, им еще даже пираты не торгуют.

— А она может расписаться? — ныла фельдшерица. — Вот тут, сбоку!

Старательно удерживая на лице улыбку, я взяла пластмассовую коробочку, открыла и изобразила некую загогулину, весьма похожую на ту, которую Рита ставит на билетах, программках и фотографиях, подсунутых ей фанами.

— Ну класс! — зашлась от восторга фельдшерица. — Наши от зависти лопнут, а можно с вами сфотографироваться? Пли-и-из!

— Катя, — сердито сказал врач, — а ну иди сюда.

— Двигаем, — велел Свин и пнул меня в зад.

Окруженная музыкантами, я доползла до кулисы и замерла в проходе. На сцене извивались и орали «Лисички».

— Страшно? — шепнул Ванька.

— До жути, — тихо ответила я, — у тебя имодиума нет случайно? Что-то с желудком у меня не очень.

— Ща, — кивнул музыкант и исчез.

Я закрыла глаза. Господи, ну за что мне это испытание? Сейчас запнусь, упаду, из зала понесется свист, полетят гнилые помидоры...

— На, — проговорил запыхавшийся Ванька, — пей.

Я бросила взгляд на большие розовые капсулы.

— Это что?

— Классная штука — не сомневайся, сам принимаю, давай глотай, сразу три, мигом полегчает.

Я машинально положила лекарство на язык.

— Запей, — велел Ванька, подсовывая мне бутылку.

Внезапно в голове взорвалось фейерверком воспоминание. Я принимаю лекарство, иду к машине, начинаю падать. Боже, кто мне дал капсулы? Лена? Лена Горбунова, она моя...

В эту секунду мимо пронеслись вспотевшие «Лисички», и Ванька сильно толкнул меня.

— Пора, шагай, ныряй, словно в воду.

Я оказалась на краю огромного пространства. Справа зияла темная яма, слева виднелись музыканты, посередине пусто, лишь яркий слепящий свет.

— Ла-ла-ла, — ударила по ушам музыка, — ла-ла-ла, у-у-у, — загудело из ямы, — у-у-у!

— С нами Глафира, — заорал кто-то, вроде бы Ванька, — сейчас она вас поприветствует.

Мгновенно вспомнив инструктаж, я поднесла ко рту микрофон. Черт возьми, если не умеешь плавать и свалился за борт, греби изо всех сил лапами, авось спасешься. Давай, милая, ты — Глафира. Неужели ты не сумеешь обмануть всех? Неужто ты такая бесталанная каракатица, действуй, не стой.

Я бросилась вперед и заорала:

— Привет! Глафира с вами!

— Вау-у-у-у, — рокотом ответила публика.

И тут на меня стеной пошла жаркая волна. Люди, заполнившие зал, испускали невероятную, плотную, явственно ощутимую энергию. Ее было так много, что меня просто захлестнул этот поток, поднял, закрутил, поволок. Моя рука сама по себе, не повинуясь хозяйке, поднесла к губам микрофон. Из динамиков полился чистый, звонкий голос Риты:

— Когда проснешься ты под утро...

Господи, я же столько раз слышала эту песню, но только сейчас поняла, о чем она. О любви, о тоске, о страхе одиночества, о нежелании умирать, о мечтах, которые никогда не сбудутся.

Голос звенел и звенел, я качалась и кружилась в такт, тело потеряло вес, руки превратились в крылья, а голова в воздушный шарик. На секунду мне показалось, что ноги отрываются от сцены и я лечу над притихшим залом, качаюсь на упругих волнах воздуха, купаюсь в море, бреду по теплому песку, падаю, поднимаюсь и снова лечу. В конце концов тело исчезло, осталась одна душа и стала подниматься ввысь, быстро-быстро, далеко-далеко. Зал простирался внизу, нервно дышащее людское море колебалось. Я легко достигла потолка, он внезапно распахнулся, возникло необъятное синее небо, засверкали непонятно откуда появившиеся звезды, а я летела, словно птица, задыхаясь от счастья.

Бум! Обвалилась тишина, песня закончилась. Некто, словно на канате, поволок меня вниз, я влетела в свое тело и затряслась, будто простудившийся поросенок.

— Глафира, Глафира, Глафира! — орал зал.

Вдруг из темной ямы показался букет. На плохо гнущихся ногах я подошла к краю сцены, присела и увидела девочку-подростка, протягивающую цветы. Круглое личико обрамляли довольно длинные белокурые волосы, большие голубые глаза, красивый рот. Что-то родное почудилось в этом лице. На девочке была футболка с изображением собаки.

— Вы замечательно пели, — сказала она, — вот держите, надеюсь, вы любите орхидеи. Вообще говоря, я хотела подарить их Магутенко, но чуть не зарыдала, услыхав вас.

— Спасибо, — пролепетала я и вдруг помимо воли выпалила: — Это твоя собака, она очень любит сыр.

— Верно, откуда вы знаете? — удивилась девочка.

— А еще она спит на подушке, под пледом!

— Точно.

— Сейчас я вспомню, как его зовут, сейчас... э... вот... минутку...

— Пошли, — сказал Ванька, хватая меня за талию.

Спотыкаясь, я побрела за кулисы, но на полдороге обернулась, девочка исчезла.

— Ну как, — поинтересовался Ванька, втаскивая меня за сцену, — похоже, ты из наших!

— Из каких? — в изнеможении поинтересовалась я.

— Улетела, да? — прищурился Ваня. — Поймала зал?

— Что, такое со многими бывает? — пробормотала я.

Ваня кивнул:

— Да, иначе с какой стати мы на сцену лезем? Думаешь, только ради денег? Нет, милая, есть еще что-то, немногие, правда, могут это ощутить, но уж если раз схватил тебя кайф, то все, навсегда. Кстати, можно не обладать голосом, но уметь чувствовать зал, попадать с ним в резонанс, и тогда публика будет тебя обожать, пойдет энергообмен. Это вещь тонкая. Один поет изумительно и никому не нужен, другой еле-еле хрипит и покоряет миллионы сердец. Так-то вот! Не все просто, и не только за звонкой монетой люди в шоу-биз прут. Мы по большей части наркоманы, это с одной стороны, а с другой — мы отдаем себя публике целиком. Если будешь только брать — ничего не выйдет, надо и делиться. Ты извини, слов у меня не хватает, чтобы описать этот процесс, да и не поймет тот, кто не почувствовал ни разу драйв.

Я потрясла головой:

— Мне плохо.

— Это с непривычки, давай в гримерку отведу, — засуетился Ванька, — иди тихо, теперь торопиться некуда.

Держа музыканта за руку, я поплелась по коридору, один поворот, другой, третий... За очередным углом глаза наткнулись на белокурую девочку, ту самую, в футболке с собакой. Около нее стояло несколько человек: высокий парень с бледным лицом, стройная, если не сказать худая, девушка с чуть раскосыми карими глазами и лысый толстячок в сильно мятом костюме.

У меня в голове вспыхнул огонь. Таблетки, Ленка Горбунова, машина, врачи, «она умерла», «кого вы мне привезли, эту закопайте»... Виски сжал обруч, во рту пересохло, ноги мелко задрожали, по шее потек пот.

— Как зовут мою собаку? — внезапно звонко выкрикнула девочка. — Говори, быстро.

Меня накрыло жаром, я сдернула с головы парик.

Девушка и парень отшатнулись, толстяк начал краснеть. Ванька попытался увести меня. Но ноги окончательно перестали повиноваться хозяйке. Потолок сместился влево, стены стали сближаться, пол резко поехал вверх, исчезли звуки, и начало меркнуть изображение. Последним усилием воли, стараясь окончательно не утонуть в черном, засасывающем меня болоте, я крикнула:

— Хуч! Мопс Хуч! Его зовут Хучик! Милый, любимый... Хучик!

И тут стены, окончательно сомкнувшись, лишили меня возможности видеть, слышать, разговаривать...

Глава 32

Я открыла глаза и чихнула. Надо мной моментально нависло лицо Оксаны.

— Привет! — крикнула она.

— Здорово! — откликнулась я и попыталась сесть.

— А ну лежи, — велела подруга, — капельницу пережмешь.

Тут я увидела, что в мою правую руку воткнута игла, от которой тянется вверх тоненькая прозрачная трубочка.

Оксанка вытащила из кармана мобильный.

— Она проснулась.

Дверь в палату распахнулась, и появился румяный дядька с самой сладкой улыбочкой на устах.

— Ну, — прочирикал он, потирая руки, — мы знаем, как нас зовут?

— Замечательно, — усмехнулась я, — рада за вас. Так как?

— Что — как? — оторопел мужчина.

— И как вас зовут? И почему вы так радуетесь, что помните свое имя?

Дядечка улыбнулся и погрозил мне сарделькообразным пальцем.

— Шутница. Впрочем, рад представиться, Андрей Иванович, а вас как звать?

— Дарья.

— Фамилия?

— Васильева.

— Отлично. Адрес вспомнить можете?

— Поселок Ложкино, это по Ново-Рижской дороге, недалеко от Москвы.

— Машину умеем водить?

— Естественно.

— И на какой ездим?

— На «Пежо». Двести шестая модель, маленькая, как раз для меня.

— Великолепно. Теперь поговорим о детях. Сколько их у нас? Назовите имена, возраст.

Я повернулась к Оксане.

— Послушай, он журналист? С какой стати берет у меня интервью?

— Помнишь, как меня зовут? — внезапно поинтересовалась Ксюта.

Я повертела пальцем у виска.

— Ты того, да? Да что случилось? Отчего я в больнице?

— Не догадываешься?

— Нет. Вернее, да. Лена Горбунова дала мне пилюли, я их выпила, упала и очнулась тут.

Оксана и Андрей Иванович переглянулись.

— Это неоднократно описано в литературе, — заявил мужчина и дальше начал произносить слова по-латыни.

— Я не спец в вашем предмете, — вздохнула Ксюта.

— Да что происходит? — возмутилась я.

В коридоре послышался топот, и в палату внеслась толпа людей: Маня, Кеша, Зайка, Александр Михайлович. Вот тут я обалдела окончательно. Полковник отчего-то бросился меня целовать, а дети начали высыпать на одеяло подарки: конфеты, детективы, фрукты.

— Объясните, в конце концов, — заорала я, — что случилось?! Отчего я нахожусь тут?

Повисло молчание.

— Она совсем того? — поинтересовался Дегтярев.

Оксана пожала плечами, а Андрей Иванович вновь разразился речью на мертвом языке. Вход в палату опять приоткрылся, и возникла женщина с букетом.

— Привет, Танюша! — воскликнула она.

Я изумилась.

— Рита!!!

И в ту же секунду в голове мигом вспыхнули все, абсолютно все воспоминания. Розы, которые держала певица, начали испускать удушливый аромат.

— Кто ее впустил? — послышался как сквозь вату голос Андрея Ивановича. — Ведь я предупредил.

Неожиданно цветы упали мне на лицо, я провалилась в яму.

Окончательно пришла в себя я лишь через пару дней, потом за меня взялся Дегтярев. Почти весь понедельник я рассказывала полковнику о моих злоключениях, ответила на все его вопросы. Мои же он попросту проигнорировал. Едва я заводила: «Скажи, пожалуйста...», как Александр Михайлович недовольно рявкал: «Потом!»

Целую неделю Дегтярев прибегал ко мне минут на двадцать, задавал очередной вопрос, кивал и убегал, едва заслышав ответ. Вскоре я не выдержала и, когда он в очередной раз собрался убегать, крикнула:

— Послушай, немедленно объясни.

— Некогда, — не оборачиваясь, буркнул полковник.

— Но...

Дверь стукнула о косяк, я прикусила губу. Ну погоди, толстяк! Мы еще встретимся!

Дверь снова открылась. Ага, решил вернуться! Но в палату вошла Оксана.

— Немедленно ложись, — велела она.

— Ксюта, — взвыла я, — сейчас же ответь на все мои вопросы!!!

— Попробую, — вздохнула подруга, — хотя имей в виду, амнезия — вещь загадочная. О ней много написано, но это в основном байки. Отчего тот или иной субъект теряет память, точно не знает никто. Хотя наука пытается объяснить... Ну, допустим, человек удил рыбу на льдине, провалился под лед. Его вытащили совершенно здорового физически, но полностью потерявшего память на фоне стресса. Описаны случаи, когда люди теряли соображение, оказавшись жертвой теракта или природных катаклизмов: землетрясения, наводнения. Еще подобное возможно на войне, а бывает, из наркоза такими выходят: ну ничегошеньки не помнят.

— И почему это происходит?

— Ну, считается, будто мозг отключает какие-то «хранилища информации» во благо человеку. Допустим, жертва жестокого изнасилования потом не помнит, что с ней сделали. Но на самом деле психика — тайна за семью печатями, — вздохнула Оксана, — вот, например, кома. С какой стати один умирает, другой оживает через десять лет.

— А со мной-то что вышло?

Оксана почесала переносицу.

— Ленке Горбуновой из Китая привезли таблетки, а она, полная дура, стала их принимать.

— Отчего ты ее ругаешь, это всего лишь витамины, — вступилась я за Лену, — для волос, ногтей. Китай славится эффективными препаратами.

— Что им на пользу, то нам смерть, — решительно перебила меня Оксанка, — сто раз людям говорено: не жрите всякую дрянь, лучше купите в аптеке нормальный препарат, на который есть соответствующее разрешение Минздрава. Ан нет! Хавают всякую пакость! Сироп из жабы! Порошки из высушенной змеи. Тайские таблетки! Ну просто с ума сойти! А потом у одного инсульт, у другого отек Квинке, а третий просто умер. Горбунова — кретинка. Приперли ей флакон, все надписи — сплошные иероглифы. Из чего сделано, кто произвел, как пить? Нет ответа.

— Но ей же они помогли!

— Бывает, — пожала плечами Оксана, — ей повезло. Только тебя по полной программе шандарахнуло. Слушай, как дело было.

Съев таблетки, я через некоторое время упала

в обморок. Китайское снадобье, очевидно, понизило мне давление почти до нуля. Еще хорошо, что на улице стоял июнь, произойди это в январе, я бы неминуемо замерзла. Напомню вам, что это случилось со мной в новом, только-только заселяющемся районе Москвы, и на улице никого не было. Потом откуда ни возьмись появилось несколько бомжей. Маргиналы наткнулись на тело хорошо одетой женщины и пришли в восторг. Вот это удача! Они быстро содрали с меня одежду, стащили кольца, часы, сумочку, открыли ее и обрадовались еще больше. Внутри лежали документы на машину, ключи, а сам автомобиль стоял в двух шагах от места, где разворачивались события. Один из бродяг умел водить, поэтому бомжи, натянув на меня какую-то рванину, сели в «Пежо» и укатили прочь. Никогда в жизни им так не везло, компания стала строить планы, как они потратят вырученные за иномарку деньги. Я осталась лежать на тротуаре.

Глава 33

Непонятно, как бы закончилась эта история, но тут мимо меня прошла молодая пара. Испугавшись, ребята вызвали «Скорую». Медики прибыли из близлежащей больницы — маленького заведения, ранее считавшегося областным и лишь недавно из-за выстроившегося микрорайона получившего статус столичной лечебницы.

Оксана поправила одеяло на кровати и продолжала:

— Наверное, я не открою тебе тайну, если скажу, что среди врачей попадаются отвратительные личности. Есть алкоголики, садисты или просто пофигисты, которым глубоко наплевать на больного. Встречаются, увы, намного чаще, чем думают пациенты, и плохо подготовленные лекари, неспособные отличить инфаркт от перелома ноги, видела я «гиппократов», прописывавших со спокойной улыбкой большие дозы аспирина язвенникам. В общем, тебе лучше не знать, как доктор может навредить больному. И еще, к сожалению, к бродягам, привезенным с улицы, очень часто в клиниках относятся халатно, их просто за людей не считают, лишний раз не подойдут. А ты попала в отвратительную больницу ночью, в непотребном виде, вот тебя и посчитали женщиной без постоянного места жительства. Дежурный врач мигом заявил: «Она умерла».

— Я слышала его слова, практикант пытался убедить его в обратном, только врач, спешивший посмотреть увлекательный футбольный матч, мигом заткнул студента. Он не стал возиться с бомжихой и, не моргнув глазом, оформил «тело» в морг, а сам помчался к телику, — вклинилась я.

Оксана продолжала: «труп» очутился на каталке в холоде. Скорей всего, «бродяжке» предстояло замерзнуть, но тут произошел казус. Врач больницы, а звали его Николай Михайлович, частенько оказывал услуги одному криминальному авторитету, естественно, за хорошие деньги. В частности, выписывал бумаги о смерти, прятал тела в морге, обрабатывал раненых бандитов, не сообщая об этом в милицию... Неприятный он человек, этот Николай, готовый за купюру продать родную мать. Так вот, не успели тебя стащить в ледник, как пахан позвонил Николаю и заявил:

— Нужен труп старухи, срочно.

Врач не стал интересоваться, для каких целей понадобилось мертвое тело.

— Есть бабка, — обрадовался он, — из неопознанных, недавно притащили, в автобусе померла, документов никаких.

— Классно, забираю, — заявил бандит.

Очень скоро к Николаю примчались две «шестерки». Доктор, не пожелав оторваться от зрелища, взял деньги, сунул парням ключ и велел:

— Сами ступайте вниз и берите.

Братки потопали по лестнице и схватили не то тело. Или пахан дал им нечеткие указания, или из их деревянных голов мигом выветрились инструкции, или морг напугал тех, кто спокойно мог убить человека, — не знаю, только к своему начальнику вместо старухи они доставили относительно молодую бродяжку.

— Да, — перебила я Оксану, — верно, он еще на них орать стал, велел меня в лесу закопать и привезти другое тело. Но парни забыли лопату, оставили меня лежать на земле и поехали за инструментом. Я слышала весь разговор, но пошевелиться не могла, мне делалось все страшней. Понимала, что сейчас принесут заступ — и мне каюк, но все равно ни одна мышца не работала.

— Как же ты сумела «ожить»?

— Лягушка мне на живот прыгнула, холодная такая, скользкая, я от неожиданности вздрогнула и словно расколдовалась.

— Я читала о таком эффекте, — кивнула Оксана, — человека из ступора может вывести любая неожиданность. Тебе невероятно, феерически везло. Бомжи не избили, в морге ты не замерзла, похоронить тебя не успели.

— Знаешь, как я мучилась, пытаясь вспомнить, кто же я такая!

— Представляю!

— Вот и нет! Отчего-то пришло мне в голову, что я имею музыкальное образование.

— Да уж, — хихикнула Оксанка, — я очень хорошо помню твои рассказы, как бабушка Фася, отчаянная меломанка, таскала внучку в консерваторию на концерты, а ты, несчастная, пересчитывала на сцене музыкантов.

— Верно! Вот откуда выплывали обрывки мелодий. А еще бабуля отдала внучку в музыкальную школу, но меня оттуда вышибли спустя месяц, я только ноты писать научилась! Впрочем... мне еще привиделось, как тащусь утром в метро, а в портфеле клавир...[1] Убей бог, не понимаю, откуда взялась эта картина?

— Твой мозг отчаянно пытался вытащить тебя наружу, — вздохнула Оксана, — интересно! Ты сама забыла, а я помню про ноты.

— Да?

— Ага. Давно-давно дело было, ты мне рассказывала! Денег мало, Аркашка маленький, вот ты и решила продать вещь, оставшуюся от бабушки, — старинный клавир. Тебе он был совершенно ни к чему, а для музыканта это желанное приобретение. Фасе ноты подарили много-много лет назад.

— Верно, — закричала я, — их у меня пианист купил, хорошо заплатил! Хватило и на пальто Кеше, и на то, чтобы долги отдать! Понятно теперь, откуда я знала, каково жить с пьянчугой. Мой бывший муженек Генка — запойный алкоголик! И покер! Бабушка Фася была картежницей![2] И потом, мне казалось, что я жила в домике, где закончилась вода! Господи, это же в деревне, в том противном местечке, помнишь, я снимала дав-

---

[1] К л а в и р — ноты.

[2] См. книгу Дарьи Донцовой «Бассейн с крокодилами», издательство «Эксмо».

ным-давно на лето избу в Подмосковье, натуральный сарай! Гиблое место, без электричества, газа и канализации!

— Зато почти даром, — хмыкнула Оксана, — воздух упоительный! Вечером вечно навозом воняло! Волшебное местечко.

— Все, все теперь ясно, — ликовала я, — вот отчего имя Аркадий казалось мне знакомым. А потом я увидела крысу Манюню и стала мучиться: ну кого так звали? Родного, близкого, любимого! Стоп!!!

— Что еще? — подскочила Оксана.

— Значит, я пропала, а вы меня не искали?! Оксана вздохнула:

— Да уж. Ну-ка вспоминай, отчего тебя понесло к Горбуновой.

Я наморщила лоб.

— Великолепно помню: неуемной Зайке пришла в голову идея поменять в доме окна, ей надоели темные рамы, вот она и заказала белый пластик. На мой взгляд, жуткое уродство, но, сама знаешь, с Ольгой не поспоришь.

— Дальше?

— Что?

— Ну, как вы поступили в преддверии мелкого ремонта?

Я пожала плечами:

— Да просто. Машка уехала на неделю в Париж, Аркашка с Зайкой и детьми рванули на семь дней в Ниццу, Александр Михайлович отправился на рыбалку. Никому неохота было в шуме существовать. Знаешь, смена окон — дело хлопотное, грязное. Собак мы отдали тебе. Кошек Маше Трубиной.

— Верно.

— Повариху Катерину отправили в отпуск, домработницу Ирку тоже.

— Хорошо.

— За рабочими, ставящими новые стеклопакеты, оставили следить садовника Ивана.

— Потрясающая память.

— Сама я поехала в гостиницу. Ты звала меня к себе, но едва я собралась, как к тебе обвалились родственники из Питера, места мне там не было. А потом, знаешь, захотелось почувствовать себя совершенно свободной, как птица... Несколько дней я шлялась по магазинам, а затем поехала на свидание к Ленке.

Оксана кивнула.

— Я забеспокоилась, звоню тебе, звоню, мобильник талдычит: «Номер не обслуживается». Вызвала Дегтярева, ну тут все и завертелось. Кстати, полковник очень много узнал, обзвонил всех друзей и подруг, добрался до Ленки, не ел, не пил, не спал... Он проследил твой путь, вышел на криминального авторитета, выяснил, что его «шестерки», вернувшись назад в лес, не нашли «труп», и уперся лбом в стену. Ну какие сволочи встречаются!

— Ты о ком? — не поняла я.

— Да так, — отмахнулась Оксана. — Нет, вот счастье-то!

— А теперь о чем говоришь?

— Зайка получила приглашение на концерт. Телеканал, где она работает, праздновал день рождения, — пустилась в объяснения Оксана.

Ольга, естественно, сказала:

— Никуда не пойду! Какое веселье, когда Даша пропала!

Но коллеги стали переубеждать девушку:

— С ума сошла. Твое место в первом ряду!

— Около начальства!

— Заметят, что проигнорировала торжество, потом припомнят.

Я усмехнулась:

— Кудрявенький тоже следил, кто к нему на день варенья не притопал.

— Кудрявенький, — удивилась Оксана, — это кто?

— Потом расскажу, продолжай.

— Ну, Зайке пришлось плестись на концерт, одна она категорически не хотела пойти на мероприятие, взяла еще пропуска для мужа, Дегтярева и Машки. Вместе все и отправились. Маня купила букет, хотела Магутенко отдать...

— Да, — кивнула я.

— А когда «Глафира» стала брать цветы, она заговорила про собаку... Машка сразу сказала: «Это мусик! С ней что-то случилось, но я знаю, это она».

Зайка и Кеша не поверили, а Дегтярев воскликнул:

— Пошли домой, не могу тут сидеть, сердце ноет.

Но Маня настаивала, сначала пыталась убедить своих спутников, потом зарыдала. Вот Александр Михайлович, чтобы успокоить девочку, воспользовавшись своим служебным удостоверением, и провел всех за кулисы, решил познакомить Машку с Глафирой, хотел показать, что она не ты.

— Ясно, — протянула я, — почти все сходится... кроме кое-каких деталей. Эта Ирина Кротова, которая старательно убеждала меня, что я — Таня, ее сестра-убийца... Я ведь опознала ее комнату! Почему?

Оксана кивнула:

— Ты жила в Медведкове, в такой же квартире, да?

— Верно.

— И мебель у тебя стояла похожая? Югославская стенка?

— Конечно, в те годы у нас у всех все было одинаковое.

— Понимаешь, — с негодованием сказала Оксана, — эта Ирина имеет две жилплощади. Ту, куда позвала тебя, использует в качестве офиса. Сняла ее задешево и приглашает туда своих информаторов. Она вовсе не думала, что ты узнаешь обстановку, а когда поняла, то просто подыграла тебе.

— Она сказала, что у нас жила собака!

— Врала, ты же припомнила своих псов.

— А еще мальчик с рассказом про своего друга и выстриженную болонку...

— Ты, оказавшись в интерьере, очень похожем на тот, в котором жила в Медведкове, припомнила маленького Аркадия.

— Но фотография! Свадебная!

— Это монтаж. Ира тебя сфотографировала за кулисами, а ты не заметила. Кротова, живущая скандалами, имеет «шпионский» фотоаппарат. Потом просто присобачила твою голову к чужому снимку!

— Но у нее есть сестра Таня, убившая мужа Игоря?

— Нет. Все вранье, абсолютно, ни тени правды нет в ее словах.

— Но зачем она меня обманывала?

— А это совсем другая история, — мрачно ответила Ксюта.

— Расскажи! — взмолилась я.

Оксана боязливо оглянулась на дверь.

— Дегтярев меня убьет. Он строго-настрого запретил болтать на этот счет.

Я улыбнулась:

— Ну ты уже и так тут всего наговорила!

— Оно верно, только Александр Михайлович дико обозлится. По-моему, он сам хотел тебе все рассказать, — протянула подруга.

— Я его тоже послушаю и сделаю вид, что мне страшно интересно.

— Ладно, — сдалась Оксана, — не могу с тобой спорить, только начать придется издалека, иначе не поймешь!

Глава 34

Жила-была на свете девочка Настя Звягинцева. Воспитывала ее мама, не слишком ласковая, вернее, совсем не ласковая, даже суровая, с детства внушавшая дочери: «Мы, Звягинцевы, особые, не такие, как все». Ариадна хотела привить своему ребенку благородство, но, очевидно, она применила неправильную тактику или произносила не те слова, потому что Настя поняла мать превратно. Она решила, что ей, Анастасии Звягинцевой, можно все, она не человек толпы, а исключительная личность, у которой особое в жизни предназначение. Очень опасная позиция. Никаких невероятных талантов у Насти не было, ей хотелось возвыситься над массой сверстников, но ничего не получалось. Единственное, чем она могла гордиться, — это безупречная учеба, но отличников-то много, и не все они потом становятся великими людьми. Лет в пятнадцать Настя возомнила себя певицей. У нее имелся слух и маленький, камерный голосок, такими данными обладают тысячи женщин, поют в компании, дома и чувствуют себя счастливыми. Но Насте, приученной к мысли о собственной исключительности, скромные вокальные данные казались гениальными, ей хотелось славы во вселенском масштабе, и она полагала, что легко ее добиться, надо только попасть на сцену.

Ариадна, узнав о мечте дочери, сделала все, чтобы Настя и думать забыла о «кривлянии». Девушке пришлось подчиниться и поступать учиться на филолога.

Ну и что! — спросит кто-нибудь. Эка невидаль! Да подобное происходит со многими, в особенности с девушками. Мечтали стать актрисами, а потом, послушавшись родителей, выбрали «нормальную» профессию, стали хорошими специалистами. Живут себе, не тужат, детей нарожали, не всем же мечтам реализовываться!

Оно верно, только Настя оказалась из другой породы, а судьба все-таки предоставила ей возможность выйти на сцену...

Оксана перевела дух. Я пожала плечами.

— Все, что ты рассказываешь, я великолепно знаю. Настя стала участвовать в самодеятельности, а потом вообще бросила учиться.

— Верно, — кивнула Оксана, — ты, очевидно, знаешь еще, что Звягинцева обладала редкостным даром? Могла влюбить в себя любого мужчину, впрочем, женщину тоже.

— Да, — кивнула я, — почти все, с кем я говорила о Насте, упоминали об этой черте. А Митрич, преподаватель автодела на зоне, со смехом сказал, что Настю в заключении звали Стеша-гипноз.

— Вот-вот, — подхватила Оксана, — поэтому мать Ольги Каповой, напуганная известием о зяте-уголовнике, и попросила Настю отбить Самуила у дочери, естественно, заплатив за услугу. Звягинцева, с детства уверенная в собственной исключительности, не усмотрела в этом ничего особенного, ведь ей, Насте, позволительно все. К тому же девушка решила уйти из дома, суммы, предложенной Верой Петровной, должно было хватить на первое время, ну а потом к Насте примчится быстрокрылая слава, и вся дальнейшая ее жизнь превратится в триумфальное шествие.

С поставленной задачей Звягинцева справилась легко, Самуил, мигом забыв про Ольгу, переметнулся к Звягинцевой, было лишь одно «но»: Настя сама влюбилась в «объект», первый раз в жизни.

На деньги, полученные от Веры Петровны, была снята квартира, Настя и Самуил поселились вместе, но дальше планы девицы пошли под откос. Из вокального ансамбля ее вытурили, возвращаться в университет не хотелось. Девушка стала искать другой коллектив, в котором не хватало солистки. Но в те годы попасть на «большую» сцену было намного сложнее, чем сейчас, Насте, не имевшей никакого специального образования, следовало прибиться к какой-нибудь группе и петь по ресторанам, в кинотеатрах перед сеансами, развлекать народ на вечеринках и свадьбах, кататься по провинции. Но Звягинцеву никуда не взяли, голосок был слишком мал, а мощной аппаратуры такие коллективы не имели.

И тогда Самуил ей предложил:

— Давай заработаем денег и создадим свой ансамбль, под тебя.

Естественно, Настя согласилась. Будучи человеком редкостной беспринципности, она на ура приняла план Самуила. А тот, мошенник, осужденный за брачные аферы, решил действовать давно испытанным путем: грабить влюбленных толстосумов, но только роль подсадной утки он отвел не себе, а Насте.

Жертвы подбирались аккуратно, сначала тщательно собирали сведения о мужчине и только поняв, что он, обнаружив пропажу заначки, не пойдет в милицию, принимались действовать. Не всегда их ждал успех. К тому же вскоре в стране началась революция, бывшие богатыми при Советах люди потеряли все, в гору полезли другие. Первое время Насте с Самуилом едва-едва хватало на жизнь, но потом ситуация устаканилась, и парочка начала стабильно зарабатывать. Юридически они свои отношения не оформляли, да и зачем им это было надо? Настя достала с помощью Самуила целую кучу паспортов и охмуряла каждого следующего кавалера под новым именем. Самуил не работал, он руководил любовницей, а заодно пытался начать какой-нибудь бизнес. Но каждый раз его ждал крах. Открытый им магазин не дал прибыли, выстроенный автосервис сгорел. А потом Самуил и вовсе дал маху: вложил немалые деньги в одну из финансовых пирамид и вмиг лишился накоплений. Настя, очевидно, сильно любила партнера, раз прощала ему все промахи. О сцене она больше не заговаривала, понимала, что поезд ушел. Ради получения денег Настя ни перед чем не останавливалась, даже вернулась на время домой. Встретила случайно в кафе своего соседа по квартире, приятеля детства Мишу, поняла, что он преуспел в жизни, и сыграла очередной спектакль, потом утащила денежки и была такова.

Но сколько веревочке ни виться, а конец у нее есть — Настя оказалась в заключении. Следственный изолятор и зона настолько напугали Звягинцеву, что она сделала все, чтобы выскочить поскорей из-за колючей проволоки. Сумела охмурить самого начальника зоны, который помог получить зэчке условно-досрочное освобождение.

Глава 35

Оказавшись на свободе, Настя первым делом поругалась с Самуилом.

— Все, — решительно заявила она, — ты слишком хорошо устроился! Жил столько лет за мой счет, сам ничего не делал, а я рисковала.

— А кто, по-твоему, находил «объекты», — возмутился подельник, — и деньгами распоряжался?

— Ага, — взвилась Настя, — вкладывал заработанные мною бабки в черные дыры, где они исчезали без следа!

Слово за слово — они поругались и расстались врагами, но уже через неделю Самуил позвонил Насте и сказал:

— Хорош дуться! Есть замечательный объект, Сергей Лавсанов. Денег у парня навалом.

— Ладно, — согласилась Настя, — пойдет! Но только теперь всем руковожу лично я. Все деньги мы вкладываем в нужное мне дело, я хочу стать певицей, а ты будешь продюсером.

Самуил попытался было спокойно объяснить Насте:

— Тебе поздно на подмостки. Впрочем, идея стать продюсером мне нравится, давай попробуем вместе раскрутить какую-нибудь девочку. Если удачно провернем дело...

— Нет, — перебила его Настя, — будем раскручивать меня.

— Но как же твой возраст?!

— Я что, плохо выгляжу?

— Со спины прекрасно! — рявкнул Самуил.

— А по поводу лица не беспокойся, — хмыкнула Настя, — я видела вчера передачу по телику. Знаешь, чем теперь твоя бывшая женушка и моя заклятая подруженька Ольга Капова занимается?

— Предположим, эти инъекции и впрямь так действенны, — протянул, узнав об успехах Ольги, Самуил, — но ведь нужна аппаратура, песни — да целая куча всего!

— А уж это ваша забота, господин продюсер, — прищурилась Настя.

Самое интересное, что все планы парочки сбылись, словно они, продав души дьяволу, заручились поддержкой самого хозяина преисподней. Все поехало по хорошо смазанным рельсам. Капова согласилась сделать Насте курс инъекций в долг. Не надо думать, что Ольга забыла гадость, сделанную ей Настей. Она решила отомстить. Зная, что лицо без продолжения курса уколов мигом стареет и Звягинцева станет похожа на Бабу Ягу, Капова согласилась «помочь». Но продолжать омолаживание она не собиралась, решила подождать пару лет. Прибежит Настя, покажет появившиеся морщины, тут-то Ольга, все объяснив бывшей подруге, скажет: «Нет, больше помогать не стану, живи теперь каргой!» Инъекции подействовали самым чудодейственным образом. Самуил поразился, увидев после омоложения Настю: перед ним стояла молодая девушка, правда, с глазами прожженной женщины. Сергей Лавсанов был взят с первого приступа, он начал вкладывать средства в раскрутку любовницы, Самуил преуспевал на продюсерском поприще. Наконец-то он нашел себе дело по душе. Закулисье, темная сторона сцены, оказалось той самой мутной водой, где он смог удить золотых рыбок.

— Эй, погоди, — воскликнула я, — но продюсером Насти был Свин, то есть Семен, откуда же взялся Самуил? У Звягинцевой имелось два продюсера?

Оксана хмыкнула:

— Это один и тот же человек. Свин по документам Самуил Борисович Шнеер, только, как ты догадываешься, никто из актеров в паспорт к нему не заглядывал. Самуил представлялся всем Семеном. Говорит, что это имя легче в произношении. Ну а злоязыкие обитатели закулисья дали ему кличку Свин, объективно отражавшую его внешние данные и внутреннюю сущность. Ладно, слушай дальше.

Некоторое время все идет прекрасно. Настя ощущает себя на вершине счастья, но потом ее везение заканчивается, причем мгновенно.

Начинаются неприятности. Совершенно случайно Настя узнает, что некий Роман Кнутов, ближайший приятель Сергея Лавсанова, поняв, что им занялась милиция, отдал другу на хранение очень ценную вещь — «орла».

— А это что такое? — заинтересовалась я.

— Особый перстень-печатка, — пояснила Оксана. — Мало того, что он выполнен из золота и драгоценных камней, так еще считается, что якобы именно им один из российских царей скреплял государственные бумаги. Уж не знаю, правда это или нет, но на аукционе за перстень дают миллионы. И Настя об этом узнала случайно. Роман приехал к Сергею ночью, беседовали они на втором этаже, на балконе, который примыкал к рабочей комнате хозяина, вокруг никого, было около трех часов, Лавсанов думал, что весь дом спит. Только Настя, чья спальня находилась на первом этаже, как раз под кабинетом Лавсанова, именно в это время, маясь бессонницей, распахнула у себя окно и высунулась покурить.

Услыхав разговор, Настя тут же сообщила о нем Свину. Парочка решила спереть раритет. Зачем? Ведь Лавсанов содержал Настю, и материальных проблем у нее не было. Дело в том, что Звягинцева стала надоедать Сергею, и певичка поняла: скоро ее просто выпрут вон, а перстень очень и очень дорогая вещь.

— И Настя не побоялась?

— Нет, решила, что свалит вину на Наташу, домработницу. Звягинцева ведь не подозревала, что в доме ведется видеонаблюдение. Ну а потом ты знаешь, что случилось. Убийство Сергея и обман бедной Тани Рыковой.

И опять Свину с Настей везет. Им не предъявляют обвинений, парочка крадет кое-что из личных вещей Лавсанова и забирает из стола его деньги. Настя уезжает, она не претендует ни на какое имущество Лавсанова, да и прав на него она не имеет. Об «орле» не знает никто, Роман Кнутов сидит в тюрьме.

— Почему же Настя бросила столь удачно начатую карьеру? — спросила я.

Оксана нахмурилась:

— Тому несколько причин. Во-первых, она лишилась даже своего маленького голосочка, во-вторых, и это главное, как и надеялась Капова, лицо Звягинцевой в одночасье потеряло свежесть.

Настя побежала к бывшей подруге, но та торжественно заявила, что помогать ей не станет.

— Но Ольга описывала мне ситуацию по-иному, — сказала я.

— Люди часто врут, — усмехнулась Оксана, — Капова выставила себя в лучшем свете, она не рассказала тебе о задуманной мести.

Свин, видя подобное положение вещей, мигом поставил на место своей подельницы другую Глафиру. Перстень он продал, вырученные деньги вложил в другие шоу-проекты, одним словом, у Свина все было в шоколаде, а у Насти очень плохо.

Оправившись от потрясения, Анастасия поехала к продюсеру домой и потребовала отдать долю за кольцо.

— Она в деле, — ответил продюсер.

Разгорелся страшный скандал, и тут Свин внезапно рявкнул:

— Молчать! Ты убийца Лавсанова.

...— Ой! — воскликнула я. — Это Настя его, да?

— Да, — кивнула Оксана, — именно Настя ударила Сергея ножом. Но ты послушай, что случилось дальше!

...— Будешь теперь делать то, что я прикажу, — заявил Свин, — иначе в милиции узнают правду.

— Не пугай, я пуганая! — заорала Настя. — Где у тебя доказательства?

И тут Свин включил магнитофон. Настя услышала свой собственный голос и остолбенела. Из динамика раздалась ругань Лавсанова, шум скандала, грохот драки и вопль: «Я убила его!»

Потом Свин дал ей прослушать запись разговора с Таней Рыковой, в общем, совершенно железные доказательства причастности Звягинцевой к преступлению.

— Ну ты и мерзавец! — заявила Настя.

— Здорово, правда? — усмехнулся Свин. — У меня в кармане всегда диктофон лежит, маленький, но мощный. Актеры-то словно капризные дети. Сначала одно скажут, потом другое, третье, затем откажутся от своих слов, а диктофончик-то пишет. Знаешь, он у меня в тот день случайно, сам собой в кармане включился. Так что, моя киса, сиди тихо.

И что оставалось делать Насте?

Оксана замолчала и полезла за сигаретами.

— Знаю, как разворачивались события потом, — прошептала я.

— Ну и?..

— Свин убил Настю, труп утопил в болоте и начал жить как ни в чем не бывало, денег ему хватало, да и бизнес его пошел в гору.

— Здорово ты во всем разобралась, — округлила глаза Оксана, — прямо Шерлок Холмс!

— Ну не во всем, остались разные вопросы.

— И какие же?

— Почему Свин решил мне помочь?

Оксана усмехнулась:

— Да уж, добрым его не назовешь. Понимаешь, он сразу понял, что перед ним человек, у которого с мозгами непорядок. Для начала он, вспомнив про Таню Рыкову, решил проверить, действительно ли ты потеряла память. История про девушку-прислугу, убившую хозяина-благодетеля, испугала «найденыша», но она не стала возмущаться, кричать, и Свин просек — тетка и впрямь ничего не помнит. Он, жадный до патологии, решил попросту сэкономить на прислуге, верно рассудил: больная станет служить за еду. У Глафиры-то домработницы не держались, менялись через неделю, требовали больших зарплат за вредность хозяйского характера. Сама знаешь, она наркоманка с непредсказуемым поведением.

— Ага, сначала она орала, дралась, а потом лезла целоваться.

— Вот-вот! Еще он подумывал о рокировке, хотел поменять Глафиру. Знаешь, почему Свин обозлился, когда Глафира-2, та, что подобрала тебя, попыталась сменить имидж? Семен сам наметил такой ход, но Рита была еще не готова, он планировал замену, а тут певичка со своей инициативой... Но не о ней сейчас речь, а о тебе.

Тетка без документов, уверенная в том, что ее ищет милиция, будет бесценной помощницей, слова не скажет, потому что побоится, станет молча служить новой Глафире. Но потом Свину на глаза попалась газета, в которой мы дали твое фото и сообщение: «Ушла из дома». Продюсер мигом узнал тебя и начал наводить справки. От полученной информации он просто обалдел, но решил выждать, чтобы подумать, как лучше поступить: слупить с родственников большую сумму, сказав им, где ты, или попытаться каким-то образом использовать тебя, выкачать деньги. К счастью, Свин ничего не успел предпринять! Как знать, что пришло бы ему в голову, думаю, ничего хорошего, благородные мысли в башке у милейшего Семена не селятся.

— А эта Ирина Кротова? Ей-то зачем весь спектакль?

Оксана улыбнулась:

— Ирина! Ты сама рассказала ей про себя, поделилась собственным горем. Нашла с кем откровенничать! У Свина имелся компромат на Ирину. Более того, он запугал Кротову. Та, кстати, весьма неплохо зарабатывает, разнюхивает чужие тайны, а потом шантажирует актеров. Говорит: «Плати, милый, иначе все постыдные секреты опубликуют в газете». И ей давали деньги, большие. Но их львиную долю отнимал у Кротовой Свин, она сама была объект шантажа с его стороны.

Познакомившись с тобой, Ирина поняла: вот он уникальный, подаренный судьбой случай. Перед ней несчастная, больная женщина, которую можно принудить сделать что угодно.

И она начала действовать. Для начала зазвала тебя в «служебную» квартиру и наврала с три короба. А ты поверила, впрочем, я уже тебе объяснила, почему: обстановка, мебель — все казалось родным, напоминало о прошлой жизни.

Я кивнула:

— Да, знаешь, я отчего-то всем верила. Видишь, у меня на запястье шрам, очень хорошо сейчас помню его происхождение — порезалась о стекло много лет назад, когда вылезала из разбитого окна. Но одна женщина сказала мне, что я — Настя Звягинцева, пытавшаяся в опьянении покончить с собой, и я поверила ей. По крайней мере в тот момент.

— Вот и Ирина, с твоей точки зрения, говорила правду, — вздохнула Оксана, — она — хитрая мартышка. Сначала наняла психиатра и попросила его поговорить с тобой.

— Румяного дядечку? Помню его.

— А когда тот подтвердил: похоже, у нее на самом деле амнезия, несчастная не врет, Ирина начала атаку. Более того, чтобы закрепить эффект, она сделала фотомонтаж, тайком сфотографировала тебя, пока ты говорила с врачом. А еще зазвала в пивную, на разговор.

— Да зачем?

— А кто там вам встретился?

— Адвокат Жорик, который якобы вел мое дело в суде, спившийся субъект.

— Это была подстава, чтобы окончательно убедить тебя, что ты — ее сестра, — пояснила подруга. — Жорик и впрямь алкоголик, но законником он никогда не был, это бывший актер, изредка, за копейку, помогавший Ирине. Она потому и притащила тебя в кафе, а не на квартиру. Тебе не показалось странным: ну с какой стати назначать рандеву в городе? Да еще так таинственно? Просто Ирине надо было устроить «спектакль», а случайная встреча возможна лишь вне дома.

— Да, — протянула я, — а еще Ирина сообщила мне неверное название места, где содержали бедную Таню Рыкову.

— В планы Кротовой не входило ваше свидание!

— А потом Ирина обиделась на меня и не захотела использовать. Странно, она столько сил потратила...

— Кротова испугалась, — пожала плечами Оксана, — события стали развиваться не так, как она планировала. Ты неожиданно проявила характер, не захотела делать обыск в квартире Свина, решила сама заняться расследованием, вот и стала опасна для нее, поэтому она и решила избавиться от «сестрички». Спокойно рассудила: полубезумной особы никто не хватится, у несчастной нет ни имени, ни фамилии.

— Боже! Открытый люк на сцене! Вот чей голос звал меня к нему!

— Верно.

— И автокатастрофа, та, у булочной...

— Тогда ты чудом избежала смерти! Кротова страшно разозлилась. К счастью, новый план ей не удалось привести в исполнение.

Несколько минут я хлопала глазами, потом воскликнула:

— Господи! Домработница Наташа! Неужели и ее...

— ...убила Ирина, — закончила Оксана.

— Но за что? Какая связь существовала между Наташей и Ириной! — завопила я, срываясь с кровати.

— Да тише ты, — шикнула Оксана, — сейчас весь персонал сбежится, подумают, убивают тебя! Какая связь, какая связь! Похоже, ты вообще ничего не поняла! Ну-ка вспомни! Почему Ирина обиделась на тебя.

Я напряглась.

— Ну, дословно разговор не перескажу. Я сказала ей, что не хочу подливать Свину снотворное, не стану шарить в его квартире, не желаю заниматься шантажом. Я хочу начать новую жизнь и делать это собираюсь с доброго поступка: вызволю из психушки Таню Рыкову. Не могу жить так, как раньше, думая лишь о себе, к тому же Тане легко помочь при помощи Наташи, у которой есть видеозапись преступления. Собственно говоря, это все. Вот такой или примерно такой разговор.

Оксана мрачно продолжила:

— Ну, и после этого Наташа погибает, а на тебя начинаются покушения. Неужели ты до сих пор не понимаешь, в чем дело?

— Нет.

— Ладно, заедем с другого конца. Где Настя Звягинцева?

— Свин убил ее!

— Нет, она жива!

— Да???

— Точно, ну... теперь поняла?

— Нет!!!

— Ирина Кротова — это Настя Звягинцева, — выпалила Оксана, — она после того, как кончилось действие уколов, стала выглядеть старше, изменила прическу, макияж, гардероб, вот ее никто и не узнал за кулисами. Настя стала репортером, она мстила актерам, которые, в отличие от нее, пели на сцене. Ей доставляло радость писать гадости про тех, кто добился успеха там, где ей не удалось. Кстати, многие критики занимаются тем же, сами не сумели стать писателями, актерами, певцами и мстят удачливым людям. Свин купил ей паспорт на чужое имя и шантажом заставил работать на себя. Он отнимал у подельницы львиную часть доходов. Свин — он такой, своего не упустит. Ну что ты молчишь? Скажи хоть что-то!

Но я только открывала и закрывала рот. Настя, на поиски которой я потратила столько сил, все время находилась рядом.

Оксана похлопала меня по спине.

— Понятно. Случаи внезапной потери речи от удивления хорошо описаны в научной литературе.

— Но, — отмерла я, —знаешь, я только сейчас сообразила. Наташа-то меня обманула! Она знала, кто убил Лавсанова! В момент преступления стояла, зажмурившись, но потом небось увидела запись и все поняла! Отчего мне не сказала?

Оксана пожала плечами:

— Может, побоялась или не захотела, думала Свину напакостить сначала. Правды мы теперь не узнаем. А вот Ира — Настя мигом просекла опасность и стала действовать, разожгла камин для Снегурочки.

— Что? — не поняла я.

Оксана усмехнулась:

— Если Снегурочка окажется около жаркого камина, что с ней случится?

— Она растает...

— Вот-вот, — закивала Оксана, — Ира — Настя считала тебя такой наивной Снегурочкой, появившейся невесть откуда, существующей без памяти о прошлом, не знающей о себе ничего. Ну а потом, решив избавиться от тебя, и разожгла камин.

— Она не разводила огня, — пробормотала я.

— Я просто красиво высказываюсь, — хмыкнула Оксана. — На самом-то деле она тебя просто задумала убить, и ничего в ее желании красивого не было.

ЭПИЛОГ

Говорят, что возмездие всегда настигает преступников. Честно говоря, я не слишком верю в это. Увы, частенько люди, преступившие закон, великолепно живут на свободе и даже считаются добропорядочными гражданами. Правда, сначала мне показалось, что сладкая парочка сумеет выскочить из западни, потому что видеозапись, которая была припрятана Наташей, так и не нашли. Домработница погибла на месте, не успев ничего сказать. Пленка лежит в тайнике, месторасположение которого неизвестно. Но тем не менее для Свина и Ирины — Насти время везения закончилось. Сейчас оба находятся под следствием. Вменяют им много всего. Я не профессионал, поэтому не сумею назвать правильно статьи или сформулировать, как звучат обвинения, но поняла, что парочке припомнят все, начиная от налоговых махинаций Свина до убийства Лавсанова. Да, его

совершила Настя — Ирина, но Свин-то присутство-
вал во время преступления, помогал убийце скрыть-
ся. Не будет забыто воровство «орла», шантаж
эстрадных артистов. Конечно, это труднодоказуе-
мые деяния, но следователь настроен очень серьезно. А еще смерть Наташи и покушения на
мою жизнь. Ну и, конечно же, обман несчастной
Тани Рыковой. Правда, последняя сама могла еще
раз оказаться на скамье подсудимых, она ведь в
свое время ввела соответствующие органы в заблуждение. Но в отношении Тани поступили гу-
манно, ее отпустили. Мы купили девушке квартиру и устроили ее на работу.

Я теперь превратилась в спонсора, помогаю
Рите, дала ей деньги на съемку клипа и пристроила певицу к хорошему продюсеру, который стопроцентно сделает из нее подлинную звезду. У Риты, на мой взгляд, большое будущее.

Жизнь в нашем доме потихоньку вошла в при-
вычную колею. Дом засверкал новыми окнами,
мы вернулись в Ложкино. Аркадий и Зайка рабо-
тают, Александр Михайлович руководит, Маня
учится, близнецы растут, Ирка ворчит, Катерина
и садовник Иван ругаются между собой, собаки и
кошки здоровы, только Хуч потолстел до семнад-
цати килограммов, и нам пришлось посадить об-
жору на диету. Ося подружился со всеми и продолжает счастливо лакомиться сыром.

В середине июля я позвонила Митричу и, из-
винившись за задержку, пригласила Катю на концерт. Узнав о моих планах, Оксана воскликнула:

— Пойду с вами!

Я поморщилась:

— Зачем тебе «Баблз»? Уж поверь, это не для
нормального человека! Четверо мальчишек, пры-

гающих по сцене, и толпа визжащих девчонок в зале! С ума сойдешь от шума и грохота.

— Вы же пойдете за кулисы? — заныла Оксана.

Я улыбнулась.

— Да уж, благодаря своей временной работе с Глафирой я теперь знаю почти весь шоу-биз. Конечно, пойдем, «Баблз» пообещали сфотографироваться вместе с Катей.

— Я никогда не была за кулисами, очень хочется посмотреть.

— Ничего интересного, сплошной обман, лучше наблюдать концерт из зала.

Но Оксанка не успокаивалась, поэтому мы отправились на концерт втроем. Оказавшись за кулисами, я мигом наткнулась на знакомых, называвших меня «Таня». Правда, слух о том, что домработница Глафиры на самом деле оказалась переодетой миллионершей, уже давно разнесся среди артистов, поэтому присутствующие были корректны, даже Инесса сквозь зубы улыбнулась мне. Вертящийся под ногами Ричи облаял нас и скрылся в темноте, пуделю наплевать на деньги, он искренне выражает свои эмоции.

— Вау, Таняша, — заорала одна из «Лисичек», — ну и брюлики у тебя, класс!

— Во Ритке повезло, — с откровенной завистью сказала другая, — ты ей денег отсыпала!

Оказавшийся рядом Ванька захихикал:

— Да уж, нам подфартило, не то что Инеске!

— А что у нее случилось? — мигом спросили «Лисички».

— Не знаете? — оживился Ванька.

— Нет.

— Во прикол! Она с мужиком жила, с богатым, но дико жадным.

— Знаем, — заорали «Лисички», — еле-еле его на ремонт раскрутила!

— Верно, — кивнул Ванька, — думала, папик ей деньжат на клип даст, а тот только на оклейку комнат обоями раскошелился. Ну ждала Инеска, ждала бабок, ан нет! Вот и надумала папика турнуть. Дескать, не хочешь платить — пошел вон. Поставила ему ультиматум и в ванную упорхнула. Выходит — мама родная! — двое работяг обои со стен сдирают. Ну наша Инеска к папику.

«Ты что? Новый ремонт затеял? Я же тебе велела вон уходить!»

«Конечно, киска, — кивнул мужик, — я уже собрался, все свое прихватил, сейчас вот обои скатаю и уйду навсегда».

«Лисички» согнулись от смеха.

— И все равно, так, как Ритке, мало кому везет, — протянула, успокоившись, одна из солисток, — вся в шоколаде теперь. Да и предыдущей Глафире вы помогаете, знаем, знаем. Платите за ее лечение у нарколога. Эх, почему от нас удача убегает?

— Хочешь, дам совет, — сказала я.

— Какой? — прищурилась девушка.

Я улыбнулась:

— Знаешь, в Париже есть одна гостиница. Там над ресепшн висит девиз. Если его перевести на русский, то он звучит так: «Всегда будь приветлив с незнакомцем — вдруг это переодетый ангел».

Д 67   **Донцова Д. А.**
Камин для Снегурочки: Роман. — М.: Изд-во
Эксмо, 2004. — 384 с. (Иронический детектив).

«Кто я такая?» Этот воп, как назойливая муха, жужжит в голове... Ее подобрала на шикарная поп-дива Глафира и привезла к себе домой. Что с научилось, она, хоть убей, не помнит, как не помнит ни своего ни, ни адреса... На новом месте ей рассказали что ее зовут Тан недалеком прошлом она была домработницей, потом сбежала дурдома, где сидела за убийство хозяина. Но этого просто нет быть! Она и мухи не обидит! А далее началось и вовсе стре... Казалось, ее не должны знать в мире шоу-бизнеса, где онаслуга Глафиры, теперь вращается. Но многие люди узнают в овершенно разных женщин. И ничего хорошего все эти мягкие особы собой не представляли: одна убила мужа, другая мница. Да уж, хрен редьки не слаще! А может, ее просто обман? Ведь в шоу-бизнесе царят нравы пираний. Не увернешься рут и косточки не выплюнут! Придется самой выяснять, кта. Вот только с чего начать?..

УДК 882
ББК 84(2Рос-Рус)6-4

ISBN 5-699-05987-3   ООО «Издательство «Эксмо», 2004

Оформление серииника *В. Щербакова*

Литературно-хенное издание

Донцова Аркадьевна
КАМИН ДУРОЧКИ

Ответственюр *О. Рубис*
Редакэнова
Художественны *В. Щербаков*
Худдько
Технически *Н. Носова*
Компьютери*Г. Павлова*
Корректонова

ООО «ИЭксмо».
127299, Москва, ул. Клары Цетки. 5. Тел.: 411-68-86, 956-39-21
Интернет/Нсw. eksmo.ru
Электронная почфо@ eksmo.ru

Подписано в печатмакета 15.04.2004
Формат 84х108¹/₃₂. ная. Бум. газетная
Усл. печ. лд. л. 15,2
Тираж 410 0№ 0405510.

Отпечатаэлном соответствии
с качественного оригинал-макета
в ОАО «Яниграфкомбинат»
150049, Свободы, 97

Дарья Калинина

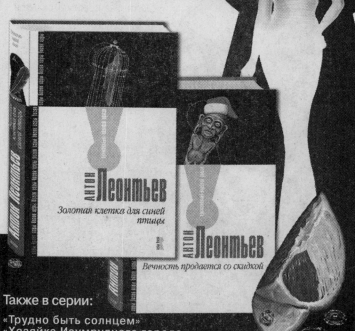